Maths

Jean-Dominique Picchiottino
Professeur agrégé de mathématiques
au lycée Pasquet à Arles

Maquette de principe : Frédéric Jély
Mise en page : Indologic, Pondichéry (Inde)
Schémas : Indologic, Pondichéry (Inde)

 978-218-99478-4

Mode d'emploi

Votre ouvrage Prépabac

- Conforme au dernier programme de mathématiques 2de, ce « Prépabac » vous propose un **outil de travail** très complet.
- Sur chaque thème du programme, vous trouverez : un **cours** structuré, des fiches de **méthode**, des **exercices** progressifs et leurs **corrigés** détaillés.
- Toutes ces ressources vous permettent de vous entraîner efficacement et d'aborder en confiance vos contrôles durant l'année.

COURS | MÉTHODE | EXERCICES | CORRIGÉS

Sur le site www.annabac.com

- L'achat de cet ouvrage vous permet de bénéficier d'un **accès GRATUIT**[1] à toutes les **ressources d'annabac.com** : fiches de cours, résumés audio, quiz interactifs, exercices et sujets d'annales corrigés...
- Pour profiter de cette offre, rendez-vous sur **www.annabac.com**, dans la rubrique « Vous avez acheté un ouvrage Hatier ? ».

[1] Selon les conditions précisées sur le site.

sommaire

CALCULS ET FONCTIONS

1 Techniques de calcul

2 Équations

3 Inéquations

4 Fonctions

5 Fonctions de référence et trigonométrie

6 Autres fonctions

STATISTIQUES ET PROBABILITÉS

7 Statistiques

8 Probabilités

sommaire

GÉOMÉTRIE

www.annabac.com

CHAPITRE

1 Techniques de calcul

En Seconde, il faut être à l'aise dans le calcul numérique – avec ou sans l'aide de la calculatrice – mais aussi dans le calcul littéral, c'est-à-dire le calcul avec des lettres. Développements, factorisations, identités remarquables : tous ces aspects doivent être maîtrisés.

Dans toute la suite, sauf mention du contraire, les lettres figurant dans les calculs représentent des nombres. Les dénominateurs des fractions écrites sont supposés différents de 0.

1 Addition et soustraction

A Addition

L'addition est une opération facile à manier. Dans une suite d'additions, on peut changer l'ordre des termes (on dit que l'addition est commutative) et supprimer les parenthèses comme on veut (on dit que l'addition est associative).

Exemple

$$3x+1+(5x+7)=3x+1+5x+7$$
$$=3x+5x+1+7=8x+8.$$

ADDITIONNER DEUX FRACTIONS

Pour additionner deux fractions, il suffit de les réduire au même dénominateur.

Sans tenir compte d'autres dénominateurs éventuellement plus simples, on a :

$$\frac{a}{b}+\frac{c}{d}=\frac{ad+bc}{bd}.$$

B Soustraction

La soustraction se définit par rapport à l'addition.

On dit parfois que soustraire le nombre b revient à additionner son opposé.

Pour tous nombres a et b :

$$a - b = a + (-b)$$

Remarque

Dans l'égalité précédente $-b$ désigne l'opposé de b.

> Le nombre $-x$ n'est pas nécessairement négatif ! Si $x = -2$ alors $-x = 2$.

La soustraction est une opération moins aisée que l'addition :

- elle n'est pas commutative ; autrement dit, en général, $a - b \neq b - a$;
- elle n'est pas associative ; autrement dit, en général, $a - (b - c) \neq (a - b) - c$.

Lorsqu'on supprime des parenthèses précédées du signe « moins », on doit changer les signes des additions et des soustractions (et seulement ces signes-là). Ainsi les additions sont transformées en soustractions et les soustractions en additions :

$-(a + b + c) = -a - b - c$

$-(a + b - c) = -a - b + c$

$-(a - b + c) = -a + b - c$

$-(a - b - c) = -a + b + c.$

Exemple

$$\begin{aligned} -[3x - (-1)] - (-6 + x) &= -3x + (-1) - (-6) - x = -3x - 1 + 6 - x \\ &= -4x + 5 \end{aligned}$$

2 Multiplication et division

A Égalité de fractions

Les figures ci-après montrent comment exploiter l'égalité de deux fractions : $\dfrac{a}{b} = \dfrac{c}{d}$.

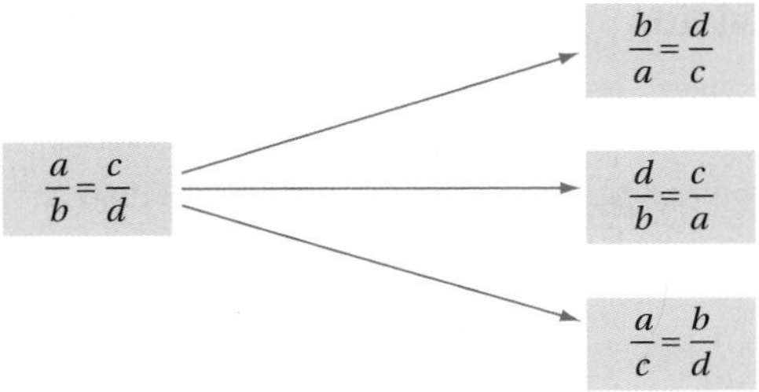

$\frac{a}{b} = \frac{c}{d}$ → $\frac{b}{a} = \frac{d}{c}$; $\frac{d}{b} = \frac{c}{a}$; $\frac{a}{c} = \frac{b}{d}$

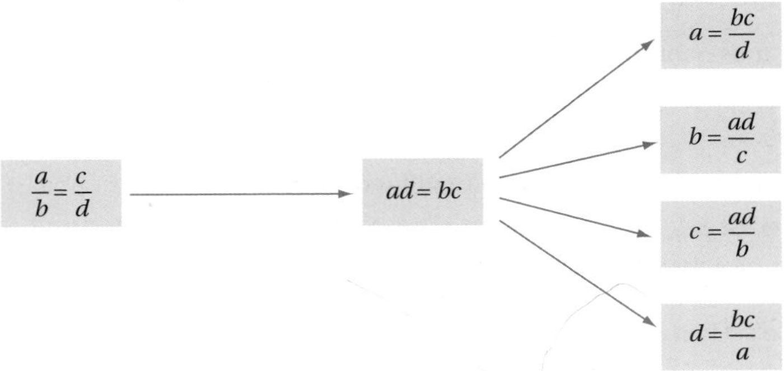

$\frac{a}{b} = \frac{c}{d}$ → $ad = bc$ → $a = \frac{bc}{d}$; $b = \frac{ad}{c}$; $c = \frac{ad}{b}$; $d = \frac{bc}{a}$

B Multiplication

Règle des signes

Le produit de deux nombres de même signe est un nombre positif et le produit de deux nombres de signes contraires est un nombre négatif.

Pour éviter toute confusion entre la lettre x et le signe $\times$, le produit $a \times b$ se note simplement ab.

Tout comme l'addition, la multiplication est une opération commutative et associative :

$ab = ba$ et $a(bc) = (ab)c$.

Rappel

Pour multiplier des fractions entre elles, il suffit de multiplier les numérateurs entre eux et les dénominateurs entre eux.

$$\frac{a}{b} \times \frac{c}{d} = \frac{ac}{bd}$$

Pour multiplier deux fractions, il est inutile de les réduire au même dénominateur.
Rappelez-vous que : $a \times \frac{c}{d} = \frac{ac}{d}$.

C Division

La division se définit par rapport à la multiplication. On dit parfois que diviser par y revient à multiplier par son inverse.

Pour tous nombres x et y, y étant différent de 0 :

$$x : y = x \times \frac{1}{y}$$

Attention : l'opposé de y est $(-y)$ et l'inverse de y est $\frac{1}{y}$. Ne les confondez pas.

Remarque

Dans l'égalité précédente, $\frac{1}{y}$ désigne l'inverse de y.

Pour tous nombres a, b, c et d, ces trois derniers étant différents de 0 :

$$\frac{a}{b} : \frac{c}{d} = \frac{a}{b} \times \frac{d}{c} = \frac{ad}{bc}$$

La division n'a pas les propriétés utiles de la multiplication.

- Elle n'est pas commutative ; autrement dit, en général, $a : b \neq b : a$ que l'on peut aussi écrire $\frac{a}{b} \neq \frac{b}{a}$.
- Elle n'est pas associative ; autrement dit, en général, $a : (b : c) \neq (a : b) : c$ que l'on peut aussi écrire $\frac{a}{\frac{b}{c}} \neq \frac{\frac{a}{b}}{c}$.

3 Propriétés des inverses et opposés

Un nombre et son opposé sont de signes contraires. Donc x et $-x$ sont de signes contraires.

L'opposé de 0 est égal à 0. Donc $0 = -0$.

L'opposé d'un inverse est égal à l'inverse de l'opposé. Donc $-\frac{1}{x} = \frac{1}{-x}$.

0 n'a pas d'inverse et c'est le seul nombre qui n'a pas d'inverse.

Il y a deux façons d'exprimer l'opposé d'un quotient :

$$-\frac{a}{b} = \frac{-a}{b} = \frac{a}{-b}$$

On a donc le choix : soit on prend l'opposé du numérateur soit on prend l'opposé du dénominateur (mais pas les deux en même temps).

4 Développer et factoriser

A Développer

- Développer un produit de facteurs comportant des parenthèses ou des crochets, c'est le transformer en une somme de termes. Pour cela, on applique la distributivité.

- **Rappel**

La distributivité de la multiplication par rapport à l'addition est une propriété qui s'énonce ainsi :

$$k(a+b)=ka+kb$$

On dit que l'on a distribué le nombre k pour a et pour b.

- La multiplication est aussi distributive par rapport à la soustraction :

$k(a-b)=ka-kb$.

Le nombre k peut prendre des formes aussi complexes que l'on veut.

Ainsi, si $k=c+d$:

$(a+b)(c+d)=(a+b)c+(a+b)d$

$(a+b)(c+d)=ac+bc+ad+bd=ac+ad+bc+bd$

- Le schéma ci-dessous résume la distributivité dans le cas précédent.

$$(a+b)(c+d)=ac+ad+bc+bd$$

De même :

$(a+b)(c-d)=ac-ad+bc-bd$

$(a-b)(c+d)=ac+ad-bc-bd$

$(a-b)(c-d)=ac-ad-bc+bd$

B Factoriser

- Factoriser une expression numérique ou littérale, c'est l'écrire sous la forme d'un produit de facteurs. Pour cela, il faut repérer l'expression commune qui sera mise en facteur.

Exemples

- $5x-7x$. Le facteur commun est ici x. Donc $5x-7x=(5-7)x=-2x$.

• $3(x-1)+x(x-1)$. Le facteur commun est ici $(x-1)$. Donc : $3(x-1)+x(x-1)=(3+x)(x-1)$.

Il n'est pas toujours aussi simple de repérer l'expression commune à mettre en facteur.

5 Identités remarquables

Les identités remarquables servent à factoriser ou à développer.

Forme factorisée	Forme développée
$(a+b)^2 = a^2+2ab+b^2$	
$(a-b)^2 = a^2-2ab+b^2$	
$(a-b)(a+b)=a^2-b^2$	

IDENTIFIER UNE IDENTITÉ REMARQUABLE

• Identifiez l'identité a^2-b^2 dans des expressions telles que x^2-7. Comme $7=(\sqrt{7})^2$, alors $x^2-7=(x^2-(\sqrt{7})^2)=(x-\sqrt{7})(x+\sqrt{7})$.

• Distinguez $-b^2$ et $(-b)^2$. $-b^2=-(b\times b)$ et c'est donc un nombre négatif. $(-b)^2=(-b)\times(-b)=b^2$ et c'est donc un nombre positif.

6 Algorithmique

A Définition

Un algorithme est une suite de règles ou d'instructions à appliquer à des données initiales, dans un ordre déterminé, pour résoudre un problème.

L'application des règles s'appelle aussi le traitement des données.

B Les instructions

Les instructions forment un langage. Elles sont donc très nombreuses. Voici les principales.

Déclaration des variables

Chaque type de variable doit être déclaré. Une lettre peut représenter un nombre ou une liste ou encore une chaîne de caractères.

Exemple : x EST_DU_TYPE NOMBRE

Instructions pour traiter les données

1. L'affectation des données dans des variables

Exemple : A PREND_LA_VALEUR 5

Cette instruction signifie que la variable A contient la valeur 5 jusqu'à ce qu'une nouvelle instruction (éventuellement) change cette valeur.

> En langage usuel, on dirait que la variable A vaut 5, ou bien que A = 5.

2. La lecture (ou entrée) des données

Exemple : LIRE x

Cette instruction signifie que l'utilisateur va écrire au clavier une valeur numérique ; cette valeur sera alors affectée à la variable x, c'est-à-dire que désormais, et sauf changement en cours de traitement, la variable x contiendra la valeur fournie par l'utilisateur.

> En langage usuel, on dirait que l'on donne une valeur à la variable x.

3. L'écriture (ou sortie) des données

Exemple : AFFICHER y

Cette instruction signifie que le programme de calcul affiche à l'écran la valeur contenue dans la variable y.

Instructions de contrôle

1. La structure conditionnelle SI ... ALORS ... SINON

La structure conditionnelle exécute des instructions sous une certaine condition, sinon elle en exécute une autre.

Exemple

```
1    VARIABLES
2      x EST_DU_TYPE NOMBRE
3    DEBUT_ALGORITHME
4      SI (floor(x/2)==x/2) ALORS
5        DEBUT_SI
6        x PREND_LA_VALEUR x / 2
7        FIN_SI
8        SINON
9          DEBUT_SINON
10         x PREND_LA_VALEUR 3 * x – 1
11         FIN_SINON
12   FIN_ALGORITHME
```

> floor(x/2) calcule la partie entière de x/2. floor(x/2) est égal à x/2 si et seulement si x est pair.

Cette structure signifie que :

- si la valeur de x rencontrée par l'algorithme est paire, alors la variable x contiendra désormais la moitié du nombre qu'elle contenait ;
- sinon, la variable x contiendra désormais 3 fois le nombre qu'elle contenait auquel on enlève 1.

2. Structures répétitives

- Structure POUR

Exemple

```
1   VARIABLES
2      k EST__DU__TYPE NOMBRE
3      x EST__DU__TYPE NOMBRE
4   DEBUT__ALGORITHME
5      POUR k ALLANT__DE 1 A 10
6         DEBUT__POUR
7         x PREND__LA__VALEUR 2 * x + 1
8         FIN__POUR
9   FIN__ALGORITHME
```

Cette structure signifie que la valeur de x sera successivement égale à 3 ($k=1$), 5 ($k=2$),..., 21 ($k=10$). Il est sous-entendu que k est un entier.

- Structure TANT__QUE

Exemple

```
1   VARIABLES
2      x EST__DU__TYPE NOMBRE
3   DEBUT__ALGORITHME
4      TANT__QUE (x <= 54) FAIRE
5         DEBUT__TANT__QUE
6         AFFICHER "x"
7         FIN__TANT__QUE
8   FIN__ALGORITHME
```

Une instruction claire ordonne le début du processus et une instruction claire ordonne la fin du processus.

Cette structure signifie que la valeur de x sera affichée tant qu'elle sera inférieure ou égale à 54. Si elle est égale à un nombre strictement supérieur à 54, elle ne sera pas affichée.

Mener à bien un calcul littéral et numérique

ÉNONCÉ

1 Développer, réduire et ordonner l'expression :

$P(x)=(x-3)(2-5x)-(4x+7)$.

2 Calculer $P(0)$, $P(-1)$ et $P(\sqrt{2})$.

MÉTHODE

1 Quand on va développer l'expression, on va trouver des termes comprenant x^2 (on dit que ce sont des termes de degré 2), d'autres comprenant x (ce sont des termes du premier degré) et des termes sans x (termes de degré 0 ou termes constants). L'expression est réduite quand il n'y a plus qu'un seul terme de chaque sorte. En outre, elle est ordonnée si les termes sont écrits dans l'ordre croissant ou décroissant de leurs degrés.

2 Il suffit de remplacer x par 0, puis par -1 et enfin par $\sqrt{2}$. Quelle expression faut-il prendre ? Celle du départ ou celle que l'on a trouvée ? C'est au choix.

CORRIGÉ

1
$$\begin{aligned} P(x) &= 2x-6-5x^2+15x-4x-7 \\ &= -5x^2+2x+15x-4x-6-7 \\ &= -5x^2+13x-13. \end{aligned}$$

$P(x)$ est écrit sous une forme réduite et ordonnée suivant les puissances *décroissantes* de x.

On aurait aussi bien pu écrire $P(x)=-13+13x-5x^2$. Dans ce cas, $P(x)$ est écrit sous forme réduite et ordonnée suivant les puissances *croissantes* de x.

2 Les calculs suivants montrent l'utilisation des deux expressions de $P(x)$.

> Souvent, l'une des deux formes facilite les calculs.

	$(x-3)(2-5x)-(4x+7)$	$-5x^2+13x-13$
$x=0$	$(0-3)(2-0)-(4\times 0+7)$ $=-6-7=-13$	$-5\times 0+13\times 0-13=-13$
	Donc $P(0)=-13$	
$x=-1$	$(-1-3)(2-5\times(-1))-(4\times(-1)+7)$ $=(-4)\times(2+5)-(-4+7)$ $=(-4)\times 7-3$ $=-28-3=-31$	$-5\times(-1)^2+13\times(-1)-13$ $=-5+(-13)-13$ $=-5-26=-31$
	Donc $P(-1)=-31$	
$x=\sqrt{2}$	$(\sqrt{2}-3)(2-5\sqrt{2})-(4\sqrt{2}+7)$ $=2\sqrt{2}-6-5\sqrt{2}^2+15\sqrt{2}-4\sqrt{2}-7$ $=13\sqrt{2}-6-7-10$ $=13\sqrt{2}-23$	$-5\times(\sqrt{2})^2+13\sqrt{2}-13$ $=-5\times 2+13\sqrt{2}-13$ $=-10+13\sqrt{2}-13$ $=-23+13\sqrt{2}$
	Donc $P(\sqrt{2})=-23+13\sqrt{2}$	

Factoriser des expressions avec des identités remarquables

ÉNONCÉ

Factoriser les expressions suivantes.

1 $9x^2+12x+4$ $(3x+2)^2$

2 $16-(7x-3)^2$

3 $(2-x)^2-11$

MÉTHODE

Il s'agit de reconnaître des identités remarquables écrites sous forme développée.

1 Manifestement, il s'agit de l'identité $(a+b)^2=a^2+2ab+b^2$. Il suffit alors de savoir qui sont a et b.

2 et **3** Puisqu'il s'agit de factoriser, les deux expressions données sont développées. On doit donc les considérer comme étant de la forme a^2-b^2 ; a ou b peuvent être des expressions littérales. Souvenez-vous que pour un nombre $x>0$, $x=\left(\sqrt{x}\right)^2$.

CORRIGÉ

1 $9x^2+12x+4=(3x)^2+2\times 3x\times 2+2^2$.

On peut donc poser $a=3x$ et $b=2$ et utiliser $a^2+2ab+b^2=(a+b)^2$.

La factorisation donne alors $(3x+2)^2$.

2 $16-(7x-3)^2=4^2-(7x-3)^2$.

On peut donc poser $a=4$ et $b=7x-3$ et utiliser $a^2-b^2=(a-b)(a+b)$.

La factorisation donne alors :

$[4-(7x-3)][4+(7x-3)]=[4-7x+3][4+7x-3]=(7-7x)(1+7x)$.

3 $(2-x)^2-11=(2-x)^2-\left(\sqrt{11}\right)^2$.

On peut donc poser $a=2-x$ et $b=\sqrt{11}$ et utiliser $a^2-b^2=(a-b)(a+b)$.

La factorisation donne alors : $\left(2-x-\sqrt{11}\right)\left(2-x+\sqrt{11}\right)$.

Cette écriture constitue une bonne réponse. On aurait aussi pu écrire :

$\left(2-\sqrt{11}-x\right)\left(2+\sqrt{11}-x\right)$.

Factoriser en cherchant un facteur commun

ÉNONCÉ

Factoriser les expressions suivantes.

1 $(x+3)(5-x)+(2x+1)(x+3)$ (x+3)(x+6)

2 $x(6x-15)-(3x+4)(4x-10)$

3 $(1-2x)(7-9x)+(4x-2)^2$

MÉTHODE

1 Le facteur commun est évidemment $(x+3)$.

2 Apparemment, il n'y a pas de facteur commun.

Cependant :

$6x-15=3(2x-5)$ et $4x-10=2(2x-5)$.

Le facteur commun apparaît alors.

3 Ici encore, on ne voit pas de facteur commun évident.

Cependant :

$4x-2=2(2x-1)$ et $1-2x=-(2x-1)$.

Le facteur commun apparaît alors.

CORRIGÉ

1
$$\begin{aligned}(x+3)(5-x)+(2x+1)(x+3)&=(x+3)\left[(5-x)+(2x+1)\right]\\&=(x+3)(5-x+2x+1)\\&=(x+3)(x+6).\end{aligned}$$

La factorisation est achevée.

2
$$\begin{aligned}x(6x-15)-(3x+4)(4x-10)&=3x(2x-5)-2(3x+4)(2x-5)\\&=(2x-5)\left[3x-2(3x+4)\right]\\&=(2x-5)(3x-6x-8)\\&=(2x-5)(-3x-8).\end{aligned}$$

La factorisation est achevée.

3 $(1-2x)(7-9x)+(4x-2)^2 = -(2x-1)(7-9x)+\left[2(2x-1)\right]^2$

$$= -(2x-1)(7-9x)+4(2x-1)^2$$
$$= (2x-1)[-(7-9x)+4(2x-1)]$$
$$= (2x-1)(-7+9x+8x-4)$$
$$= (2x-1)(17x-11).$$

La factorisation est achevée.

Notez que $(4x-2)^2 = 4(2x-1)^2$ et non $2(2x-1)^2$.

Algorithme de Syracuse

ÉNONCÉ

1 Traduire en quelques phrases les instructions de l'algorithme suivant (x doit être un entier naturel *non nul*).

```
1   VARIABLES
2     x EST_DU_TYPE NOMBRE
3   DEBUT_ALGORITHME
4     LIRE x
5     TANT_QUE (x! = 1) FAIRE
6       DEBUT_TANT_QUE
7       SI (floor(x/2) == x/2)) ALORS
8         DEBUT_SI
9         x PREND_LA_VALEUR x/2
10        FIN_SI
11        SINON
12          DEBUT_SINON
13          x PREND_LA_VALEUR 3 * x + 1
14          FIN_SINON
15      AFFICHER x
16      AFFICHER " "
17      FIN_TANT_QUE
18  FIN_ALGORITHME
```

Le symbole ! = signifie « différent de ». On l'écrit aussi ≠ ou <>.

2 Montrer que si on saisit $x = 8$ on obtient successivement 4, 2, 1 indéfiniment.

3 Montrer que si on choisit $x = 5$, on obtient aussi 4, 2, 1 indéfiniment.

4 Recommencer avec d'autres entiers et constater que l'on arrive toujours à 4, 2, 1.

MÉTHODE

1 Un processus se déroule tant que l'entier saisi est différent de 1. Observer le test : il porte sur la parité de l'entier x saisi ; si la partie entière de la division de x par 2 est égale au résultat de la division de x par 2, cela signifie que x est pair. La fonction floor calcule la partie entière d'un nombre.

2 à **4** Il suffit d'appliquer le processus décrit par l'algorithme.

CORRIGÉ

1 On choisit une valeur pour x ; si $x =1$, on arrête tout calcul. Sinon, si x est pair, on le divise par 2 et on refait le traitement pour cette nouvelle valeur. Si x est impair, on le multiplie par 3 et on ajoute 1 et on refait le traitement pour cette nouvelle valeur. Dans les deux cas, on affiche la nouvelle valeur de x.

2 et **3** Les suites résultent de l'algorithme même.

4 Voici ce que l'on obtient avec 11, 12 et 13.

11	34	17	52	26	13	40	20	10	5	16	8	4	2	1

12	6	3	10	5	16	8	4	2	1

13	40	20	10	5	16	8	4	2	1

À l'heure actuelle, on ne sait toujours pas démontrer que l'algorithme conduit à la suite 4, 2, 1 pour tout entier naturel n non nul...

SE TESTER QUIZ

1 Soit x un nombre non nul. Alors x^{-1} est égal à :

☐ **a.** $\frac{1}{x}$ ☐ **b.** $-x$ ☐ **c.** $-\frac{1}{x}$

2 Quand j'écris $-x$, j'écris un nombre négatif.

☐ **a.** Vrai ☐ **b.** Faux

3 Soit a, b, c, d quatre nombres strictement positifs. Supposons $\frac{a}{b} = \frac{c}{d}$.
Alors $\frac{a}{b} = \frac{c}{d} = \frac{a+c}{b+d}$.

☐ **a.** Vrai ☐ **b.** Faux

4 Pour tous nombres a et b, on a : $(a+b)^3 = a^3 + 3ab + b^3$.

☐ **a.** Vrai ☐ **b.** Faux

5 Les deux équations $5x - \frac{4}{3} = 2x + 1$ et $3x = \frac{7}{3}$ ont une solution en commun.

☐ **a.** Vrai ☐ **b.** Faux

6 Le nombre -1 est solution de l'équation $x^2 - 7 + x = 3x^2 + 8x - 5$.

☐ **a.** Vrai ☐ **b.** Faux

S'ENTRAÎNER

Développer, réduire et ordonner

Dans les exercices 7 à 9, développer, réduire et ordonner les expressions suivant les puissances décroissantes de la variable.

7 **a.** $x(1-x) + 3x\left(5x - \frac{2}{3}\right)$ **b.** $(3-x)\left(\frac{1}{2} - 4x\right) - 3x\left(\frac{5}{2}x - 1\right)$

8 **a.** $(2x-1)^2 + (5x-3)(-x+4)$ **b.** $(-x+7)(5x+3) - (x+5)(x-5)$

9 **a.** $x^2(2x-1) - 2x(-x+3)^2$ **b.** $(x+5)^2(1-x) + (x+4)^2(x+7)$

Factoriser

Dans les exercices 10 et 11, factoriser chaque expression pour donner un produit de facteurs du premier degré.

10 a. $2(3x+1)(3x-6)-(3x+1)(-4x+7)$

b. $(x-2)(x+3)-(2-x)(4x+1)$

c. $(6x+9)(5x+2)-(8x+12)(5-6x)$

> Faire apparaître un facteur commun caché dans chacun des produits.

11 a. $(x-1)^2+3(2-x)(1-x)$

b. $(3x+12)(2+5x)-(x+4)^2$

12 Peut-on factoriser les expressions suivantes en un produit de deux facteurs du premier degré ?

a. $(x-1)^2-9$ b. $(3x-5)^2+16$ c. $3-2x^2$

> Pensez à l'identité remarquable a^2-b^2.
> Pour le **c.**, remarquez que $3=\left(\sqrt{3}\right)^2$ et $2=\left(\sqrt{2}\right)^2$.

13 a. Soit a et b deux réels quelconques. Développer : $(a-b)\left(a^2+ab+b^2\right)$ et $(a+b)\left(a^2-ab+b^2\right)$.

b. Déduire de la question précédente des factorisations des expressions $343a^3-729b^3$ et $(x-1)^3+64$.

> On sait que $343=7^3$, $729=9^3$ et $64=4^3$.

Identités remarquables

14 Compléter les égalités suivantes :

a. $(x+\ldots)^2=x^2+\ldots+1$ b. $x^2+x+\ldots=(x+\ldots)^2$

c. $x^2-3=(x-\ldots)(x+\ldots)$ d. $7-x^2=(\ldots-\ldots)(\ldots+\ldots)$

> **c.** $3=\left(\sqrt{3}\right)^2$
> **d.** $7=\left(\sqrt{7}\right)^2$

15 Développer, réduire et ordonner les expressions suivantes.

a. $(2x-1)^3$ b. $(x+2)^4$ c. $(x+1)^5$

> **a.** $(2x-1)^3=(2x-1)^2(2x-1)$ **b.** $(x+2)^4=(x+2)^2(x+2)^2$

Dans les exercices 16 à 18 factoriser les expressions données.

16 a. $x^2+2x+1-5(x+1)$ b. $(2x+3)^2-(-x+5)^2$

17 a. $(3x-3)^2-\left(x^2-1\right)$ b. $(x-1)^3-11x^2+22x-11$

18 **a.** $(x+5)^2-7$ **b.** $x^2+x+\frac{1}{4}-2x-1$

> **b.** $x^2+x+\frac{1}{4}$ est le développement d'une identité remarquable.

19 En utilisant une identité remarquable, montrer que pour tous réels x et y positifs :

$x+y-2\sqrt{xy}\geqslant 0$

20 **a.** Démontrer que pour tous réels a, b, c :

$(a+b+c)^2=a^2+b^2+c^2+2ab+2bc+2ca.$

b. En déduire des développements de $(a+b-c)^2$ et $(a-b-c)^2$.

c. On suppose que $\frac{1}{a}+\frac{1}{b}+\frac{1}{c}=0$. Démontrer alors que :

$(a+b+c)^2=a^2+b^2+c^2.$

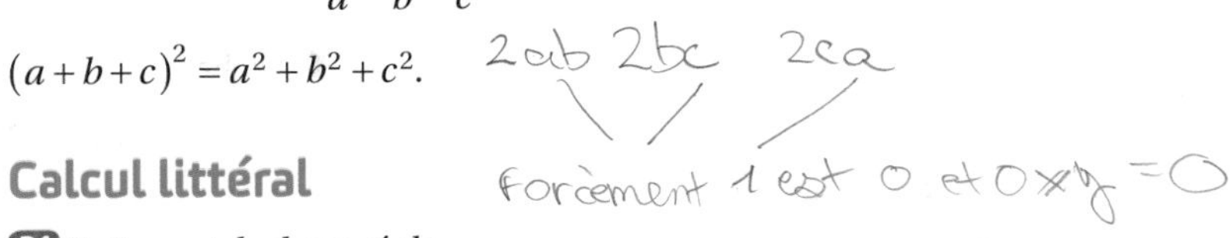

Calcul littéral

21 Soit a et b deux réels.

a. Démontrer que $(a+b)^4=a^4+4a^3b+6a^2b^2+4ab^3+b^4$.

b. En écrivant $(a+b)^6=(a+b)^4(a+b)^2$, donner un développement ordonné de $(a+b)^6$.

Dans les exercices 22 à 25, donner une écriture simplifiée des expressions.

22 a, b, c sont trois réels distincts deux à deux :

$$\frac{a}{(a-b)(a-c)}+\frac{b}{(b-c)(b-a)}+\frac{c}{(c-a)(c-b)}.$$

> Remarquez que le dénominateur commun est $(a-b)(b-c)(c-a)$.

23 a et b sont deux réels non nuls et non opposés : $\dfrac{\dfrac{1}{a}+\dfrac{1}{b}}{1+\dfrac{a}{b}}$.

24 a et b sont deux réels tels que $ab \neq -1$: $\dfrac{a-\dfrac{a-b}{1+ab}}{1+\dfrac{a(a-b)}{1+ab}}$.

25 a est un réel quelconque : $\left(\dfrac{2a}{1+a^2}\right)^2+\left(\dfrac{1-a^2}{1+a^2}\right)^2$.

Il serait maladroit de développer les dénominateurs.

26 Soit a, a', b, b' quatre réels.

Démontrer l'égalité $(aa'+bb')^2+(ab'-a'b)^2=(a^2+b^2)(a'^2+b'^2)$.

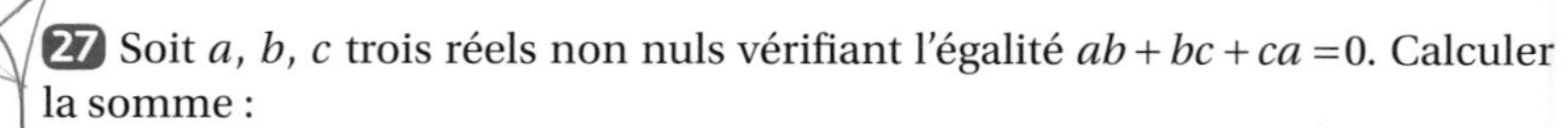

27 Soit a, b, c trois réels non nuls vérifiant l'égalité $ab+bc+ca=0$. Calculer la somme :

$$\frac{b+c}{a}+\frac{c+a}{b}+\frac{a+b}{c}.$$

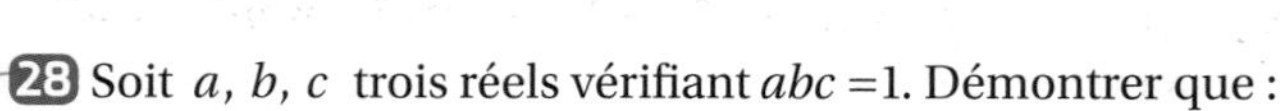

28 Soit a, b, c trois réels vérifiant $abc=1$. Démontrer que :

$$\left(a+\frac{1}{a}\right)^2+\left(b+\frac{1}{b}\right)^2+\left(c+\frac{1}{c}\right)^2=4+\left(a+\frac{1}{a}\right)\left(b+\frac{1}{b}\right)\left(c+\frac{1}{c}\right).$$

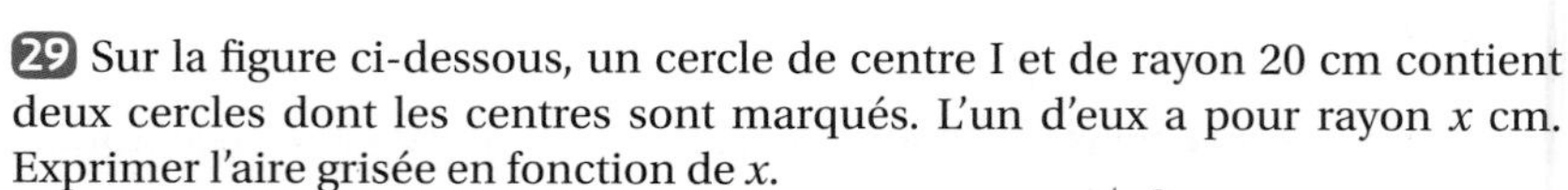

29 Sur la figure ci-dessous, un cercle de centre I et de rayon 20 cm contient deux cercles dont les centres sont marqués. L'un d'eux a pour rayon x cm. Exprimer l'aire grisée en fonction de x.

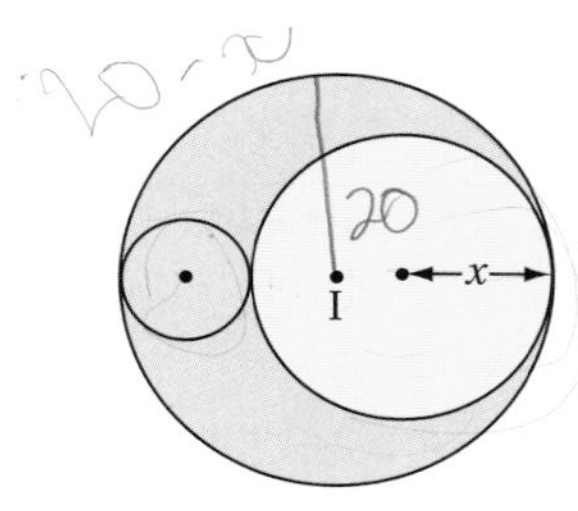

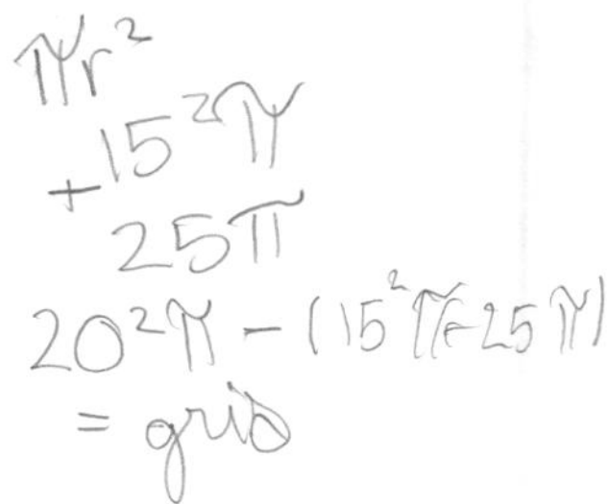

Algorithmique

30 Décrire le fonctionnement de l'algorithme ci-dessous.

```
1    VARIABLES
2       x EST_DU_TYPE CHAINE
3    DEBUT_ALGORITHME
4       LIRE x
5       SI (x=="OUI") ALORS
6          DEBUT_SI
7          AFFICHER x
9          FIN_SI
9          SINON
10            DEBUT_SINON
11            AFFICHER "Dites OUI !"
12            FIN_SINON
13   FIN_ALGORITHME
```

À la ligne 2, déclarer que la variable *x* est de « type chaîne » signifie que la valeur *x* est traitée comme un texte.

PROBLÈME

31 On considère le polynôme $P(x)=5x^2-10x+4$. Le but de l'exercice est de résoudre l'équation $P(x)=0$.

a. Démontrer que $P(x)=5\left(x^2-2x+\frac{4}{5}\right)$.

b. Démontrer que $x^2-2x+\frac{4}{5}=(x-1)^2-\frac{1}{5}$.

c. Déduire des questions précédentes une factorisation de $P(x)$ sous forme d'un produit de deux facteurs du premier degré.

d. Résoudre l'équation $P(x)=0$.

Utilisez la factorisation précédente.

SE TESTER

1 Réponse a. $x^{-1} = \frac{1}{x}$. On justifie cela en écrivant que, d'après la règle sur les exposants :

> On sait que $x^1 = x$ et $x^0 = 1$.

$$x^{-1} \times x^1 = x^{-1+1} = x^0 = 1 \Rightarrow x^{-1} \times x = 1 \Rightarrow x^{-1} = \frac{1}{x}.$$

2 Réponse b. Faux. En effet si $x = -2$, alors $-x = 2$ et donc $-x$ est positif.

3 Réponse a. Vrai. En effet, on pose $k = \frac{a}{b} = \frac{c}{d}$. Alors $a = kb$ et $c = kd$. Par conséquent: $a + c = k(b + d)$. On en déduit que $\frac{a+c}{b+d} = \frac{k(b+d)}{b+d} = k$.

4 Réponse b. Faux. Si $a = 1$ et $b = 2$, alors $(a+b)^3 = 3^3 = 27$.

Cependant $a^3 + 3ab + b^3 = 1 + 6 + 8 = 1$.

Le développement de $(a+b)^3$ est plus complexe :

$$\begin{aligned}(a+b)^3 &= (a+b)^2(a+b) = (a^2 + 2ab + b^2)(a+b)\\ &= a^3 + a^2b + 2a^2b + 2ab^2 + b^2a + b^3\\ &= a^3 + 3a^2b + 3ab^2 + b^3.\end{aligned}$$

5 Réponse a. Vrai. La solution de la deuxième équation est $\frac{7}{9}$. En remplaçant x par $\frac{7}{9}$ dans le membre de gauche de la première équation, on obtient :

$$\frac{5 \times 7}{9} - \frac{4}{3} = \frac{35}{9} - \frac{12}{9} = \frac{23}{9}.$$

En faisant de même dans le membre de droite : $2 \times \frac{7}{9} + 1 = \frac{14}{9} + \frac{9}{9} = \frac{23}{9}$.

On en déduit que $\frac{7}{9}$ est aussi la solution de la première équation.

6 Réponse b. Faux. On remplace x par -1 dans chacun des membres de l'équation. On obtient -7 dans le membre de gauche et -10 dans le membre de droite.

> Ne cherchez pas à résoudre l'équation (la technique de résolution n'est pas au programme de Seconde).

S'ENTRAÎNER

7 a. $x(1-x)+3x\left(5x-\frac{2}{3}\right)=x-x^2+15x^2-2x=14x^2-x$.

b. $(3-x)\left(\frac{1}{2}-4x\right)-3x\left(\frac{5}{2}x-1\right)=\frac{3}{2}-12x-\frac{x}{2}+4x^2-\frac{15}{2}x^2+3x$

$=-\frac{7}{2}x^2-\frac{19}{2}x+\frac{3}{2}.$

8 a. $(2x-1)^2+(5x-3)(-x+4)=4x^2-4x+1-5x^2+20x+3x-12$

$=-x^2+19x-11.$

b. $(-x+7)(5x+3)-(x+5)(x-5)=-5x^2-3x+35x+21-x^2+25$

$=-6x^2+32x+46.$

9 a. $x^2(2x-1)-2x(-x+3)^2=2x^3-x^2-2x\left(x^2-6x+9\right)$

$=2x^3-x^2-2x^3+12x^2-18x=11x^2-18x.$

b. $(x+5)^2(1-x)+(x+4)^2(x+7)=\left(x^2+10x+25\right)(1-x)+\left(x^2+8x+16\right)(x+7)$

$=x^2-x^3+10x-10x^2+25-25x+x^3+7x^2+8x^2+56x+16x+112$

$=6x^2+57x+137.$

10 a. $2(3x+1)(3x-6)-(3x+1)(-4x+7)=(3x+1)\left[2(3x-6)-(-4x+7)\right]$

$=(3x+1)(6x-12+4x-7)$

$=(3x+1)(10x-19).$

b. $(x-2)(x+3)-(2-x)(4x+1)=(x-2)(x+3)+(x-2)(4x+1)$

$=(x-2)\left[x+3+(4x+1)\right]$

$=(x-2)(x+3+4x+1)$

$=(x-2)(5x+4).$

On a écrit :
$-(2-x)=-2+x=x-2.$

c. $(6x+9)(5x+2)-(8x+12)(5-6x)=3(2x+3)(5x+2)-4(2x+3)(5-6x)$

$$=(2x+3)\left[3(5x+2)-4(5-6x)\right]$$
$$=(2x+3)(15x+6-20+24x)$$
$$=(2x+3)(39x-14).$$

On a écrit :
$6x+9=3(3x+3)$ et
$8x+12=4(2x+3)$.

11 **a.** $(x-1)^2+3(2-x)(1-x)=(1-x)^2+3(2-x)(1-x)$

$$=(1-x)\left[1-x+3(2-x)\right]$$
$$=(1-x)(1-x+6-3x)=(1-x)(-4x+7).$$

En prenant l'opposé de chaque facteur, on peut aussi écrire $(x-1)(4x-7)$.

b. $(3x+12)(2+5x)-(x+4)^2=3(x+4)(2+5x)-(x+4)^2$

$$=(x+4)\left[3(2+5x)-(x+4)\right]$$
$$=(x+4)(6+15x-x-4)$$
$$=(x+4)(14x+2).$$

Le résultat peut aussi s'écrire : $2(x+4)(7x+1$

12 **a.** $(x-1)^2-9=(x-1)^2-3^2=\left[(x-1)-3\right]\left[(x-1)+3\right]=(x-4)(x+2)$.

b. On ne peut pas factoriser cette expression. On aurait pu s'il y avait eu $(3x-5)^2-16$.

c. $3-2x^2=\left(\sqrt{3}\right)^2-\left(x\sqrt{2}\right)^2=\left(\sqrt{3}-x\sqrt{2}\right)\left(\sqrt{3}+x\sqrt{2}\right)$.

13 **a.** $(a-b)\left(a^2+ab+b^2\right)=a^3+a^2b+ab^2-ba^2-ab^2-b^3=a^3-b^3$.

On trouve de même $(a+b)\left(a^2-ab+b^2\right)=a^3+b^3$.

b. $343a^3-729b^3=(7a)^3-(9b)^3=(7a-9b)\left(49a^2+63ab+81b^2\right)$.

Et : $(x-1)^3+64=(x-1)^3+4^3$

$$=\left[(x-1)+4\right]\left[(x-1)^2-4(x-1)+4^2\right]$$
$$=(x+3)\left(x^2-2x+1-4x+4+16\right)$$
$$=(x+3)\left(x^2-6x+21\right).$$

On utilise les égalités de la question **a.** avec $a=x-1$ et $b=4$.

14 a. $(x+1)^2 = x^2+2x+1$.

On peut aussi écrire $[x+(-1)]^2 = x^2+2(-1)x+(-1)^2 = x^2+(-2x)+1$.

b. $x^2+2\times\frac{1}{2}x+\left(\frac{1}{2}\right)^2 = \left(x+\frac{1}{2}\right)^2$.

c. $x^2-3 = x^2-\left(\sqrt{3}\right)^2 = \left(x-\sqrt{3}\right)\left(x+\sqrt{3}\right)$.

d. $7-x^2 = \left(\sqrt{7}\right)^2 - x^2 = \left(\sqrt{7}-x\right)\left(\sqrt{7}+x\right)$.

15 a. $(2x-1)^3 = (2x-1)^2(2x-1) = \left(4x^2-4x+1\right)(2x-1)$

$= 8x^3-4x^2-8x^2+4x+2x-1 = 8x^3-12x^2+6x-1$.

b. $(x+2)^4 = (x+2)^2(x+2)^2 = \left(x^2+4x+4\right)\left(x^2+4x+4\right)$

$= x^4+4x^3+4x^2+4x^3+16x^2+16x+4x^2+16x+16$

$= x^4+8x^3+24x^2+32x+16$.

c. $(x+1)^5 = (x+1)^2(x+1)^2(x+1) = \left(x^2+2x+1\right)\left(x^2+2x+1\right)(x+1)$

$= \left(x^4+2x^3+x^2+2x^3+4x^2+2x+x^2+2x+1\right)(x+1)$

$= \left(x^4+4x^3+6x^2+4x+1\right)(x+1)$

$= x^5+4x^4+6x^3+4x^2+x+x^4+4x^3+6x^2+4x+1$

$= x^5+5x^4+10x^3+10x^2+5x+1$.

16 a. $x^2+2x+1-5(x+1) = (x+1)^2-5(x+1)$

$= (x+1)\left[(x+1)-5\right] = (x+1)(x-4)$.

b. $(2x+3)^2-(-x+5)^2 = \left[(2x+3)+(-x+5)\right]\left[(2x+3)-(-x+5)\right]$

$= (x+8)(2x+3+x-5)$

$= (x+8)(3x-2)$.

On utilise l'identité a^2-b^2 avec $a=2x+3$ et $b=-x+5$.

17 **a.** $(3x-3)^2-(x^2-1)=[3(x-1)]^2-(x-1)(x+1)$

$$=9(x-1)^2-(x-1)(x+1)$$

$$=(x-1)[9(x-1)-(x+1)]=(x-1)(9x-9-x-1)$$

$$=(x-1)(8x-10)=2(x-1)(4x-5).$$

b. $(x-1)^3-11x^2+22x-11=(x-1)^3-11(x^2-2x+1)=(x-1)^3-11(x-1)^2$

$$=(x-1)^2[(x-1)-11]=(x-1)^2(x-12).$$

18 **a.** $(x+5)^2-7=(x+5)^2-(\sqrt{7})^2=[(x+5)-\sqrt{7}][(x+5)+\sqrt{7}]$

$$=(x+5-\sqrt{7})(x+5+\sqrt{7}).$$

b. $x^2+x+\frac{1}{4}-2x-1=\left(x+\frac{1}{2}\right)^2-2\left(x+\frac{1}{2}\right)=\left(x+\frac{1}{2}\right)\left[\left(x+\frac{1}{2}\right)-2\right]$

$$=\left(x+\frac{1}{2}\right)\left(x-\frac{3}{2}\right).$$

$x^2+x+\frac{1}{4}=x^2+2x\frac{1}{2}+\left(\frac{1}{2}\right)^2.$

19 $x+y-2\sqrt{xy}=(\sqrt{x})^2+(\sqrt{y})^2-2\sqrt{x}\sqrt{y}=(\sqrt{x}-\sqrt{y})^2.$

Un carré étant positif, on a bien : $x+y-2\sqrt{xy}\geqslant 0$.

20 **a.** $(a+b+c)^2=(a+b+c)(a+b+c)$

$$=a^2+ab+ac+ba+b^2+bc+ca+cb+c^2$$

$$=a^2+b^2+c^2+2ab+2bc+2ca.$$

b. En écrivant $(a+b-c)^2=[a+b+(-c)]^2$, on trouve :

$$(a+b-c)^2=a^2+b^2+(-c)^2+2ab+2b(-c)+2(-c)a$$

$$=a^2+b^2+c^2+2ab-2bc-2ca.$$

De même : $(a-b-c)^2=[a+(-b)+(-c)]^2$. Donc :

$$(a-b-c)^2=a^2+(-b)^2+(-c)^2+2a(-b)+2(-b)(-c)+2(-c)a$$

$$=a^2+b^2+c^2-2ab+2bc-2ca.$$

c. Puisque $\frac{1}{a}+\frac{1}{b}+\frac{1}{c}=0$, $\frac{bc}{abc}+\frac{ac}{abc}+\frac{ba}{abc}=0$. Donc $\frac{bc+ac+ba}{abc}=0$. On en déduit que, dans ce cas : $bc+ac+ba=0$.

Comme $(a+b+c)^2=a^2+b^2+c^2+2(ab+bc+ca)$, on a bien, dans ce cas : $(a+b+c)^2=a^2+b^2+c^2$.

21 **a.** $$\begin{aligned}(a+b)^4&=(a+b)^2(a+b)^2=(a^2+2ab+b^2)(a^2+2ab+b^2)\\&=a^4+2a^3b+a^2b^2+2a^3b+4a^2b^2+2ab^3+b^2a^2+2ab^3+b^4\\&=a^4+4a^3b+6a^2b^2+4ab^3+b^4.\end{aligned}$$

b. $$\begin{aligned}(a+b)^6&=(a+b)^4(a+b)^2\\&=(a^4+4a^3b+6a^2b^2+4ab^3+b^4)(a^2+2ab+b^2)\\&=a^6+6a^5b+15a^4b^2+20a^3b^3+15a^2b^4+6ab^5+b^6.\end{aligned}$$

Le résultat final s'obtient en développant.

22 $$\begin{aligned}&\frac{a}{(a-b)(a-c)}+\frac{b}{(b-c)(b-a)}+\frac{c}{(c-a)(c-b)}\\&=\frac{-a}{(a-b)(c-a)}+\frac{-b}{(b-c)(a-b)}+\frac{-c}{(c-a)(b-c)}\\&=\frac{-a(b-c)}{(a-b)(b-c)(c-a)}+\frac{-b(c-a)}{(a-b)(b-c)(c-a)}+\frac{-c(a-b)}{(a-b)(b-c)(c-a)}\\&=\frac{-ab+ac-bc+ab-ac+bc}{(a-b)(b-d)(c-a)}=0.\end{aligned}$$

Dans la première égalité, on a utilisé $a-c=-(c-a)$, $b-a=-(a-b)$ et $c-b=-(b-c)$.

23 $$\frac{\frac{1}{a}+\frac{1}{b}}{1+\frac{a}{b}}=\frac{\frac{b}{ab}+\frac{a}{ab}}{\frac{b}{b}+\frac{a}{b}}=\frac{\frac{b+a}{ab}}{\frac{b+a}{b}}=\frac{b+a}{ab}\times\frac{b}{a+b}=\frac{(a+b)b}{ab(a+b)}=\frac{1}{a}.$$

24 $$\frac{a-\dfrac{a-b}{1+ab}}{1+\dfrac{a(a-b)}{1+ab}}=\frac{\dfrac{a(1+ab)-a+b}{1+ab}}{\dfrac{1+ab+a^2-ab}{1+ab}}=\frac{a^2b+b}{1+a^2}=\frac{b(1+a^2)}{1+a^2}=b.$$

> Simplification rapide par x $(x \neq 0)$: $\dfrac{\frac{a}{x}}{\frac{b}{x}}=\dfrac{a}{b}$. Ci-dessus, $x=1+ab$.

25 $$\left(\frac{2a}{1+a^2}\right)^2+\left(\frac{1-a^2}{1+a^2}\right)^2=\frac{4a^2}{(1+a^2)^2}+\frac{(1-a^2)^2}{(1+a^2)^2}=\frac{4a^2+1-2a^2+a^4}{(1+a^2)^2}$$

$$=\frac{a^4+2a^2+1}{(1+a^2)^2}=\frac{(a^2+1)^2}{(a^2+1)^2}=1.$$

26 D'une part :

$$(aa'+bb')^2+(ab'-a'b)^2=(aa')^2+2aa'bb'+(bb')^2+(ab')^2-2ab'a'b+(a'b)^2$$
$$=a^2a'^2+b^2b'^2+a^2b'^2+a'^2b^2.$$

D'autre part : $(a^2+b^2)(a'^2+b'^2)=a^2a'^2+a^2b'^2+b^2a'^2+b^2b'^2$.

On en conclut que les deux expressions sont égales.

27 On remarque que : $\dfrac{b+c}{a}+\dfrac{c+a}{b}+\dfrac{a+b}{c}=\dfrac{b}{a}+\dfrac{c}{a}+\dfrac{c}{b}+\dfrac{a}{b}+\dfrac{a}{c}+\dfrac{b}{c}$.

En divisant $ab+bc+ca$ par le produit ab dans l'équation $ab+bc+ca=0$:

$$\frac{ab}{ab}+\frac{bc}{ab}+\frac{ca}{ab}=0 \Rightarrow 1+\frac{c}{a}+\frac{c}{b}=0 \Rightarrow \frac{c}{a}+\frac{c}{b}=-1.$$

De même, en divisant par bc, on trouve : $\dfrac{a}{c}+1+\dfrac{a}{b}=0 \Rightarrow \dfrac{a}{c}+\dfrac{a}{b}=-1$.

De même, en divisant par ca, on trouve : $\dfrac{b}{c}+\dfrac{b}{a}=-1$.

Le bilan donne : $\dfrac{b+c}{a}+\dfrac{c+a}{b}+\dfrac{a+b}{c}=-3$.

28 On développe séparément le membre de gauche et le membre de droite.

$$\left(a+\frac{1}{a}\right)^2+\left(b+\frac{1}{b}\right)^2+\left(c+\frac{1}{c}\right)^2=a^2+2a\frac{1}{a}+\left(\frac{1}{a}\right)^2+b^2+2b\frac{1}{b}+\left(\frac{1}{b}\right)^2+c^2+2c\frac{1}{c}+\left(\frac{1}{c}\right)^2$$

$$=a^2+2+\frac{1}{a^2}+b^2+2+\frac{1}{b^2}+c^2+2+\frac{1}{c^2}$$

$$=6+a^2+\frac{1}{a^2}+b^2+\frac{1}{b^2}+c^2+\frac{1}{c^2}.$$

$$\left(a+\frac{1}{a}\right)\left(b+\frac{1}{b}\right)\left(c+\frac{1}{c}\right)=\left(ab+\frac{a}{b}+\frac{b}{a}+\frac{1}{ab}\right)\left(c+\frac{1}{c}\right)$$

$$=abc+\frac{ab}{c}+\frac{ac}{b}+\frac{a}{bc}+\frac{bc}{a}+\frac{b}{ac}+\frac{c}{ab}+\frac{1}{abc}$$

$$=1+\frac{abc}{c^2}+\frac{abc}{b^2}+\frac{a^2}{abc}+\frac{abc}{a^2}+\frac{b^2}{abc}+\frac{c^2}{abc}+1$$

$$=2+\frac{1}{c^2}+\frac{1}{b^2}+a^2+\frac{1}{a^2}+b^2+c^2.$$

Rappel : par hypothèse, $abc = 1$.

On en déduit que $4+\left(a+\frac{1}{a}\right)\left(b+\frac{1}{b}\right)\left(c+\frac{1}{c}\right)=6+a^2+\frac{1}{a^2}+b^2+\frac{1}{b^2}+c^2+\frac{1}{c^2}$.

On a donc démontré ce que l'on voulait.

Dans le développement de $\left(a+\frac{1}{a}\right)\left(b+\frac{1}{b}\right)\left(c+\frac{1}{c}\right)$, on aurait pu aussi effectuer $\left(a+\frac{1}{a}\right)\left(bc+\frac{b}{c}+\frac{c}{b}+\frac{1}{bc}\right)$ et développer.

29 L'unité d'aire est le cm^2.

L'aire du disque de rayon 20 cm est égale à $\pi\, 20^2$, donc $400\,\pi$. Le diamètre du petit disque est égal à $40-2x$, donc son rayon est égal à $20-x$.

L'aire grisée est donc égale à:

$$\begin{aligned}400\pi-\pi(20-x)^2-\pi x^2 &= \pi\left[400-(20-x)^2-x^2\right]\\ &= \pi\left[400-\left(400-40x+x^2\right)-x^2\right]\\ &= \pi\left(400-400+40x-x^2-x^2\right)\\ &= \pi\left(40x-2x^2\right)=2\pi x(20-x).\end{aligned}$$

On voit que si $x = 0$, l'aire grisée est nulle. De même si $x = 20$. Dans ces deux cas, l'un des cercles intérieurs est le grand cercle lui-même.

30 Lors de son exécution, le programme attend une valeur fournie par l'utilisateur. Si cette valeur est le mot OUI (en majuscules), alors le programme l'affiche. Sinon, il affiche la phrase « Dites OUI ! ».

PROBLÈME

31 **a.** On met 5 en facteur : $P(x)=5\left(x^2-\frac{10}{5}x+\frac{4}{5}\right)=5\left(x^2-2x+\frac{4}{5}\right)$.

b. On développe :

$$(x-1)^2-\frac{1}{5}=x^2-2x+1-\frac{1}{5}=x^2-2x+\frac{5}{5}-\frac{1}{5}=x^2-2x+\frac{4}{5}.$$

c. On sait que $\frac{1}{5}=\left(\frac{1}{\sqrt{5}}\right)^2$; donc :

$$(x-1)^2-\frac{1}{5}=(x-1)^2-\left(\frac{1}{\sqrt{5}}\right)^2=\left[(x-1)-\frac{1}{\sqrt{5}}\right]\left[(x-1)+\frac{1}{\sqrt{5}}\right].$$

Donc $P(x)=5\left(x-1-\frac{1}{\sqrt{5}}\right)\left(x-1+\frac{1}{\sqrt{5}}\right)$.

d. D'après la factorisation précédente :

$$P(x)=0 \Leftrightarrow 5\left(x-1-\frac{1}{\sqrt{5}}\right)\left(x-1+\frac{1}{\sqrt{5}}\right)=0 \quad \Leftrightarrow x-1-\frac{1}{\sqrt{5}}=0 \text{ ou } x-1+\frac{1}{\sqrt{5}}=0$$

$$\Leftrightarrow x=1+\frac{1}{\sqrt{5}} \text{ ou } x=1-\frac{1}{\sqrt{5}}.$$

www.annabac.com 

CHAPITRE

2 Équations

La résolution d'équations est un problème ancien : on en trouve des exemples dans le célèbre papyrus Rhind (1650 av. J.-C.). Les techniques de résolution ont beaucoup évolué. De nos jours, elles sont fondées sur le principe d'équilibre et sur les quatre opérations élémentaires.

1 Équations du premier degré à une inconnue

A De quoi s'agit-il ?

On note x l'inconnue. Les équations auxquelles on s'intéresse dans cette partie peuvent toutes se ramener à une équation du type :

$$ax = b, \text{ où } a \neq 0.$$

Puisque $ax = b$ équivaut à $x = \frac{b}{a}$, la solution de l'équation précédente est le nombre $\frac{b}{a}$.

Exemple : On verra comment l'équation $8x - 2 = 3(x+7)$ équivaut à $5x = 23$; on a ainsi $a = 5$ et $b = 23$. La solution est donc $\frac{23}{5}$.

B Les deux grands principes de résolution

1. Le principe de développement

La première procédure consiste à développer en supprimant toutes les parenthèses.

Exemple : $8x - 2 = 3(x+7)$ équivaut à $8x - 2 = 3x + 21$.

2. Les principes d'équilibre

- Les principes d'équilibre doivent concourir à un but unique : obtenir une équation de la forme $ax = b$ équivalente à l'équation de départ.
- Lorsque l'on additionne ou soustrait le même nombre aux deux membres d'une équation, on obtient une équation qui lui est équivalente.
- De même lorsque l'on multiplie ou divise les deux membres d'une équation par le même nombre différent de 0, on obtient une équation équivalente.
- On ne change pas l'équilibre de l'égalité en effectuant les mêmes opérations des deux côtés du signe d'égalité.

Exemple : L'équation $8x - 2 = 3x + 21$ est équivalente à l'équation $8x - 2 + \mathbf{2} = 3x + 21 + \mathbf{2}$ (on a additionné 2 aux deux membres de l'équation).

Après calculs : $8x - 2 = 3x + 21$ est équivalente à $8x = 3x + 23$.
En outre, $8x = 3x + 23$ équivaut à $8x - \mathbf{3x} = 3x - \mathbf{3x} + 23$ (principe d'équilibre), donc à $5x = 23$. Par conséquent, l'équation $8x - 2 = 3(x + 7)$ équivaut à $5x = 23$.

On obtient ainsi une équation de la forme $ax = b$.

C Trucs et astuces

- S'il y a des fractions dans les membres des équations, il suffit de chasser les dénominateurs pour se ramener à des équations à coefficients entiers.

Exemple : On considère l'équation $\frac{2}{3}x - 5 = \frac{1}{4} + 7x$. Le dénominateur commun des fractions $\frac{2}{3}$ et $\frac{1}{4}$ est 12. L'équation équivaut à :

$12 \times \left(\frac{2}{3}x - 5\right) = \left(\frac{1}{4} + 7x\right) \times 12$ (principe d'équilibre).

On obtient $\frac{24}{3}x - 60 = \frac{12}{4} + 84x$, donc $8x - 60 = 3 + 84x$.

- Si des expressions figurent au dénominateur, on peut utiliser le produit en croix.

Exemple : L'équation $\frac{8}{x+1} = -\frac{3}{x}$ est équivalente à $8x = -3(x+1)$, à condition de poser $x \neq 0$ et $x \neq -1$ au préalable.

- On peut vérifier si le nombre que l'on a trouvé est bien la solution de l'équation proposée en remplaçant l'inconnue x par la solution.

Exemple : On vérifie que $\frac{23}{5}$ est solution de $8x-2=3(x+7)$.

$8\times\frac{23}{5}-2=\frac{174}{5}$ et $3\times\left(\frac{23}{5}+7\right)=\frac{174}{5}$. Donc $\frac{23}{5}$ est bien solution de l'équation.

2 Équations du second degré à une inconnue

Dans des équations du second degré à une inconnue x, l'exposant de l'inconnue est inférieur ou égal à 2, du moins après avoir développé et réduit tous les produits qui y figurent.

Exemple : L'équation $(x-1)(x+1)=0$ est de degré 2 car $(x-1)(x+1)=x^2-1$.

A De quoi s'agit-il ?

- On note x l'inconnue. Les équations auxquelles on s'intéresse dans cette partie peuvent toutes se ramener à une équation du type :

$$(ax+b)(cx+d)=0, \text{ où } a\neq 0 \text{ et } c\neq 0.$$

On parle souvent d'équation produit.

- Un produit de facteurs étant nul si et seulement si l'un des deux facteurs est nul, l'équation précédente est équivalente à $ax+b=0$ ou $cx+d=0$. On en déduit que $ax=-b$ ou $cx=-d$. Donc $x=-\frac{b}{a}$ ou $x=-\frac{d}{c}$ avec $a\neq 0$ et $c\neq 0$.

On obtient deux solutions qui sont $-\frac{b}{a}$ et $-\frac{d}{c}$.

Exemple : On verra plus loin comment l'équation $(x-5)(2x+1)=(x-5)(3+x)$ équivaut à $(x-5)(x-2)=0$.
Ses solutions sont donc 2 et 5.

Ici, les deux solutions sont évidentes et ne demandent aucun calcul pour être trouvées.

B Les deux grands principes de résolution

1. Principe du zéro à droite

Il s'agit ici de ramener l'équation à une équation de la forme : $\ldots=0$. On cherche donc à remplacer le membre de droite par 0. Pour cela, on va utiliser les principes d'équilibre.

Il est bien entendu que $0=a$ équivaut à $a=0$.

Exemple
$(x-5)(2x+1)=(x-5)(3+x)=0$ équivaut à
$(x-5)(2x+1)-(x-5)(3+x)=0.$

On a retranché le produit $(x-5)(3+x)$ des deux côtés du signe de l'égalité.

2. Principe de factorisation

Il s'agit ici de factoriser le membre de gauche en un produit de facteurs du premier degré. Dans chaque facteur, x figurera alors avec une puissance de 1.

Exemple : $(x-5)(2x+1)-(x-5)(3+x)=0$ équivaut à
$(x-5)\left[(2x+1)-(3+x)\right]=0.$

Soit : $(x-5)(2x+1-3-x)=0.$

D'où : $(x-5)(x-2)=0.$

Finalement, l'équation $(x-5)(2x+1)=(x-5)(3+x)$ équivaut à :
$(x-5)(x-2)=0.$
On obtient bien une équation avec, à gauche, des facteurs du premier degré en x et, à droite, zéro.

3. Cas équations du type $X^2 = a$, où a est un nombre et X l'inconnue

- Si $a < 0$, l'équation n'a pas de solution car un carré est positif.
- Si $a = 0$, l'équation a une seule solution qui est 0.
- Si $a > 0$, l'équation a deux solutions qui sont $-\sqrt{a}$ et $\sqrt{a}$.

3 Les problèmes « concrets »

Lorsqu'on résout un problème « concret », la valeur symbolisée par l'inconnue x peut être soumise à certaines contraintes. Donc, après avoir résolu l'équation issue des conditions de la question, il faut vérifier que la solution trouvée satisfait bien les contraintes.

Exemple : Si M est un point du segment $[AB]$ de mesure 5 cm, et si on pose $AM = x$ alors x est compris entre 0 et 5.

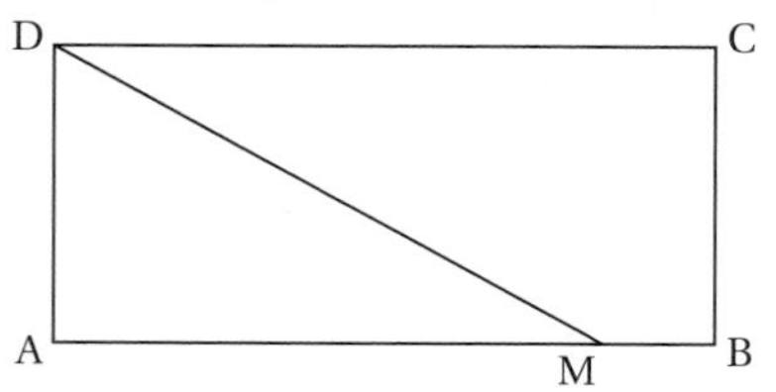

Si, après avoir résolu l'équation dictée par le problème, on trouve $x = 7$, il faut s'interroger sur la justesse du résultat.

Résoudre un problème du premier degré

ÉNONCÉ

On considère le rectangle ABCD de dimensions 12 cm et 5 cm et un point M sur le segment $[AB]$.

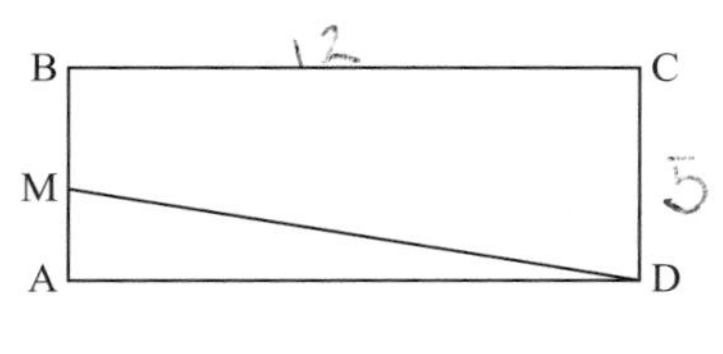

1 Est-il possible de placer M pour que l'aire du triangle ADM soit égale à 24 cm² ? à 30 cm² ?

2 Peut-on placer M pour que l'aire du triangle ADM soit égale à 33 cm² ?

MÉTHODE

1 Le problème consiste à traduire la question à l'aide d'une équation. Il faut donc définir l'inconnue. Pour cela, on calcule l'aire du triangle ADM, qui est rectangle en A, et on s'aperçoit de la nécessité de définir x.

2 Il suffira de résoudre une équation et d'interpréter la solution.

CORRIGÉ

1 L'aire du triangle ADM, en cm², est égale à $\frac{AM \times AD}{2}$, donc $\frac{AM \times 12}{2}$ ou encore $6 \times AM$.

Il est naturel de choisir la longueur AM comme inconnue. x est donc la longueur AM. C'est pourquoi on pose $AM = x$. L'aire cherchée s'écrit alors $6x$.

Les questions se traduisent par conséquent de la façon suivante : les équations $6x = 24$ et $6x = 30$ ont-elles des solutions ?

Les deux équations fournissent respectivement $x = 4$ et $x = 5$.

Donc, pour que l'aire du triangle ADM soit égale à 24 cm², il faut placer M à 4 cm de A. Pour qu'elle soit égale à 30 cm², il faut placer M à 5 cm de A, c'est-à-dire en B.

2 Il s'agit de trouver x pour que $6x = 33$. On trouve $x = \frac{33}{6} = 5{,}5$. L'équation $6x = 33$ admet donc une solution. Cependant, cette solution ne fournit aucune position possible de M car on doit avoir $x \leqslant 5$.

Il est donc impossible de trouver une place à M pour que l'aire du triangle ADM soit égale à 33 cm².

> x doit être compris entre 0 et 5. En effet, le point M ne peut se situer en dehors du segment [AB]. On a donc $0 < AM \leqslant 5$.

Résoudre un problème du second degré

ÉNONCÉ

L'unité est le centimètre. On considère un rectangle de longueur 10 et de largeur inconnue et un carré dont le côté est le double de la largeur du rectangle. Quelles doivent être les dimensions des deux quadrilatères pour qu'ils aient la même aire ? *La figure n'est pas en vraie grandeur.*

> Un problème du second degré est un problème où la plus grande puissance de l'inconnue est 2.

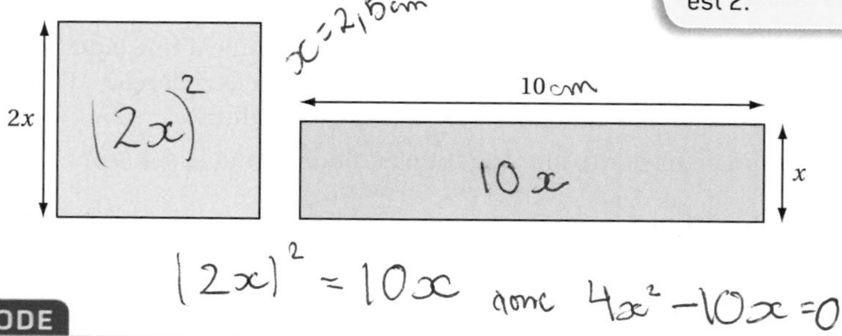

MÉTHODE

La question du choix de l'inconnue ne se pose pas puisqu'elle est donnée par l'énoncé : il s'agit de la largeur x du rectangle. Le problème va donc consister à traduire les données en une équation, à la résoudre puis à interpréter les solutions.

CORRIGÉ

L'aire du carré est égale à $(2x)^2$ donc $4x^2$.

L'aire du rectangle est égale à $10x$.

Par conséquent, il s'agit de résoudre l'équation $4x^2 = 10x$ sachant que x est un nombre strictement positif.

Les étapes de la résolution sont les suivantes.

Par le principe d'équilibre : $4x^2 = 10x \Leftrightarrow 4x^2 - 10x = 10x - 10x$.

D'où : $4x^2 - 10x = 0$.

PASSER DU DEGRÉ 2 AU DEGRÉ 1

Pour résoudre un problème du second degré, pensez à la factorisation. Chaque facteur sera de degré 1.

En factorisant, on obtient :

$2x(2x-5) = 0$.

Il en résulte que $2x = 0$ ou $2x - 5 = 0$, c'est-à-dire $x = 0$ ou $x = 2{,}5$.

Un produit de facteurs est nul si et seulement si l'un des facteurs est nul.

Or, la solution 0 est à rejeter car la largeur d'un rectangle ne saurait être égale à 0. Seule la solution 2,5 convient.

Pour que les deux quadrilatères aient la même aire, il faut et il suffit que le carré ait un côté de 5 cm et que le rectangle ait des dimensions de 10 cm et 2,5 cm.

Lire un algorithme

ÉNONCÉ

1 Traduire en quelques phrases les instructions de l'algorithme suivant.

```
1    VARIABLES
2      x EST_DU_TYPE NOMBRE
3    DEBUT_ALGORITHME
4      POUR x ALLANT_DE 0 A 10
5        DEBUT_POUR
6        SI (x*x – 17 * x + 72 = = 0) ALORS
7          DEBUT_SI
8          AFFICHER x
9          AFFICHER " "
10         FIN_SI
11       FIN_POUR
12   FIN_ALGORITHME
```

La ligne 9 est une instruction permettant d'espacer l'écriture des différentes valeurs de x.

2 Vérifier que, après traitement, l'affichage comprendra les valeurs 8 et 9.

3 Le programme conduira-t-il à l'affichage d'autres valeurs ?

MÉTHODE

1 Ne pas oublier que x est un entier. Si $x^2-17x+72 \neq 0$, il n'y a pas d'affichage.

2 Il suffit d'appliquer le traitement aux valeurs 8 et 9.

3 Il suffit d'appliquer l'algorithme aux valeurs demandées.

CORRIGÉ

1 Le programme demande de calculer $x^2-17x+72$ pour des valeurs entières de x variant de 0 à 10. Si $x^2-17x+72=0$, alors le programme affiche la valeur de x (qui est donc une solution de l'équation) ; sinon le programme poursuit sa route.

Notez le double signe d'égalité à la ligne 6.

2 Si on pose $f(x)=x^2-17x+72$, on constate que $f(8)=f(9)=0$. C'est pourquoi le programme affiche ces deux valeurs.

3 Le programme ne conduira pas à l'affichage d'autres valeurs, car 8 et 9 sont les deux seules solutions de l'équation $f(x)=0$.

SE TESTER QUIZ

1 Les solutions de l'équation $4x-5=9-3x$ sont les nombres :

☐ a. 1 ☐ b. 2 ☐ c. −1

2 Parmi les nombres suivants quels sont ceux qui sont solutions de l'équation $x^2+5x+4=0$?

☐ a. 1 ☐ b. −1 ☐ c. 2 ☐ d. −2 ☐ e. −4.

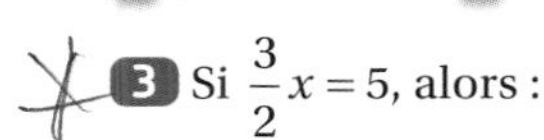

3 Si $\frac{3}{2}x=5$, alors :

☐ a. $x=\frac{10}{3}$ ☐ b. $x=-\frac{10}{3}$ ☐ c. $x=5+\frac{3}{2}$ ☐ d. $x=5+\left(-\frac{3}{2}\right)$

4 Le nombre −1 est solution de l'équation $x^2-7+x=2x^2+8x-5$.

☐ a. Vrai ☐ b. Faux

5 L'équation $x^2=-1$ n'a pas de solution.

☐ a. Vrai ☐ b. Faux

S'ENTRAÎNER

Équations du premier degré

Dans les exercices 6 à 18, résoudre les équations données.

6 a. $x+1{,}3=0{,}5$ b. $-2{,}4+x=0{,}8$

c. $3{,}1=x-2{,}7$ d. $-4{,}7=-6{,}8+x$

7 a. $3x=5$ b. $-3x=-10$

c. $-1=7x$ d. $5=-6x$

8 a. $\frac{1}{2}x=5$ b. $3=\frac{2}{5}x$

c. $\frac{3}{2}x=\frac{4}{3}$ d. $-\frac{8}{15}=-\frac{2}{3}x$

9 a. $x+\frac{1}{3}=1$ b. $-\frac{3}{4}+x=\frac{1}{2}$

c. $\frac{2}{3}=x+2$ d. $-\frac{5}{4}=-\frac{1}{6}+x$

Pas de piège, ces équations sont très faciles à résoudre.

10 a. $2x+3=5x-1$ b. $3x-6=8x+2$

c. $2-4x=x-9$ d. $1+5x=10-13x$

> Ramenez les équations à la forme $ax=b$.

11 a. $\frac{1}{3}x-2=1-\frac{1}{2}x$ b. $\frac{x}{2}+3=6+\frac{2x}{5}$

12 a. $\frac{2}{9}x+1=5+\frac{1}{3}x$ b. $-\frac{1}{2}+3x=\frac{5}{3}x+3$

c. $1+\frac{3}{4}x=\frac{3}{8}x-\frac{1}{5}$ d. $1-\frac{1}{3}x=\frac{7}{3}-\frac{5}{6}x$

13 a. $\frac{3}{4}x+5-\frac{1}{4}x=\frac{5}{6}x+\frac{1}{2}-\frac{2}{3}x$ b. $\frac{5}{3}-\frac{x}{3}+\frac{1}{3}=\frac{3x}{5}+4+\frac{2x}{5}$

14 a. $\frac{x+1}{2}+3=1+\frac{3x+5}{2}$ b. $\frac{2x-7}{3}-1=\frac{x+4}{3}-2x$

15 a. $\frac{2x+1}{7}=\frac{3x-2}{5}$ b. $\frac{1-4x}{6}=\frac{2-7x}{8}$

> On peut utiliser un produit en croix.

16 a. $3\left(x+\frac{1}{2}\right)=-\frac{2}{3}$ b. $-(-x+3)+\frac{2}{5}=\frac{7}{3}-1$

c. $-\frac{x+4}{3}-\frac{9}{5}=\frac{11}{15}$

17 a. $-2x+\frac{3}{4}=5x-6$ b. $\frac{6}{5}x+4=-\frac{x-1}{10}$

c. $-\frac{11}{7}x-\frac{8}{3}=-\frac{5-2x}{14}+2$

18 a. $2(3x-1)+5(2x+4)=2-4(3x-1)$

b. $-4(2-x)-\frac{1}{2}(6x-8)=3x-5(1-2x)$

Équations du second degré

Dans les exercices 19 à 29, résoudre les équations données.

19 a. $(2x-3)^2-9=0$ b. $(3x+5)^2-25=0$

c. $(6x-1)^2-16=0$

20 a. $4-(x+1)^2=0$ b. $49-(3x-2)^2=0$

c. $64-(-2x+5)^2=0$

> On peut aussi ramener les équations à des équations du type $X^2=a$.

21 a. $(x-2)^2-(2x+1)^2=0$ b. $(3x+2)^2-(-x+4)^2=0$
c. $(5-4x)^2-(2x+5)^2=0$

Pensez à l'identité remarquable $a^2-b^2=(a-b)(a+b)$.

22 a. $(x-3)(x+4)+(x-3)(5x-6)=0$
b. $(3x+7)(x+8)+(3x+7)(2x-1)=0$

23 a. $(2+3x)(x-1)+x(x-1)=0$
b. $(6-5x)(1+4x)+(x+7)(6-5x)=0$

Pensez à factoriser.

24 a. $(2x+1)^2+(2x+1)(x-5)=0$
b. $(-x+9)(4+5x)+(4+5x)^2=0$

25 a. $(x+1)(x+4)+(x+1)(2x-3)=0$
b. $(x+1)(-2x+3)-(x+1)(6x-1)=0$

26 a. $(2x-3)(-x+4)-(2x-3)(6x-4)=0$
b. $(2x-3)(5x-3)+(2x-3)(7x-8)=0$

27 a. $(x+1)(x-2)-(x+1)(4x-5)=0$
b. $(3x-5)(2+4x)-(3x-5)(-6+x)=0$

28 a. $x(-4x-7)-x(-x+1)=0$
b. $(1-8x)(6x+9)-(5x-3)(1-8x)=0$

29 a. $(x-2)-(x-2)(3x+4)=0$
b. $(5-6x)(x+3)-(5-6x)=0$

Problèmes concrets

30 Une femme âgée de 42 ans a trois enfants de 14, 12 et 8 ans. Dans combien de temps son âge sera-t-il égal à la somme des âges de ses enfants ?

31 Une tonne d'eau de mer donne 32 kg de sel impur ; celui-ci donne 80 % de sa masse en sel pur. Combien faut-il de m³ d'eau de mer pour obtenir 8 kg de sel sachant que la densité de l'eau de mer est d'environ 1,025 ?

On sait donc que 1 litre d'eau de mer pèse environ 1,025 kg.

32 Un père de 36 ans a une fille de 4 ans. Dans combien d'années l'âge du père sera-t-il le double de l'âge de la fille ?

33 Le périmètre d'un terrain rectangulaire est égal à 82 m. La longueur mesure 9 m de plus que la largeur. Déterminer les dimensions de ce terrain.

34 Quel nombre doit-on ajouter au numérateur et au dénominateur de $\frac{3}{7}$ pour obtenir une fraction égale à $\frac{9}{10}$?

35 Le directeur d'une colonie de vacances veut louer des cars pour un voyage. S'il commande des cars à 40 places, il manquera 12 places. S'il commande des cars à 45 places, il restera 8 places libres en tout. Dans les deux cas, le nombre de cars est le même. Combien d'enfants comporte la colonie ?

Cherchez d'abord le nombre de cars loués.

36 Dans un club sportif de 120 adhérents, on pratique un des trois sports suivants : foot, basket et volley. Il y a deux fois plus de footballeurs que de basketteurs et douze basketteurs de plus que de volleyeurs. Combien y a-t-il de footballeurs ?

37 Le salaire d'un employé a augmenté de 10 % en 2008 puis de 5 % en 2009. Sur ces deux années, il a augmenté en tout de 232,50 €. Quel est le salaire de cet employé après ces deux augmentations ?

Trouvez d'abord le salaire initial.

38 Deux trains effectuent le trajet Paris-Arles : un train Corail qui part de Paris à 14 h et roule à la vitesse moyenne de 120 km/h ; un TGV qui part de Paris à 15 h et roule à la vitesse moyenne de 300 km/h.

À quelle distance de Paris le TGV rattrape-t-il le train Corail ?

39 Le professeur de mathématiques a expliqué qu'il avait calculé une moyenne avec la formule $M = \frac{2C + L + D}{4}$, où C, L et D sont les notes respectives d'un contrôle, d'une leçon et d'un devoir.

Armand a obtenu 12 de moyenne avec $L = 14$ et $D = 11$; quelle est sa note de contrôle ?

40 Quatre enfants se partagent un héritage.

Le premier prend la moitié de l'héritage moins 6 000 € ; le deuxième prend le tiers de l'héritage moins 2 000 € ; le troisième prend le quart de l'héritage et le quatrième prend le cinquième de l'héritage *plus* 1 200 €.

a. Quel est le montant de l'héritage sachant que chaque enfant reçoit la même somme ?

b. Combien prend chaque enfant ?

41 ABCD est un trapèze rectangle tel que AB = 5, BC = 8 et CD = 3. Le point M appartient au côté [BC] et le triangle AMD est isocèle en M. Déterminer BM.

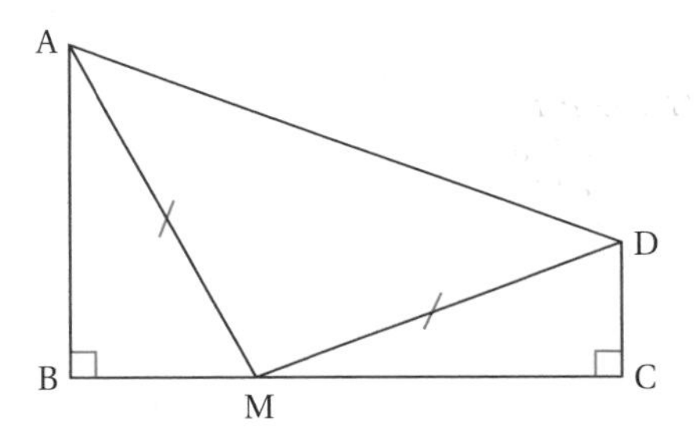

Pensez au théorème de Pythagore.

42 Deux robinets alimentent un bassin de 18 m^3. L'un a un débit fixe de 2,4 m^3/h et l'autre un débit réglable. Comment doit-on régler le deuxième robinet pour remplir le bassin en 3 h ?

43 La moyenne d'une classe à un contrôle est 10,2. L'un des élèves n'a rien su faire et a obtenu 0. Le professeur décide de recalculer la moyenne sans compter cet élève. La nouvelle moyenne est 10,8. Combien y a-t-il d'élèves dans cette classe ?

44 Un randonneur effectue un aller-retour entre deux villages. À l'aller, il marche à 4 km/h de vitesse moyenne. Au retour, il emprunte le même chemin et marche à 6 km/h de moyenne. Quelle est sa vitesse moyenne sur l'aller-retour ?

La vitesse moyenne sur une distance d parcourue en un temps t est le quotient $\frac{d}{t}$.

45 Sur la figure suivante ABC est un triangle rectangle isocèle en A. Le cercle de centre O est inscrit dans le triangle. Déterminer son rayon sachant que AH = 4cm.

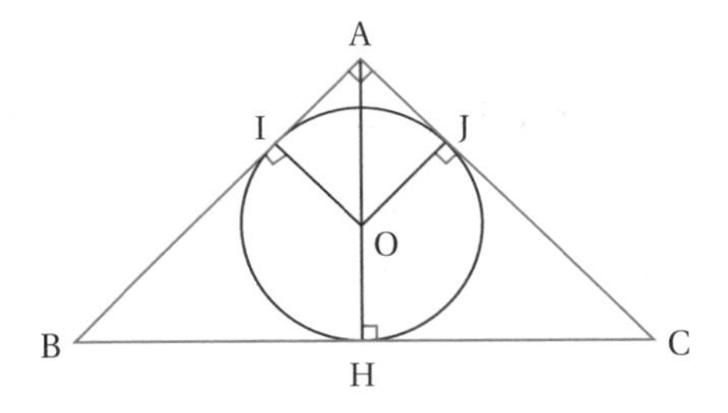

46 Sur la figure, le carré AEFG et le rectangle ABCD ont la même aire. Déterminer AG sachant que $ED = 1\,\text{cm}$ et $GB = 1{,}5\,\text{cm}$.

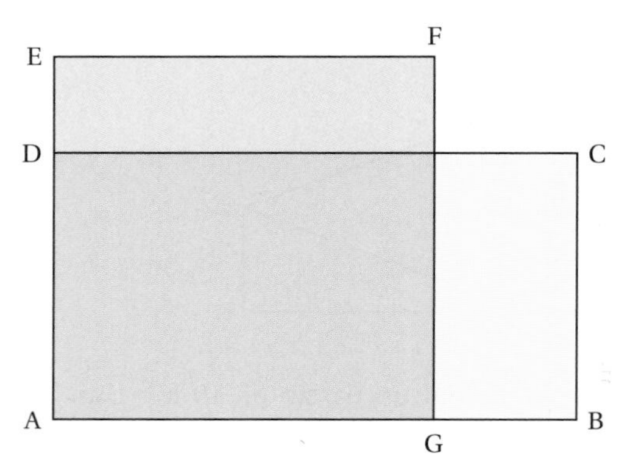

47 La pelouse d'un jardin rectangulaire est bordée d'une allée comme le montre la figure ci-dessous. Le périmètre extérieur du jardin est égal à 650 m et celui de la pelouse (donc le périmètre intérieur) est égal à 638 m.

Déterminer la largeur x de l'allée.

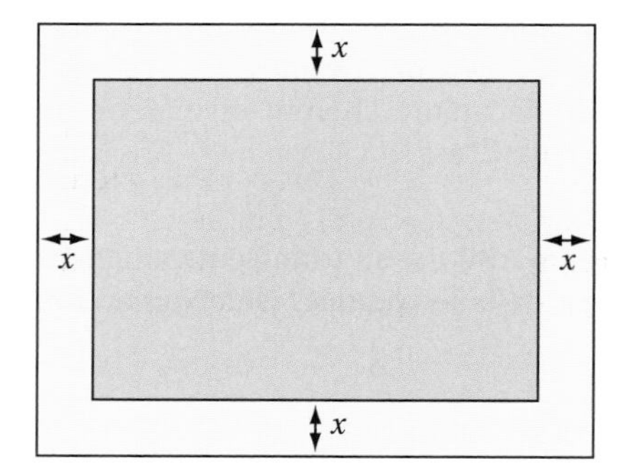

Algorithmique

48 a. Traduire en quelques phrases les instructions de l'algorithme suivant (x est un nombre décimal).

```
1   VARIABLES
2      k EST_DU_TYPE NOMBRE
3      x EST_DU_TYPE NOMBRE
4   DEBUT_ALGORITHME
5      POUR k ALLANT_DE 0 A 20
6         DEBUT_POUR
7         x PREND_LA_VALEUR k/2
8         SI (x * x + 0.5 * x – 60 = = 0) ALORS
9            DEBUT_SI
10           AFFICHER x
11           FIN_SI
12        FIN_POUR
13  FIN_ALGORITHME
```

b. Vérifier que, après traitement, l'affichage comprendra la valeur 7,5.

PROBLÈME

49 Au camp de 357magnum, le centurion Cactus veut faire ranger ses légionnaires en carré. Malheureusement 25 hommes sont en trop. Il décide alors d'augmenter le côté du carré d'un homme, mais alors il lui manque 6 hommes. Quel est le nombre de légionnaires ?

On appellera x le nombre d'hommes composant le côté du premier carré.

SE TESTER

1 Réponse b. Il suffit de remplacer x par 2. On trouve alors 3 des deux côtés du signe d'égalité.

2 Réponses b. et **e.** En remplaçant x par -1 et -4, on trouve $x^2+5x+4=0$.

3 Réponse a. On sait que $x=\dfrac{5}{\frac{3}{2}}=5\times\dfrac{2}{3}=\dfrac{10}{3}$.

4 Réponse b. Faux. En effet, si $x=-1$, on trouve -7 dans le membre de gauche de l'égalité et -11 dans le membre de droite.

5 Réponse a. Vrai. Un carré étant positif, on ne peut trouver aucun nombre dont le carré soit égal à -1.

S'ENTRAÎNER

6 a. $x=0{,}5-1{,}3 \Rightarrow x=-0{,}8$.
b. $x=0{,}8+2{,}4 \Rightarrow x=3{,}2$.
c. $x=3{,}1+2{,}7 \Rightarrow x=5{,}8$.
d. $x=-4{,}7+6{,}8 \Rightarrow x=2{,}1$.

7 a. $x=\dfrac{5}{3}$
b. $x=\dfrac{-10}{-3}=\dfrac{10}{3}$
c. $x=-\dfrac{1}{7}$
d. $x=\dfrac{5}{-6}=-\dfrac{5}{6}$

La solution des équations de la forme $a\,x=b$ est $\dfrac{b}{a}$.

8 a. $x=\dfrac{5}{\frac{1}{2}}=5\times\dfrac{2}{1}=10$
b. $x=\dfrac{3}{\frac{2}{5}}=3\times\dfrac{5}{2}=\dfrac{15}{2}$
c. $x=\dfrac{\frac{4}{3}}{\frac{3}{2}}=\dfrac{4}{3}\times\dfrac{2}{3}=\dfrac{8}{9}$
d. $x=\dfrac{-\frac{8}{15}}{-\frac{2}{3}}=-\dfrac{8}{15}\times-\dfrac{3}{2}=\dfrac{24}{30}=\dfrac{4}{5}$

9 a. $x=1-\dfrac{1}{3}=\dfrac{2}{3}$
b. $x=\dfrac{1}{2}+\dfrac{3}{4}=\dfrac{5}{4}$
c. $x=\dfrac{2}{3}-2=\dfrac{2}{3}-\dfrac{6}{3}=-\dfrac{4}{3}$
d. $x=-\dfrac{5}{4}+\dfrac{1}{6}=-\dfrac{15}{12}+\dfrac{2}{12}=-\dfrac{13}{12}$

10 a. $3x=4 \Rightarrow x=\dfrac{4}{3}$
b. $5x=-8 \Rightarrow x=-\dfrac{8}{5}$
c. $5x=11 \Rightarrow x=\dfrac{11}{5}$
d. $18x=9 \Rightarrow x=\dfrac{9}{18}=\dfrac{1}{2}$

Ici, on a écrit l'inconnue x à gauche de l'égalité. Il était possible de l'écrire à droite.

11 **a.** $\frac{1}{3}x+\frac{1}{2}x=1+2 \Rightarrow \frac{2}{6}x+\frac{3}{6}x=3 \Rightarrow \frac{5}{6}x=3 \Rightarrow x=\frac{3}{\frac{5}{6}}$

$$\Rightarrow x=3\times\frac{6}{5} \Rightarrow x=\frac{18}{5}$$

On aurait pu conclure plus rapidement avec un produit en croix :

$\frac{1}{10}x=\frac{3}{1}$

$\Rightarrow x=3\times 10=30.$

b. $\frac{x}{2}-\frac{2}{5}x=6-3 \Rightarrow \frac{5}{10}x-\frac{4}{10}x=3 \Rightarrow \frac{1}{10}x=3$

$$\Rightarrow x=\frac{3}{\frac{1}{10}}=3\times\frac{10}{1} \Rightarrow x=30$$

On aurait pu conclure plus rapidement par un produit en croix :

$-\frac{1}{9}x=\frac{4}{1}$

$\Rightarrow x=(-9)\times 4=-36.$

12 **a.** $\frac{2}{9}x-\frac{3}{9}x=4 \Rightarrow -\frac{1}{9}x=4 \Rightarrow x=\frac{4}{-\frac{1}{9}}$

$$\Rightarrow x=4\times\left(-\frac{9}{1}\right) \Rightarrow x=-36$$

b. $3x-\frac{5}{3}x=3+\frac{1}{2} \Rightarrow \frac{9}{3}x-\frac{5}{3}x=\frac{6}{2}+\frac{1}{2} \Rightarrow \frac{4}{3}x=\frac{7}{2} \Rightarrow x=\frac{\frac{7}{2}}{\frac{4}{3}}=\frac{7}{2}\times\frac{3}{4}$

$$\Rightarrow x=\frac{21}{8}$$

c. $\frac{3}{4}x-\frac{3}{8}x=-\frac{1}{5}-1 \Rightarrow \frac{6}{8}x-\frac{3}{8}x=-\frac{1}{5}-\frac{5}{5} \Rightarrow \frac{3}{8}x=-\frac{6}{5}$

$$\Rightarrow x=\frac{-\frac{6}{5}}{\frac{3}{8}}=-\frac{6}{5}\times\frac{8}{3}=-\frac{48}{15}=-\frac{16}{5}$$

d. $-\frac{1}{3}x+\frac{5}{6}x=\frac{7}{3}-1 \Rightarrow -\frac{2}{6}x+\frac{5}{6}x=\frac{7}{3}-\frac{3}{3} \Rightarrow \frac{3}{6}x=\frac{4}{3}$

$$\Rightarrow x=\frac{\frac{4}{3}}{\frac{1}{2}} \Rightarrow x=\frac{4}{3}\times\frac{2}{1} \Rightarrow x=\frac{8}{3}$$

13 **a.** $\frac{3}{4}x-\frac{1}{4}x-\frac{5}{6}x+\frac{2}{3}x=\frac{1}{2}-5 \Rightarrow \frac{2}{4}x-\frac{5}{6}x+\frac{4}{6}x=\frac{1}{2}-\frac{10}{2}$

$$\Rightarrow \frac{1}{2}x-\frac{1}{6}x=-\frac{9}{2} \Rightarrow \frac{3}{6}x-\frac{1}{6}x=-\frac{9}{2} \Rightarrow \frac{2}{6}x=-\frac{9}{2} \Rightarrow x=\frac{-\frac{9}{2}}{\frac{1}{3}}=-\frac{9}{2}\times\frac{3}{1} \Rightarrow x=-\frac{27}{2}$$

b. $\frac{6}{3}-\frac{1}{3}x=\frac{5}{5}x+4 \Rightarrow -\frac{1}{3}x-x=4-2 \Rightarrow -\frac{4}{3}x=2 \Rightarrow x=\frac{2}{-\frac{4}{3}}$

$$\Rightarrow x=2\times\left(-\frac{3}{4}\right) \Rightarrow x=-\frac{3}{2}$$

14 **a.** On multiplie les deux membres par 2. On obtient :

$x+1+6=2+3x+5 \Rightarrow -2x=7-7 \Rightarrow x=0$

Soit a un nombre différent de 0. Si $ax=0$, alors $x=0$.

b. On multiplie les deux membres par 3. On obtient :

$2x-7-3=x+4-6x \Rightarrow 2x-x+6x=4+10 \Rightarrow 7x=14 \Rightarrow x=2$

15 **a.** En faisant le produit en croix, on obtient :

$5(2x+1)=7(3x-2) \Rightarrow 10x+5=21x-14 \Rightarrow 11x=19 \Rightarrow x=\frac{19}{11}$

b. En faisant le produit en croix, on obtient :

$8(1-4x)=6(2-7x) \Rightarrow 8-32x=12-42x \Rightarrow 10x=4 \Rightarrow x=\frac{4}{10}=\frac{2}{5}$

16 **a.** $3x+\frac{3}{2}=-\frac{2}{3} \Rightarrow 3x=-\frac{2}{3}-\frac{3}{2} \Rightarrow 3x=-\frac{4}{6}-\frac{9}{6} \Rightarrow 3x=-\frac{13}{6} \Rightarrow x=\frac{-\frac{13}{6}}{3}=-\frac{13}{18}$

b. $x-3+\frac{2}{5}=\frac{7}{3}-1 \Rightarrow x=\frac{7}{3}-1+3-\frac{2}{5}=\frac{35-15+45-6}{15} \Rightarrow x=\frac{59}{15}$

c. On réduit au même dénominateur, ici 15 :

$-\frac{5(x+4)}{15}-\frac{27}{15}=\frac{11}{15} \Rightarrow -5(x+4)-27=11 \Rightarrow -5x-20=11+27$

$$\Rightarrow -5x=38+20 \Rightarrow x=-\frac{58}{5}$$

17 a. $-2x-5x=-6-\frac{3}{4} \Rightarrow -7x=-\frac{24}{4}-\frac{3}{4}=-\frac{27}{4}$

$$\Rightarrow x=\frac{-\frac{27}{4}}{-7}=\frac{27}{28}$$

b. On multiplie les deux membres par 10 :

$\frac{60}{5}x+40=-(x-1) \Rightarrow 12x+40=-x+1 \Rightarrow 13x=1-40$

$$\Rightarrow x=-\frac{39}{13} \Rightarrow x=-3$$

c. On multiplie d'abord les deux membres par 14 :

$-11\times\frac{14}{7}x-\frac{8\times 14}{3}=-(5-2x)+28 \Rightarrow -22x-\frac{112}{3}=-5+2x+28$

$$\Rightarrow -22x-2x=23+\frac{112}{3} \Rightarrow -24x=\frac{69}{3}+\frac{112}{3}$$

$$\Rightarrow -24x=\frac{181}{3} \Rightarrow x=-\frac{181}{72}$$

On a :
$14\times\frac{11}{7}=11\times\frac{14}{7}$
$=11\times 2=22.$

18 a. $6x-2+10x+20=2-12x+4 \Rightarrow 16x+18=-12x+6$

$$\Rightarrow 28x=-12 \Rightarrow x=-\frac{12}{28}=-\frac{3}{7}$$

b. $-8+4x-3x+4=3x-5+10x \Rightarrow x-4=13x-5$

$$\Rightarrow 12x=1 \Rightarrow x=\frac{1}{12}$$

On aurait pu écrire aussi $-12x=-1$. Le résultat est bien sûr le même.

19 a. $(2x-3)^2-9=0 \Leftrightarrow (2x-3)^2-3^2=0.$

On reconnaît une identité remarquable :

$a^2-b^2=(a-b)(a+b)$ où $a=2x-3$ et $b=3$.

D'où : $(2x-3-3)(2x-3+3)=0$.

Or : $(2x-6)2x=0 \Leftrightarrow 2x=6$ ou $2x=0 \Leftrightarrow x=3$ ou $x=0$.

Les solutions de l'équation sont 0 et 3.

b. $(3x+5)^2-25=0 \Leftrightarrow (3x+5)^2-5^2=0 \Leftrightarrow (3x+5-5)(3x+5+5)=0$

$\Leftrightarrow 3x(3x+10)=0 \Leftrightarrow 3x=0$ ou $3x=-10 \Leftrightarrow x=0$ ou $x=-\dfrac{10}{3}$

Les solutions de l'équation sont $-\dfrac{10}{3}$ et 0.

c. $(6x-1)^2-16=0 \Leftrightarrow (6x-1)^2-4^2=0 \Leftrightarrow (6x-1-4)(6x-1+4)=0$

$\Leftrightarrow (6x-5)(6x+3)=0$

$\Leftrightarrow 6x=5$ ou $6x=-3 \Leftrightarrow x=\dfrac{5}{6}$ ou $x=-\dfrac{3}{6}$

Les solutions de l'équation sont $-\dfrac{1}{2}$ et $\dfrac{5}{6}$.

20 **a.** $4-(x+1)^2=0 \Leftrightarrow (x+1)^2=4$. L'équation est ramenée ici à $X^2=a$ avec $X=x+1$ et $a=4$. On a donc :

$x+1=-2$ ou $x+1=2 \Leftrightarrow x=-3$ ou $x=1$

Les solutions de l'équation sont -3 et 1.

b. $(3x-2)^2=49 \Leftrightarrow 3x-2=-7$ ou $3x-2=7$

$\Leftrightarrow 3x=-5$ ou $3x=9 \Leftrightarrow x=-\dfrac{5}{3}$ ou $x=3$

Les solutions de l'équation sont $-\dfrac{5}{3}$ et 3.

Deux nombres opposés ont le même carré. On aurait pu aussi écrire : $(2x-5)^2=64$.

c. $(-2x+5)^2=64 \Leftrightarrow -2x+5=-8$ ou $-2x+5=8$

$\Leftrightarrow 2x=13$ ou $2x=-3 \Leftrightarrow x=\dfrac{13}{2}$ ou $x=-\dfrac{3}{2}$

Les solutions de l'équation sont $-\dfrac{3}{2}$ et $\dfrac{13}{2}$.

21 **a.** On reconnaît l'identité remarquable $a^2-b^2=(a-b)(a+b)$ avec $a=x-2$ et $b=2x+1$:

$[(x-2)-(2x+1)][(x-2)+(2x+1)]=0 \Leftrightarrow [x-2-2x-1][x-2+2x+1]=0$

$\Leftrightarrow (-x-3)(3x-1)=0 \Leftrightarrow -x-3=0$ ou $3x-1=0 \Leftrightarrow x=-3$ ou $x=\dfrac{1}{3}$

Les solutions de l'équation sont -3 et $\dfrac{1}{3}$.

b. $\left[(3x+2)-(-x+4)\right]\left[(3x+2)+(-x+4)\right]=0$

$$\Leftrightarrow (3x+2+x-4)(3x+2-x+4)=0 \Leftrightarrow (4x-2)(2x+6)=0$$

$$\Leftrightarrow x=\frac{2}{4} \text{ ou } x=-\frac{6}{2}$$

Les solutions de l'équation sont -3 et $\frac{1}{2}$.

c. $\left[(5-4x)-(2x+5)\right]\left[(5-4x)+(2x+5)\right]=0$

$\Leftrightarrow (5-4x-2x-5)(5-4x+2x+5)=0 \Leftrightarrow (-6x)(-2x+10)=0$

$$\Leftrightarrow x=0 \text{ ou } x=\frac{-10}{-2}=5$$

Les solutions de l'équation sont 0 et 5.

22 **a.** En factorisant, on obtient :

$(x-3)\left[(x+4)+(5x-6)\right]=0 \Leftrightarrow (x-3)(x+4+5x-6)=0$

$$\Leftrightarrow (x-3)(6x-2)=0$$

$$\Leftrightarrow x=3 \text{ ou } x=\frac{2}{6}$$

Les solutions de l'équation sont $\frac{1}{3}$ et 3.

b. $(3x+7)\left[(x+8)+(2x-1)\right]=0 \Leftrightarrow (3x+7)(3x+7)=0 \Leftrightarrow x=-\frac{7}{3}$

L'équation n'a qu'une seule solution qui est $-\frac{7}{3}$.

23 **a.** $(x-1)\left[(2+3x)+x\right]=0 \Leftrightarrow (x-1)(2+3x+x)=0$

$$\Leftrightarrow (x-1)(4x+2)=0 \Leftrightarrow x=1 \text{ ou } x=-\frac{2}{4}$$

Les solutions de l'équation sont $-\frac{1}{2}$ et 1.

b. $(6-5x)\left[(1+4x)+(x+7)\right]=0 \Leftrightarrow (6-5x)(1+4x+x+7)=0$

$$\Leftrightarrow (6-5x)(5x+8)=0 \Leftrightarrow x=\frac{6}{5} \text{ ou } x=-\frac{8}{5}$$

Les solutions de l'équation sont $-\frac{8}{5}$ et $\frac{6}{5}$.

24 a. $(2x+1)\left[(2x+1)+(x-5)\right]=0 \Leftrightarrow (2x+1)(2x+1+x-5)=0$

$$\Leftrightarrow (2x+1)(3x-4)=0 \Leftrightarrow x=-\frac{1}{2} \text{ ou } x=\frac{4}{3}$$

Les solutions de l'équation sont $-\frac{1}{2}$ et $\frac{4}{3}$.

b. $(4+5x)\left[(-x+9)+(4+5x)\right]=0 \Leftrightarrow (4+5x)(-x+9+4+5x)=0$

$$\Leftrightarrow (4+5x)(4x+13)=0$$

$$\Leftrightarrow x=-\frac{4}{5} \text{ ou } x=-\frac{13}{4}$$

Les solutions de l'équation sont $-\frac{13}{4}$ et $-\frac{4}{5}$.

25 a. $(x+1)\left[(x+4)+(2x-3)\right]=0 \Leftrightarrow (x+1)(3x+1)=0$

$$\Leftrightarrow x=-1 \text{ ou } x=-\frac{1}{3}$$

Les solutions de l'équation sont -1 et $-\frac{1}{3}$.

b. $(x+1)\left[(-2x+3)-(6x-1)\right]=0 \Leftrightarrow (x+1)(-8x+4)=0$

$$\Leftrightarrow x=-1 \text{ ou } x=\frac{4}{8}$$

Les solutions de l'équation sont -1 et $\frac{1}{2}$.

26 a. $(2x-3)\left[(-x+4)-(6x-4)\right]=0 \Leftrightarrow (2x-3)(-x+4-6x+4)=0$

$$\Leftrightarrow (2x-3)(-7x+8)=0$$

$$\Leftrightarrow x=\frac{3}{2} \text{ ou } x=\frac{8}{7}$$

Les solutions de l'équation sont $\frac{3}{2}$ et $\frac{8}{7}$.

b. $(2x-3)\left[(5x-3)+(7x-8)\right]=0 \Leftrightarrow (2x-3)(5x-3+7x-8)=0$

$$\Leftrightarrow (2x-3)(12x-11)=0 \Leftrightarrow x=\frac{3}{2} \text{ ou } x=\frac{11}{12}$$

Les solutions de l'équation sont $\frac{3}{2}$ et $\frac{11}{12}$.

27 **a.** $(x+1)\left[(x-2)-(4x-5)\right]=0 \Leftrightarrow (x+1)(x-2-4x+5)=0$

$$\Leftrightarrow (x+1)(-3x+3)=0 \Leftrightarrow x=-1 \text{ ou } x=\frac{3}{3}$$

Les solutions de l'équation sont -1 et 1.

b. $(3x-5)\left[(2+4x)-(-6+x)\right]=0 \Leftrightarrow (3x-5)(2+4x+6-x)=0$

$$\Leftrightarrow (3x-5)(3x+8)=0 \Leftrightarrow x=\frac{5}{3} \text{ ou } x=-\frac{8}{3}$$

Les solutions de l'équation sont $-\frac{8}{3}$ et $\frac{5}{3}$.

28 **a.** $x\left[(-4x-7)-(-x+1)\right]=0 \Leftrightarrow x(-4x-7+x-1)=0$

$$\Leftrightarrow x(-3x-8)=0 \Leftrightarrow x=0 \text{ ou } x=-\frac{8}{3}$$

Les solutions de l'équation sont $-\frac{8}{3}$ et 0.

b. $(1-8x)\left[(6x+9)-(5x-3)\right]=0 \Leftrightarrow (1-8x)(6x+9-5x+3)=0$

$$\Leftrightarrow (1-8x)(x+12)=0 \Leftrightarrow x=\frac{1}{8} \text{ ou } x=-12$$

Les solutions de l'équation sont -12 et $\frac{1}{8}$.

29 **a.** $(x-2)\left[1-(3x+4)\right]=0 \Leftrightarrow (x-2)(1-3x-4)=0$

$$\Leftrightarrow (x-2)(-3x-3)=0 \Leftrightarrow x=2 \text{ ou } x=-1$$

Les solutions de l'équation sont -1 et 2.

b. $(5-6x)\left[(x+3)-1\right]=0 \Leftrightarrow (5-6x)(x+2)=0 \Leftrightarrow x=\frac{5}{6} \text{ ou } x=-2$

Les solutions de l'équation sont -2 et $\frac{5}{6}$.

30 Soit x le nombre d'années au bout desquelles l'âge de cette femme sera égal à la somme des âges des enfants. On a :

$42+x=14+x+12+x+8+x \Leftrightarrow 42+x=34+3x \Leftrightarrow 2x=8 \Leftrightarrow x=4$

Dans 4 ans, la femme aura 46 ans et ses enfants 18, 16 et 12 ans. Son âge sera donc bien égal à la somme des âges de ses enfants.

31

Eau de mer (t)		Sel impur (kg)		Sel pur (kg)
1	$\xrightarrow{\times 32}$	32	$\xrightarrow{\times 0,8}$	25,6
$\frac{10}{32}$	$\xleftarrow{\div 32}$	10	$\xleftarrow{\div 0,8}$	**8**

Pour résoudre l'exercice, on part de la donnée 8 kg et on effectue le chemin inverse. Sur la dernière ligne du tableau, on lit qu'il faut $\frac{10}{32}$ t d'eau de mer pour obtenir 8 kg de sel pur. Or : $\frac{10}{32} = 0,3125$. Il faut donc 312,5 kg d'eau de mer. Le volume correspondant est $\frac{312,5}{1,025}$ L, soit environ $305\,\text{dm}^3$ ou $0,305\,\text{m}^3$.

Pour calculer 80 % d'une quantité, il suffit de multiplier la quantité par $\frac{80}{100}$, c'est-à-dire par 0,8.

$1\ \text{dm}^3 = 1$ L.

32 Soit x le nombre d'années cherché. Le père aura alors $36 + x$ et la fille $4 + x$. Donc :

$$36 + x = 2(4 + x) \Leftrightarrow 36 + x = 8 + 2x \Leftrightarrow x = 28.$$

Le père sera âgé de 64 ans quand sa fille aura 32 ans.

33 Soit x la largeur ; la longueur mesure $x + 9$ et le périmètre $2\left[x + (x + 9)\right]$.

On est conduit à résoudre :

$$2(2x + 9) = 82 \Leftrightarrow 2x + 9 = 41 \Leftrightarrow 2x = 32 \Leftrightarrow x = 16.$$

La largeur est égale à 16 m et la longueur à 25 m.

34 Soit x le nombre cherché. D'après l'énoncé :

$$\frac{3 + x}{7 + x} = \frac{9}{10}.$$

En effectuant le produit en croix :

$$10(3 + x) = 9(7 + x) \Leftrightarrow 30 + 10x = 63 + 9x \Leftrightarrow x = 33$$

Vérification : $\frac{3 + 33}{7 + 33} = \frac{36}{40} = \frac{9}{10}$

35 Soit x le nombre de cars que le directeur veut louer. En mettant 40 enfants par car, on trouve $40x$ enfants plus les 12 qui ne trouvent pas de place. Donc les enfants sont au nombre de $40x + 12$.

En choisissant des cars à 45 places, on trouve $45x$ enfants diminués des 8 places libres, c'est-à-dire $45x-8$.

Les deux expressions comptent le nombre d'enfants dans la colonie. On doit donc avoir :

$40x+12=45x-8 \Leftrightarrow 5x=20 \Leftrightarrow x=4.$

Le directeur a loué quatre cars et il y a 172 enfants.

Vérification :
$40 \times 4 + 12 = 45 \times 4 - 8$
$= 172.$

36 Soit x le nombre de footballeurs. Il y a $\frac{x}{2}$ basketteurs et $\frac{x}{2}-12$ volleyeurs. Donc :

$$x+\frac{x}{2}+\frac{x}{2}-12=120 \Leftrightarrow 2x=132 \Leftrightarrow x=66$$

Il y a 66 footballeurs.

Le nombre de basketteurs est égal à la moitié du nombre de footballeurs.

37 Soit x le salaire avant les augmentations.

Si le salaire augmente de 10 %, après augmentation, il sera égal à :

$$x+\frac{10}{100}x=x+0{,}1x=1{,}1x$$

Si ce nouveau salaire est lui-même augmenté de 5 %, après augmentation, il sera égal à :

$$1{,}1x+0{,}05 \times 1{,}1x=1{,}1x \times (1+0{,}05)=1{,}1x \times 1{,}05$$

Le salaire après les deux augmentations est donc égal à $1{,}155x$, soit $x+0{,}155x$. Comme $0{,}155x$ est l'augmentation sur deux ans, on a :

$$0{,}155x = 232{,}5, \text{ soit } x=\frac{232{,}5}{0{,}155}=1\,500.$$

On a aussi :
$1\,500+232{,}5=1\,732{,}5.$

Donc le salaire après augmentations vaut : $1\,500 \times 1{,}155 = 1\,732{,}50$ €.

38 Soit x la distance cherchée en kilomètres.

Le temps, en heures, mis par le train Corail pour parcourir cette distance est $\frac{x}{120}$.

Le temps, en heures, mis par le TGV pour parcourir cette distance est $\frac{x}{300}$.

Si d est une distance parcourue à la vitesse v pendant un temps t alors $d=vt$, donc $t=\frac{d}{v}$.

Compte tenu des heures de départ, le TGV rattrapera le train corail à $14\text{ h}+\dfrac{x}{120}\text{h}$ ou encore à $15\text{ h}+\dfrac{x}{300}\text{h}$.

On a donc :

$$14+\frac{x}{120}=15+\frac{x}{300}\Leftrightarrow\frac{x}{120}-\frac{x}{300}=15-14\Leftrightarrow\frac{5x}{600}-\frac{2x}{600}=1$$

$$\Leftrightarrow\frac{3x}{600}=1\Leftrightarrow x=\frac{600}{3}=200$$

Le TGV rattrapera donc le train Corail à 200 km de Paris.

39 On doit résoudre l'équation $\dfrac{2C+14+11}{4}=12$:

$2C+25=48\Leftrightarrow 2C=23\Leftrightarrow C=11{,}5$

La note au contrôle est donc égale à 11,5.

40 **a.** Soit x le montant de l'héritage. Les données de l'énoncé conduisent à l'équation :

$$\left(\frac{x}{2}-6000\right)+\left(\frac{x}{3}-2000\right)+\frac{x}{4}+\left(\frac{x}{5}+1200\right)=x$$

On résout donc cette équation :

> Le dénominateur commun est $3\times4\times5$, c'est-à-dire 60.

$$\frac{30x+20x+15x+12x}{60}-6000-2000+1200=\frac{60x}{60}$$

$$\frac{77x}{60}-\frac{60x}{60}=6800\Leftrightarrow\frac{17x}{60}=6800\Leftrightarrow x=\frac{6800\times60}{17}\Leftrightarrow x=24000$$

b. Chaque enfant reçoit la même somme, à savoir 6 000 €.

41 On pose $x=\text{BM}$ et on applique le théorème de Pythagore dans les triangles rectangles ABM et MCD :

> $\text{MC}=8-x$

$\text{AM}^2=25+x^2$ et $\text{MD}^2=(8-x)^2+9$.

Puisque le triangle AMD est isocèle, on a :

$25+x^2=(8-x)^2+9$

Pour résoudre cette équation, on développe le membre de droite :

$$25+x^2=64-16x+x^2+9\Leftrightarrow 25=-16x+73\Leftrightarrow 16x=48\Leftrightarrow x=\frac{48}{16}=3.$$

On a donc $\text{BM}=3$.

42 Soit x le débit, en m^3/h, du robinet réglable. Lorsque les deux robinets sont ouverts, ils débitent à eux deux $(2{,}4+x)$ mètres cubes d'eau par heure, et ils remplissent le bassin de $18\ \text{m}^3$ en $\dfrac{18}{2{,}4+x}$ h.

On cherche x pour que $\dfrac{18}{2{,}4+x}=3$.

En effectuant le produit en croix, on trouve : $18=3(2{,}4+x)$. Puis :

$$18=7{,}2+3x \Leftrightarrow 18-7{,}2=3x \Leftrightarrow 3x=10{,}8 \Leftrightarrow x=\frac{10{,}8}{3}=3{,}6$$

Pour remplir le bassin en 3 h, le débit du deuxième robinet doit donc être égal à $3{,}6\ \text{m}^3/\text{h}$.

43 Soit n le nombre d'élèves et S la somme des notes :

$$\frac{S}{n}=10{,}2 \Rightarrow S=10{,}2n \text{ et } \frac{S}{n-1}=10{,}8 \Rightarrow S=10{,}8(n-1).$$

L'élève ayant eu zéro, la somme des notes ne change pas si on le retire du calcul. Mais il y a aura désormais $(n-1)$ élèves concernés.

On a donc :

$$\begin{aligned}10{,}2n=10{,}8(n-1) &\Leftrightarrow 10{,}2n=10{,}8n-10{,}8\\ &\Leftrightarrow 0{,}6n=10{,}8\\ &\Leftrightarrow n=\frac{10{,}8}{0{,}6}=18.\end{aligned}$$

Il y a donc 18 élèves dans la classe.

44 Soit d la distance (en km) séparant les deux villages, t la durée (en h) de l'aller et t' la durée (en h) du retour. La durée de l'aller-retour est donc égale à $t+t'$ et la distance parcourue égale à $2d$.

On sait que $t=\dfrac{d}{4}$ et $t'=\dfrac{d}{6}$.

$d=vt \Rightarrow t=\dfrac{d}{v}$

La vitesse moyenne sur l'aller-retour est donc :

$$\frac{2d}{t+t'}=\frac{2d}{\frac{d}{6}+\frac{d}{4}}=\frac{2d}{\frac{2d+3d}{12}}=2d\times\frac{12}{5d}=\frac{24d}{5d}=\frac{24}{5}=4{,}8$$

Le randonneur a marché à la vitesse moyenne de 4,8 km/h.

La réponse est indépendante de la distance séparant les deux villages.

45 Soit r le rayon cherché. $[AO]$ est une diagonale du carré AIOJ de côté r, donc $AO = r\sqrt{2}$.

De plus : $AH = AO + OH = AO + r$.

$r\sqrt{2} + r = 4$, donc $r\left(\sqrt{2}+1\right) = 4 \Rightarrow r = \dfrac{4}{1+\sqrt{2}} \approx 1{,}7$ cm.

La diagonale d'un carré de côté a est égale à $a\sqrt{2}$.

46 On pose $x = AG$. En écrivant les égalités des deux aires, on trouve : $x^2 = (x+1{,}5)(x-1)$.

On résout : $x^2 = x^2 + 1{,}5x - x - 1{,}5 \Leftrightarrow 0{,}5x = 1{,}5 \Leftrightarrow x = \dfrac{1{,}5}{0{,}5} \Leftrightarrow x = 3$.

Donc $AG = 3$ cm.

47 Il faut ajouter huit fois x au périmètre de la pelouse pour obtenir le périmètre du terrain. Donc :

$638 + 8x = 650$.

On résout : $8x = 650 - 638 \Leftrightarrow 8x = 12 \Leftrightarrow x = \dfrac{12}{8} = 1{,}5$

L'allée a une largeur de 1,5 m.

48 **a.** Le compteur k variant de 1 à 20, le programme demande de calculer $x^2 + 0{,}5x - 60$ pour des valeurs de x variant de 0 à 10 par saut de 0,5. Si $x^2 + 0{,}5x - 60 = 0$ alors le programme affiche la valeur de x (qui est donc une solution de l'équation) ; sinon le programme poursuit sa route.

b. On pose $f(x) = x^2 + 0{,}5x - 60$.

Puisque $f(7{,}5) = 0$, le nombre 7,5 est affiché.

On peut démontrer que les solutions de l'équation $x^2 + 0{,}5x - 60 = 0$ sont 7,5 et -8. C'est pourquoi le programme affichera uniquement la valeur 7,5.

PROBLÈME

49 Soit x le nombre d'hommes composant le côté du premier carré. Alors : $x^2 + 25 = (x+1)^2 - 6$.

En effet, le nombre d'hommes est constant. Il est compté de deux façons distinctes. On développe le deuxième membre :

$x^2 + 25 = x^2 + 2x + 1 - 6 \Leftrightarrow 25 = 2x - 5 \Leftrightarrow 2x = 30 \Leftrightarrow x = 15$

Il y a donc 250 légionnaires car $15^2 + 25 = 16^2 - 6 = 250$.

www.annabac.com 

CHAPITRE

3 Inéquations

En apparence, une inéquation ressemble beaucoup à une équation. Mais les techniques de résolution diffèrent fortement. Dans le cas d'une inéquation, on se ramène à la recherche du signe d'expressions contenant des produits de facteurs ou de quotients. Et les solutions se présentent souvent sous forme d'intervalles.

1 Intervalles de $\mathbb{R}$

Définition

Un intervalle de $\mathbb{R}$ est un ensemble continu de réels, c'est-à-dire un ensemble sans trou.

Les seuls intervalles de $\mathbb{R}$ sont : $\mathbb{R}$ lui-même, les demi-droites, les segments et l'ensemble vide (noté $\varnothing$).

Représentations

Segments		Demi-droites	
a b $a \leqslant x \leqslant b$	$[a\,;b]$(1) (3)	$x \leqslant a$ a	$]-\infty\,;a]$(1)
a b $a \leqslant x < b$	$[a\,;b[$(1) (4)	a $x < a$	$]-\infty\,;a[$(2)
a b $a < x \leqslant b$	$]a\,;b]$(2) (3)	a $x > a$	$]a\,;+\infty[$(2)
a b $a < x < b$	$]a\,;b[$(2) (4)	a $x \geqslant a$	$[a\,;+\infty[$(1)

(1) : fermé en a. (2) : ouvert en a. (3) : fermé en b. (4) : ouvert en b.

2 Inéquations du premier degré à une inconnue

Dans cette section, on s'appuie sur un exemple, l'inéquation $8x-2<3(x+7)$.

A De quoi s'agit-il ?

On note x l'inconnue. On s'intéresse ici à la résolution des inéquations qui peuvent se ramener à une écriture simple, de la forme $ax<b$ ou $ax \geqslant b$.

Exemple : L'inéquation $8x-2<3(x+7)$ peut se ramener, comme on le verra, à $5x<23$. On a ainsi $a=5$ et $b=23$.

Les règles énoncées ici restent valides pour les inéquations de la forme $ax \leqslant b$ et $ax>b$.

B Les deux grandes étapes de résolution

1. Le développement

La première étape consiste à développer, c'est-à-dire à supprimer toutes les parenthèses.

Exemple : $8x-2<3(x+7)$ équivaut à $8x-2<3x+21$.

2. L'équilibre

- Lorsque l'on additionne ou soustrait le même nombre aux deux membres d'une inéquation, on obtient une inéquation qui lui est équivalente.

Exemple : $8x-2<3x+21$ est équivalente à $8x-2+2<3x+21+2$ (on a additionné 2 aux deux membres de l'inéquation). Après calculs, on trouve $8x<3x+23$.

- Lorsque l'on multiplie ou divise les deux membres d'une inéquation par le même nombre **strictement positif**, on obtient une inéquation équivalente et de **même** sens.

- Lorsque l'on multiplie ou divise les deux membres d'une inéquation par le même nombre **strictement négatif**, on obtient une inéquation équivalente et de sens **contraire**.

Ainsi $-2x>1$ équivaut à $x<-\frac{1}{2}$ car les deux membres de l'inégalité ont été divisés par -2 qui est strictement négatif.

- Ces calculs ont un but unique : obtenir une inéquation de la forme $ax<b$ ou $ax \leqslant b$ équivalente à l'inéquation de départ.

Exemple : $8x<3x+23$ équivaut à $8x-3x<3x-3x+23$ (principe d'équilibre), donc à $5x<23$. Par conséquent, l'inéquation de départ $8x-2<3(x+7)$ équivaut à $5x<23$. L'inéquation est bien de la forme $ax<b$.

C Cas des fractions

S'il y a des fractions dans les inéquations, on peut « chasser » les dénominateurs pour se ramener à des inéquations à coefficients entiers.

Exemple : On considère l'inéquation $\frac{2}{3}x - 5 > \frac{1}{4} + 7x$. Le dénominateur commun des fractions $\frac{2}{3}$ et $\frac{1}{4}$ est 12. L'inéquation équivaut à :

$12 \times \left(\frac{2}{3}x - 5\right) > \left(\frac{1}{4} + 7x\right) \times 12$ (principe d'équilibre, 12 étant positif).

On obtient $\frac{24}{3}x - 60 > \frac{12}{4} + 84x$, donc $8x - 60 > 3 + 84x$.

D Solutions des inéquations $ax < b$ et $ax > b$

Si $a > 0$

L'inéquation $ax < b$ est équivalente à $x < \frac{b}{a}$. L'inéquation a pour ensemble de solutions l'intervalle $\left]-\infty\ ;\ \frac{b}{a}\right[$. Cela signifie que tout nombre inférieur à $\frac{b}{a}$ est solution de l'inéquation.

> Les mêmes résultats peuvent s'appliquer aux inéquations $ax \leqslant b$ et $ax \geqslant b$ à condition de fermer l'intervalle à la borne $\frac{b}{a}$.

L'inéquation $ax > b$ a pour ensemble de solutions l'intervalle $\left]\frac{b}{a}\ ;\ +\infty\right[$. Cela signifie que tout nombre supérieur à $\frac{b}{a}$ est solution de l'inéquation.

Si $a < 0$

L'inéquation $ax < b$ est équivalente à $-ax > -b$, avec $-a > 0$ puisque $a < 0$. De même, l'inéquation $ax > b$ est équivalente à $-ax < -b$. On est donc ramené au cas précédent, avec $-a > 0$.

Exemples

- L'inéquation $5x < 23$ est équivalente à $x < \frac{23}{5}$. L'ensemble des solutions est donc l'intervalle $\left]-\infty\ ;\ \frac{23}{5}\right[$.

- L'inéquation $-6x < 1$ est équivalente à $6x > -1$, donc $x > \frac{-1}{6}$. L'ensemble des solutions est donc l'intervalle $\left]\frac{-1}{6}\,;+\infty\right[$.

L'inéquation $-6x \leqslant 1$ a pour ensemble de solutions l'intervalle $\left[-\frac{1}{6}\,;+\infty\right[$.

■ Si on veut représenter des ensembles $\mathcal{S}$ de solutions, on peut procéder comme ci-dessous pour $x \leqslant 3$ et $x > -1$.

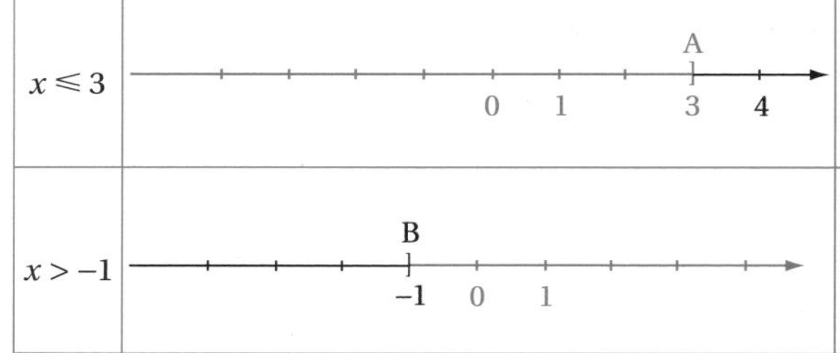

$x \leqslant 3$		Le crochet indique que le point A d'abscisse 3 appartient à l'intervalle. $\mathcal{S} =]-\infty\,;3]$
$x > -1$		Le crochet indique que le point B d'abscisse −1 n'appartient pas à l'intervalle. $\mathcal{S} =]-1\,;+\infty]$

3 Inéquations-produits à une inconnue

A De quoi s'agit-il ?

■ On note x l'inconnue. Les inéquations auxquelles on s'intéresse dans cette partie doivent se ramener à une inéquation du type $P(x) < 0$ ou $P(x) \leqslant 0$, où $P(x)$ est une expression contenant des produits ou des quotients d'expressions du type $ax + b$.

■ Pour résoudre de telles inéquations, on utilise un tableau de signes et la règle des signes.

Exemple : On résoudra ici l'inéquation $\frac{(x-1)(x-2)}{3-x} \leqslant 0$.

Les principes de résolution sous les mêmes pour des inéquations du type $P(x) > 0$ ou $P(x) \geqslant 0$.

B Le principe de résolution

■ L'objectif est de déterminer le signe de chaque facteur de $P(x)$.

■ On résume les résultats sous la forme d'un tableau de signes.

■ On applique la règle des signes et on conclut.

Exemple : On veut résoudre $\frac{(x-1)(x-2)}{3-x} \leqslant 0$.

- Signe de $x-1$

$x-1>0$ équivaut à $x>1$ (donc $x-1<0$ équivaut à $x<1$).

- Signe de $x-2$

$x-2>0$ équivaut à $x>2$ (donc $x-2<0$ équivaut à $x<2$).

- Signe de $3-x$

$3-x>0$ équivaut à $3>x$ (donc $3-x<0$ équivaut à $3<x$).

On résume ces informations dans un tableau de signes :

x	$-\infty$		1		2		3		$+\infty$
$x-1$		$-$	0	$+$	|	$+$	|	$+$	
$x-2$		$-$	|	$-$	0	$+$	|	$+$	
$3-x$		$+$	|	$+$	|	$+$	0	$-$	
$P(x)$		$+$	0	$-$	0	$+$	||	$-$	

La double barre dans la colonne du 3 signifie que lorsque $x=3$, $P(x)$ n'existe pas, car son dénominateur serait nul.

Les solutions de l'inéquation proposée sont donc les nombres de l'ensemble $[1;2] \cup]3;+\infty[$. On note $\mathcal{S}=[1;2] \cup]3;+\infty[$.

Le symbole $\cup$ se lit « union » et signifie « ou ».

Autrement dit, $\frac{(x-1)(x-2)}{3-x} \leqslant 0$ si et seulement si x est compris entre 1 et 2 ou supérieur à 3. Si $x=1$ ou $x=2$ alors $\frac{(x-1)(x-2)}{3-x}=0$, donc les nombres 1 et 2 sont solutions de l'inéquation. D'où les crochets fermés. Le nombre 3 n'est pas solution, d'où le crochet ouvert.

C Cas particuliers

■ La résolution de l'inéquation $\frac{1}{x}-\frac{x}{x-1}>0$ s'effectue ainsi :

$$\frac{1}{x}-\frac{x}{x-1}>0 \Leftrightarrow \frac{x-1}{x(x-1)}-\frac{xx}{x(x-1)}>0 \Leftrightarrow \frac{x-1-x^2}{(x-1)x}>0.$$

On commence donc par réduire au même dénominateur. On dresse alors un tableau de signes.

De même, la résolution de $\frac{2}{x+3}<1$ conduit à $\frac{2}{x+3}-1<0$. La deuxième méthode donne l'ensemble de la résolution.

■ Pour résoudre des équations, il est parfois utile d'effectuer des produits en croix. Pour les inéquations, cette technique est à proscrire.

En effet, $\frac{1}{x}=\frac{x}{x-1}$ est équivalent à $1\times(x-1)=x^2$.

Cependant, l'inéquation $\frac{1}{x}>\frac{x}{x-1}$ **n'est pas** équivalente à $1\times(x-1)>x^2$.

Il faut tenir compte des signes de x et de $x-1$.

Il faut donc éviter d'utiliser le produit en croix pour résoudre une inéquation.

Résoudre une inéquation et représenter les solutions

ÉNONCÉ

Résoudre l'inéquation $5x-3<7x+1$ puis représenter l'ensemble des solutions sur un axe.

MÉTHODE

La technique est identique à celle employée pour les équations avec une exception notable : lorsqu'on multiplie ou divise les deux membres d'une inégalité par un même nombre strictement négatif, on obtient une inégalité équivalente à la première mais de sens contraire.

CORRIGÉ

Résolution	Commentaire
$5x-3<7x+1$ $[+3]\quad[+3]$	Principe d'équilibre : on ajoute 3 aux deux membres de l'inéquation.
$5x<7x+4$ $[-7x]\quad[-7x]$	Principe d'équilibre : on soustrait $7x$ aux deux membres de l'inéquation.
$-2x<4$ $x>\dfrac{4}{-2}$ $x>-2$	Division par un nombre négatif : -2. L'inégalité change de sens.

L'ensemble des solutions est donc l'intervalle $]-2\,;+\infty[$, représenté en rouge sur l'axe.

Résoudre une inéquation avec un tableau de signes

ÉNONCÉ

Résoudre l'inéquation $\frac{2}{x+3} \leqslant 1$.

MÉTHODE

L'inconnue figurant au dénominateur, on doit se préoccuper de l'existence de la fraction $\frac{2}{x+3}$.

Comme $x+3$ peut être positif ou négatif, on évite d'employer le produit en croix. Le méthode de résolution consiste donc à écrire l'inéquation sous la forme : $\frac{2}{x+3} - 1 \leqslant 0$.

On réduit alors au même dénominateur puis on utilise le tableau de signes.

CORRIGÉ

Pour que le quotient existe, il faut et il suffit que $x+3 \neq 0$. On a donc : $x \neq -3$.

Les étapes de la résolution sont les suivantes :

$$\frac{2}{x+3} - 1 \leqslant 0 \Leftrightarrow \frac{2}{x+3} - \frac{x+3}{x+3} \leqslant 0$$

$$\Leftrightarrow \frac{2-(x+3)}{x+3} \leqslant 0$$

$$\Leftrightarrow \frac{2-x-3}{x+3} \leqslant 0$$

$$\Leftrightarrow \frac{-1-x}{x+3} \leqslant 0 \Leftrightarrow \frac{-(1+x)}{x+3} \leqslant 0$$

$$\Leftrightarrow \frac{1+x}{x+3} \geqslant 0$$

- Signe de $1+x$: $1+x > 0$ équivaut à $x > -1$ (donc $1+x < 0$ équivaut à $x < -1$).
- Signe de $x+3$: $x+3 > 0$ équivaut à $x > -3$ (donc $x+3 < 0$ équivaut à $x < -3$).

D'où le tableau de signes :

x	$-\infty$	-3		-1	$+\infty$
$1+x$	$-$		$-$	0	$+$
$x+3$	$-$	0	$+$		$+$
$\dfrac{1+x}{x+3}$	$+$	‖	$-$		$+$

L'inéquation est donc vérifiée pour x appartenant à $\mathcal{S}$:

$\mathcal{S} = \left]-\infty\,;-3\right[\cup \left[-1\,;+\infty\right[$.

Le crochet est ouvert en -3 car c'est une valeur interdite.
Il est fermé en -1 car l'inégalité est « large » : si $x=-1$ alors $\dfrac{1+x}{x+3}=0$.

Algorithmique

ÉNONCÉ

1 Traduire en quelques phrases les instructions de l'algorithme de la page suivante.

2 Comment peut-on appeler le nombre affiché par le traitement ?

3 Que peut-on dire à propos des nombres x et y si le programme affiche 0 ?

```
1    VARIABLES
2        x EST_DU_TYPE NOMBRE
3        y EST_DU_TYPE NOMBRE
4        d EST_DU_TYPE NOMBRE
5    DEBUT_ALGORITHME
6        LIRE x
7        LIRE y
8        SI (x < y) ALORS
9            DEBUT_SI
10           d PREND_LA_VALEUR y − x
11           AFFICHER d
12           FIN_SI
13           SINON
14               DEBUT_SINON
15               d PREND_LA_VALEUR x − y
16               AFFICHER d
17               FIN_SINON
18   FIN_ALGORITHME
```

MÉTHODE

2 Remarquer que le calcul de la différence donne un nombre positif dans chaque cas.

3 Le programme affiche dans tous les cas la différence entre x et y.

CORRIGÉ

1 L'algorithme demande de saisir deux nombres x et y. Il calcule ensuite la différence « plus grand *moins* plus petit », la range dans la variable nommée d et affiche le contenu de d. Donc, si $x < y$, il calcule et affiche $y - x$ et si $x \geqslant y$, il calcule et affiche $x - y$.

2 Le nombre affiché est la distance de x à y.

3 Si le programme affiche 0, c'est que la différence est égale à 0, donc $x = y$.

SE TESTER QUIZ

1 L'ensemble des nombres inférieurs ou égaux à 2 est l'intervalle $]-\infty\,;2]$.

☐ **a.** Vrai ☐ **b.** Faux

2 L'intervalle $]3\,;5]$ est l'ensemble des nombres supérieurs ou égaux à 3 et strictement inférieurs à 5.

☐ **a.** Vrai ☐ **b.** Faux

3 Le nombre 14 appartient à l'intervalle $[-20\,;+\infty[$.

☐ **a.** Vrai ☐ **b.** Faux

4 L'ensemble des solutions de l'inéquation $-2x > 4$ est représenté par la ligne rouge ci-dessous.

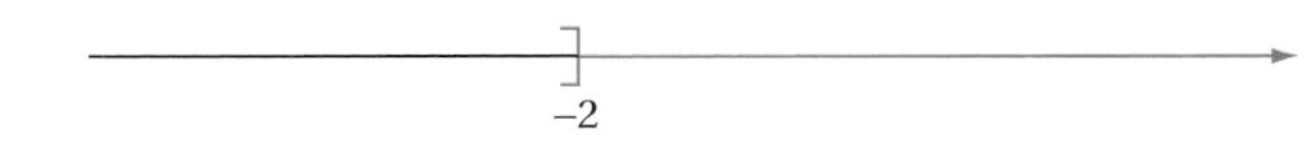

☐ **a.** Vrai ☐ **b.** Faux

5 L'inéquation $\frac{4}{x} \geqslant \frac{2}{3}$ est équivalente à l'inéquation $\frac{x}{4} \leqslant \frac{3}{2}$.

☐ **a.** Vrai ☐ **b.** Faux

S'ENTRAÎNER

Formes usuelles des intervalles

Dans les exercices 6 à 9, mettre l'intervalle décrit sous sa forme usuelle : $[a\,;b]$, $[a\,;+\infty[$, etc.

6 L'ensemble des nombres supérieurs ou égaux à -12.

7 L'ensemble des nombres x vérifiant $x < -4$.

> Veillez à écrire les crochets appropriés.

8 L'ensemble des nombres vérifiant la double inégalité $-3 \leqslant x < 5$.

9 L'ensemble des nombres symbolisé en rouge sur la figure ci-dessous.

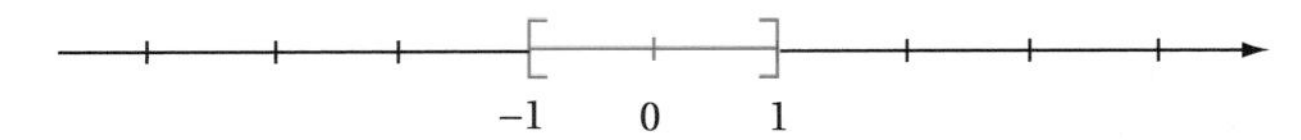

Inéquations du premier degré

10 Associer les inéquations et les représentations de leurs solutions en rouge.

a. $x > -1$ b. $-1 \geqslant x$ c. $x < -1$ d. $-1 \leqslant x$

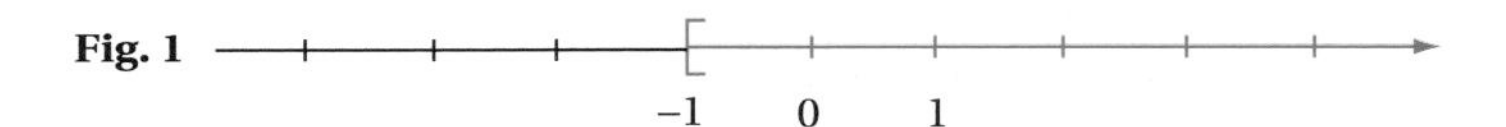

Fig. 2

−1 0 1

Fig. 3

−1 0 1

Fig. 4

−1 0 1

Dans les exercices 11 à 19, résoudre les inéquations données.

11 a. $2x < 16$ b. $-3x > 15$

c. $32 \leqslant -4x$ d. $-42 \geqslant 6x$

12 a. $\frac{1}{2}x > 3$ b. $-2 \leqslant \frac{2}{5}x$

c. $-\frac{3}{2}x < \frac{2}{3}$ d. $-\frac{4}{5} \geqslant \frac{2}{3}x$

13 a. $5x + 1 < 2x - 2$ b. $3x - 4 \leqslant 2 + 4x$

14 a. $3 - 3x > -9 + 3x$ b. $3 + 4x \geqslant 13 - 16x$

15 a. $\frac{2}{9}x+2>\frac{1}{3}x+6$ b. $2x-\frac{1}{2}\geqslant 1+\frac{5}{3}x$

16 a. $2+\frac{3}{4}x\leqslant\frac{3}{8}x-\frac{1}{5}$ b. $5-\frac{1}{3}x<\frac{7}{3}+\frac{5}{6}x$

17 a. $\frac{1}{4}x+1<2-\frac{1}{2}x$ b. $\frac{x}{10}-2\leqslant 4-\frac{2x}{5}$

18 a. $\frac{2}{5}x-3+x<\frac{5}{3}x+\frac{1}{2}-\frac{2}{3}x$ b. $\frac{1}{2}+\frac{x}{4}+\frac{5}{2}>\frac{3x}{5}-3+\frac{2x}{5}$

19 a. $3(2x-6)+4(2x-3)<2x-5(6x+4)$

b. $6(1-2x)-4(-2x-5)>3(x-7)-2(8-9x)$

Développer avant d'entreprendre des transformations.

Inéquations-produit

Dans les exercices 20 à 26, résoudre les inéquations à l'aide d'un tableau de signes.

20 a. $(x-1)(x+2)x<0$ b. $(3-x)(x+5)\geqslant 0$

21 a. $x^2>16$ b. $x^2\leqslant -25$

Pensez à l'identité remarquable $a^2-b^2=(a-b)(a+b)$.

22 a. $\frac{1}{x}\geqslant 1$ b. $x(1-x)\geqslant 2x$

Se ramener à une inéquation du type $P(x)>0$ ou $P(x)\geqslant 0$.

23 a. $\frac{2x-1}{x+3}\geqslant 0$ b. $\frac{2-x}{1+x}>0$

24 a. $\frac{x}{x^2-1}\geqslant 0$ b. $\frac{3+x}{1-x}\leqslant 2$

$x^2-1=(x-1)(x+1)$

25 a. $\frac{1}{x-1}>x-1$ b. $\frac{1}{x}>\frac{1}{1+2x}$

26 $\frac{2x-3}{x+1}+\frac{3}{x-1}\geqslant\frac{2x^2}{x^2-1}$

Algorithmique

27 1. Décrire l'action de l'algorithme ci-dessous, en particulier expliciter l'inéquation dont il est question.

```
1     VARIABLES
2          x EST_DU_TYPE NOMBRE
3     DEBUT_ALGORITHME
4          LIRE x
5          AFFICHER x
6          SI ((x−1)*(−3*x+2)>=0) ALORS
7             DEBUT_SI
8             AFFICHER "est solution de l'inéquation"
9             FIN_SI
10            SINON
11                  DEBUT_SINON
12                  AFFICHER "n'est pas solution de l'inéquation"
13                  FIN_SINON
14    FIN_ALGORITHME
```

2. **a.** Donner une valeur de x qui fournira l'affichage de la ligne 8.

b. Donner une valeur de x qui fournira l'affichage de la ligne 12.

PROBLÈMES

28 a. Trouver trois entiers consécutifs dont la somme est comprise entre 2 010 et 2 014.

b. Trouver quatre entiers consécutifs dont la somme est comprise entre 2 014 et 2 019.

29 Un train parcourt 750 km. Sa vitesse moyenne varie entre 120 km/h et 125 km/h, selon les jours. Entre quelles valeurs le temps de parcours est-il compris ?

30 On dispose d'un budget de 10 000 € pour acheter une imprimante laser couleur à 460 € et 12 ordinateurs identiques. Quel doit être le prix maximal d'un ordinateur ?

SE TESTER

1 Réponse a. Vrai, c'est la définition même de l'intervalle $]-\infty\,;2]$.

2 Réponse b. Faux. C'est l'ensemble des nombres strictement supérieurs à 3 et inférieurs ou égaux à 5.

> On peut écrire :
> $x \in\ ]3\,;5] \Leftrightarrow 3 < x \leqslant 5$.

3 Réponse a. Vrai car $-20 < 14$.

4 Réponse b. Faux. En effet : $-2x > 4 \Leftrightarrow x < \dfrac{4}{-2} \Leftrightarrow x < -2$.

La bonne ligne rouge est figurée ci-dessous.

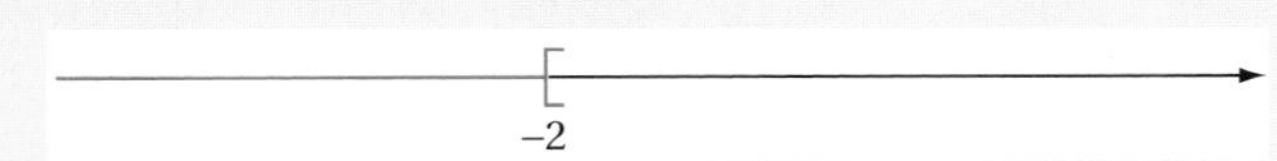

5 Réponse b. Faux. En effet, -1 est solution de l'inéquation $\dfrac{x}{4} \leqslant \dfrac{3}{2}$ car $-\dfrac{1}{4} \leqslant \dfrac{3}{2}$

alors que -1 n'est pas solution de l'inéquation $\dfrac{4}{x} \geqslant \dfrac{2}{3}$ car $\dfrac{4}{-1} < \dfrac{2}{3}$.

S'ENTRAÎNER

6 $x \geqslant -12 \Leftrightarrow x \in [-12\,;+\infty[$.

7 $x < -4 \Leftrightarrow x \in\ ]-\infty\,;-4[$.

8 $-3 \leqslant x < 5 \Leftrightarrow x \in [-3\,;5[$.

9 L'ensemble en rouge est l'intervalle $[-1\,;1]$.

10 **a.** fig. 3 **b.** fig. 4 **c.** fig. 2 **d.** fig. 1

11 **a.** $x < \dfrac{16}{2} \Leftrightarrow x < 8$. L'ensemble des solutions est l'intervalle $]-\infty\,;8[$.

b. $x < \dfrac{15}{-3} \Leftrightarrow x < -5$. L'ensemble des solutions est l'intervalle $]-\infty\,;-5[$.

> Lorsqu'on divise par un nombre strictement négatif, l'inégalité change de sens.

c. $\dfrac{32}{-4} \geqslant x \Leftrightarrow -8 \geqslant x$. L'ensemble des solutions est l'intervalle $]-\infty\,;-8]$.

d. $-\dfrac{42}{6} \geqslant x \Leftrightarrow -7 \geqslant x$. L'ensemble des solutions est l'intervalle $]-\infty\,;-7]$.

12 **a.** $x > \dfrac{3}{\dfrac{1}{2}} \Leftrightarrow x > 3 \times \dfrac{2}{1} \Leftrightarrow x > 6$. L'ensemble des solutions est l'intervalle $]6\,;+\infty[$.

b. $-\dfrac{2}{\dfrac{2}{5}} \leqslant x \Leftrightarrow -2 \times \dfrac{5}{2} \leqslant x \Leftrightarrow -5 \leqslant x$.

L'ensemble des solutions est l'intervalle $[-5\,;+\infty[$.

c. $x > \dfrac{\dfrac{2}{3}}{-\dfrac{3}{2}} \Leftrightarrow x > \dfrac{2}{3} \times \left(-\dfrac{2}{3}\right) \Leftrightarrow x > -\dfrac{4}{9}$.

L'ensemble des solutions est l'intervalle $\left]-\dfrac{4}{9}\,;+\infty\right[$.

d. $\dfrac{-\dfrac{4}{5}}{\dfrac{2}{3}} \geqslant x \Leftrightarrow -\dfrac{4}{5} \times \dfrac{3}{2} \geqslant x \Leftrightarrow -\dfrac{6}{5} \geqslant x$.

L'ensemble des solutions est l'intervalle $\left]-\infty\,;-\dfrac{6}{5}\right]$.

13 **a.** $3x < -3 \Leftrightarrow x < -1$, donc $\mathcal{S} =]-\infty\,;-1[$.

b. $-x \leqslant 6 \Leftrightarrow x \geqslant -6$, donc $\mathcal{S} = [-6\,;+\infty[$.

On a noté $\mathcal{S}$ l'ensemble des solutions.

14 **a.** $-6x > -12 \Rightarrow x < \dfrac{-12}{-6}$, donc $\mathcal{S} =]-\infty\,;2[$.

b. $20x \geqslant 10 \Rightarrow x \geqslant \dfrac{10}{20}$, donc $\mathcal{S} = \left[\dfrac{1}{2}\,;+\infty\right[$.

15 **a.** $\dfrac{2}{9}x - \dfrac{3}{9}x > 6 - 2 \Leftrightarrow -\dfrac{1}{9}x > 4 \Leftrightarrow x < \dfrac{4}{\left(-\dfrac{1}{9}\right)} \Leftrightarrow x < 4 \times \left(-\dfrac{9}{1}\right) \Leftrightarrow x < -36$

Donc $\mathcal{S} =]-\infty\,;-36[$.

b. $2x-\frac{5}{3}x\geqslant 1+\frac{1}{2}\Leftrightarrow \frac{6}{3}x-\frac{5}{3}x\geqslant \frac{3}{2}\Leftrightarrow \frac{1}{3}x\geqslant \frac{3}{2}$

$$\Leftrightarrow x\geqslant \frac{\frac{3}{2}}{\frac{1}{3}}\Leftrightarrow x\geqslant \frac{3}{2}\times\frac{3}{1}\Leftrightarrow x\geqslant \frac{9}{2}$$

Donc $\mathcal{S}=\left[\frac{9}{2}\,;+\infty\right[$.

16 **a.** $\frac{3}{4}x-\frac{3}{8}x\leqslant -\frac{1}{5}-2\Leftrightarrow \frac{6}{8}x-\frac{3}{8}x\leqslant -\frac{1}{5}-\frac{10}{5}\Leftrightarrow \frac{3}{8}x\leqslant -\frac{11}{5}$

$$\Leftrightarrow x\leqslant \frac{-\frac{11}{5}}{\frac{3}{8}}\Leftrightarrow x\leqslant -\frac{11}{5}\times\frac{8}{3}\Leftrightarrow x\leqslant -\frac{88}{15}$$

Donc $\mathcal{S}=\left]-\infty\,;-\frac{88}{15}\right]$.

b. $-\frac{1}{3}x-\frac{5}{6}x<\frac{7}{3}-5\Leftrightarrow -\frac{2}{6}x-\frac{5}{6}x<\frac{7}{3}-\frac{15}{3}\Leftrightarrow -\frac{7}{6}x<-\frac{8}{3}$

$$\Leftrightarrow x>\frac{-\frac{8}{3}}{-\frac{7}{6}}\Leftrightarrow x>-\frac{8}{3}\times\left(-\frac{6}{7}\right)\Leftrightarrow x>\frac{48}{21}$$

Donc $\mathcal{S}=\left]\frac{16}{7}\,;+\infty\right[$.

$\frac{48}{21}=\frac{3\times 16}{3\times 7}=\frac{16}{7}$.

17 **a.** $\frac{1}{4}x+\frac{1}{2}x<2-1\Leftrightarrow \frac{1}{4}x+\frac{2}{4}x<1\Leftrightarrow \frac{3}{4}x<1\Leftrightarrow x<\frac{1}{\frac{3}{4}}\Leftrightarrow x<\frac{4}{3}$

Donc $\mathcal{S}=\left]-\infty\,;\frac{4}{3}\right[$.

b. $\frac{1}{10}x+\frac{2}{5}x\leqslant 4+2\Leftrightarrow \frac{1}{10}x+\frac{4}{10}x\leqslant 6\Leftrightarrow \frac{5}{10}x\leqslant 6\Leftrightarrow x\leqslant \frac{6}{\frac{1}{2}}\Leftrightarrow x\leqslant 6\times 2$

Donc $\mathcal{S}=\left]-\infty\,;12\right]$.

18 **a.** $\frac{2}{5}x+x-\frac{5}{3}x+\frac{2}{3}x<3+\frac{1}{2} \Leftrightarrow \frac{2}{5}x+x-\frac{3}{3}x<\frac{7}{2} \Leftrightarrow \frac{2}{5}x<\frac{7}{2} \Leftrightarrow x<\frac{\frac{7}{2}}{\frac{2}{5}}$

$$\Leftrightarrow x<\frac{7}{2}\times\frac{5}{2}$$

$$\Leftrightarrow x<\frac{35}{4}$$

Donc $\mathcal{S}=\left]-\infty\,;\frac{35}{4}\right[$.

b. $\frac{1}{4}x-\frac{3}{5}x-\frac{2}{5}x>-3-\frac{1}{2}-\frac{5}{2} \Leftrightarrow \frac{1}{4}x-x>-3-3$

$$\Leftrightarrow -\frac{3}{4}x>-6$$

$$\Leftrightarrow x<-\frac{6}{-\frac{3}{4}}$$

$$\Leftrightarrow x<-6\times\left(-\frac{4}{3}\right) \Leftrightarrow x<8$$

Donc $\mathcal{S}=]-\infty\,;8[$.

19 **a.** $6x-18+8x-12<2x-30x-20 \Leftrightarrow 14x-30<-28x-20$

$$\Leftrightarrow 42x<10 \Leftrightarrow x<\frac{10}{42}$$

Donc $\mathcal{S}=\left]-\infty\,;\frac{5}{21}\right[$.

b. $6-12x+8x+20>3x-21-16+18x \Leftrightarrow -4x+26>21x-37$

$$\Leftrightarrow -25x>-63$$

$$\Leftrightarrow x<\frac{63}{25}$$

Donc $\mathcal{S}=\left]-\infty\,;\frac{63}{25}\right[$.

20 On détermine le signe de chaque facteur du produit et on conclut. On appelle $P(x)$ l'expression dont on veut calculer le signe.

x	$-\infty$		-2		0		1		$+\infty$
$x-1$		$-$	|	$-$	|	$-$	0	$+$	
$x+2$		$-$	0	$+$	|	$+$	|	$+$	
x		$-$	|	$-$	0	$+$	|	$+$	
$P(x)$		$-$	0	$+$	0	$-$	0	$+$	

Donc $\mathcal{S} = \left]-\infty\,;-2\right[\cup \left]0\,;1\right[$.

b.

x	$-\infty$		-5		3		$+\infty$
$3-x$		$+$	|	$+$	0	$-$	
$x+5$		$-$	0	$+$	|	$+$	
$P(x)$		$-$	0	$+$	0	$-$	

Donc $\mathcal{S} = [-5\,;3]$.

$3-x \geqslant 0 \Leftrightarrow 3 \geqslant x$

21 **a.** $x^2-16>0 \Leftrightarrow (x-4)(x+4)>0$

x	$-\infty$		-4		4		$+\infty$
$x-4$		$-$	|	$-$	0	$+$	
$x+4$		$-$	0	$+$	|	$+$	
$P(x)$		$+$	0	$-$	0	$+$	

$\mathcal{S} = \left]-\infty\,;-4\right[\cup \left]4\,;+\infty\right[$

b. $x^2+25 \leqslant 0$; cette inéquation n'a pas de solution car, pour tout x, x^2+25 est positif. $\mathcal{S} = \varnothing$.

22 **a.** $\dfrac{1}{x}-1\geqslant 0 \Leftrightarrow \dfrac{1-x}{x}\geqslant 0$

x	$-\infty$		0		1		$+\infty$
$1-x$		$+$		$+$	0	$-$	
x		$-$	0	$+$		$+$	
$P(x)$		$-$	‖	$+$	0	$-$	

Donc $\mathcal{S}=]0\,;1]$.

Comme la division par 0 est impossible, on trace une double barre pour $P(x)$ lorsque $x=0$.

b. $x(1-x)-2x\geqslant 0 \Leftrightarrow x\left[(1-x)-2\right]\geqslant 0 \Leftrightarrow x(-1-x)\geqslant 0$

$\Leftrightarrow x(x+1)\leqslant 0$

$-1-x=-(1+x)$

x	$-\infty$		-1		0		$+\infty$
x		$-$		$-$	0	$+$	
$x+1$		$-$	0	$+$		$+$	
$P(x)$		$+$	0	$-$	0	$+$	

Donc $\mathcal{S}=[-1\,;0]$.

23 **a.**

x	$-\infty$		-3		$\frac{1}{2}$		$+\infty$
$2x-1$		$-$		$-$	0	$+$	
$x+3$		$-$	0	$+$		$+$	
$P(x)$		$+$	‖	$-$	0	$+$	

Donc $\mathcal{S}=]-\infty\,;-3[\cup\left[\frac{1}{2}\,;+\infty\right[$.

b.

x	$-\infty$		-1		2		$+\infty$
$2-x$		$+$	|	$+$	0	$-$	
$1+x$		$-$	0	$+$	|	$+$	
$P(x)$		$-$	||	$+$	0	$-$	

Donc $\mathcal{S} =]-1\,;2[$.

24 a.

x	$-\infty$		-1		0		1		$+\infty$
x		$-$	|	$-$	0	$+$	|	$+$	
$x+1$		$-$	0	$+$	|	$+$	|	$+$	
$x-1$		$-$	|	$-$	|	$-$	0	$+$	
$P(x)$		$-$	||	$+$	0	$-$	||	$+$	

Donc $\mathcal{S} =]-1\,;0] \cup]1\,;+\infty[$.

b. $\dfrac{3+x}{1-x} - 2 \leqslant 0 \Leftrightarrow \dfrac{3+x-2(1-x)}{1-x} \leqslant 0$

$\Leftrightarrow \dfrac{3+x-2+2x}{1-x} \leqslant 0$

$\Leftrightarrow \dfrac{1+3x}{1-x} \leqslant 0$

x	$-\infty$		$-\dfrac{1}{3}$		1		$+\infty$
$1-x$		$+$	|	$+$	0	$-$	
$1+3x$		$-$	0	$+$	|	$+$	
$P(x)$		$-$	0	$+$	||	$-$	

Donc $\mathcal{S} = \left]-\infty\,;-\dfrac{1}{3}\right] \cup]1\,;+\infty[$.

25 **a.** $\dfrac{1}{x-1}-(x-1)>0 \Leftrightarrow \dfrac{1-(x-1)^2}{x-1}>0 \Leftrightarrow \dfrac{1-\left(x^2-2x+1\right)}{x-1}>0$

$$\Leftrightarrow \frac{1-x^2+2x-1}{x-1}>0 \Leftrightarrow \frac{-x^2+2x}{x-1}>0$$

$$\Leftrightarrow \frac{x(-x+2)}{x-1}>0$$

x	$-\infty$		0		1		2		$+\infty$
x		$-$	0	$+$	|	$+$	|	$+$	
$x-1$		$-$	|	$-$	0	$+$	|	$+$	
$-x+2$		$+$	|	$+$	|	$+$	0	$-$	
$P(x)$		$+$	0	$-$	||	$+$	0	$-$	

Donc $\mathcal{S}=\left]-\infty\,;0\right[\cup\left]1\,;2\right[$.

b. $\dfrac{1}{x}-\dfrac{1}{1+2x}>0 \Leftrightarrow \dfrac{1+2x}{x(1+2x)}-\dfrac{x}{x(1+2x)}>0$

$$\Leftrightarrow \frac{(1+2x)-x}{x(1+2x)}>0$$

$$\Leftrightarrow \frac{1+x}{x(1+2x)}>0$$

x	$-\infty$		-1		$-\frac{1}{2}$		0		$+\infty$
$1+x$		$-$	0	$+$	|	$+$	|	$+$	
$1+2x$		$-$	|	$-$	0	$+$	|	$+$	
x		$-$	|	$-$	|	$-$	0	$+$	
$P(x)$		$-$	0	$+$	||	$-$	||	$+$	

Donc $\mathcal{S}=\left]-1\,;-\dfrac{1}{2}\right[\cup\left]0\,;+\infty\right[$.

26 $\dfrac{2x-3}{x+1}+\dfrac{3}{x-1}\geqslant\dfrac{2x^2}{x^2-1}\Leftrightarrow\dfrac{(2x-3)(x-1)+3(x+1)}{(x+1)(x-1)}\geqslant\dfrac{2x^2}{(x-1)(x+1)}$

$$\Leftrightarrow\frac{2x^2-2x-3x+3+3x+3}{(x-1)(x+1)}-\frac{2x^2}{(x-1)(x+1)}\geqslant 0$$

$$\Leftrightarrow\frac{2x^2-2x+6-2x^2}{(x-1)(x+1)}\geqslant 0\Leftrightarrow\frac{(-2x+6)}{(x-1)(x+1)}\geqslant 0$$

x	$-\infty$		-1		1		3		$+\infty$
$x+1$		$-$	0	$+$		$+$		$+$	
$x-1$		$-$		$-$	0	$+$		$+$	
$-2x+6$		$+$		$+$		$+$	0	$-$	
$P(x)$		$+$	‖	$-$	‖	$+$	0	$-$	

Donc $\mathcal{S}=]-\infty\,;-1[\,\cup\,]1\,;3]$.

27 **1.** On demande à l'utilisateur de saisir une valeur, rangée dans la variable x. Si $(x-1)(-3x+2)\geqslant 0$, alors le nombre x est solution de l'inéquation précédente, et un message s'affiche pour le dire. Sinon un message s'affiche pour dire que x n'est pas solution de l'inéquation.

2. **a.** Il suffit de choisir un nombre dans l'intervalle $\left[\dfrac{2}{3}\,;1\right]$, par exemple 0,8.

b. Il suffit de choisir un nombre à l'extérieur de l'intervalle précédent, par exemple 0.

L'ensemble des solutions de l'inéquation $(x-1)(-3x+2)\geqslant 0$ est l'intervalle $\left[\dfrac{2}{3}\,;1\right]$.

PROBLÈMES

28 **a.** Soit n un entier naturel. On nomme $n-1$, n et $n+1$ les trois entiers consécutifs à trouver. On doit avoir : $2010<(n-1)+n+(n+1)<2014$.

Cela équivaut à $2010<3n<2014$. En divisant les membres de l'inéquation par 3 (qui est positif), on trouve :

$$\frac{2010}{3}<n<\frac{2014}{3}$$

Or $\dfrac{2010}{3} = 670$ et $\dfrac{2014}{3} \approx 671{,}3$.

Le seul *entier* compris entre ces deux valeurs est 671.

La seule solution est donc 671.

On vérifie que $670 + 671 + 672 = 2013$.

b. On nomme $n-1$, n, $n+1$ et $n+2$ les quatre entiers consécutifs cherchés. On doit avoir :

$2014 < (n-1) + n + (n+1) + (n+2) < 2019$

Cela équivaut à $2014 < 4n + 2 < 2019$ et donc à $2012 < 4n < 2017$.

En divisant les membres de l'inéquation par 4 (qui est positif), on trouve :

$\dfrac{2012}{4} < n < \dfrac{2017}{4}$

Après calculs, on trouve que la seule solution est 504.

On vérifie que $503 + 504 + 505 + 506 = 2018$.

$\dfrac{2\,012}{4} = 503$ et $\dfrac{2\,017}{4} = 504{,}25$. Le seul *entier* compris entre ces deux valeurs est 504.

29 Soit d la distance parcourue par le train, t son temps de parcours et v sa vitesse. On a :

$d = vt$. Donc $t = \dfrac{d}{v} = \dfrac{750}{v}$, avec $v \neq 0$.

$$120 \leqslant v \leqslant 125 \Rightarrow \frac{1}{125} \leqslant \frac{1}{v} \leqslant \frac{1}{120} \Rightarrow \frac{750}{125} \leqslant \frac{750}{v} \leqslant \frac{750}{120}$$
$$\Rightarrow 6 \leqslant t \leqslant 6{,}25$$

Le temps de parcours est donc compris entre 6 h et 6,25 h.

Lorsque l'on a trois nombres strictement positifs vérifiant $a < b < c$, alors $\dfrac{1}{c} < \dfrac{1}{b} < \dfrac{1}{a}$.

30 Soit x le prix d'un ordinateur. On doit avoir $460 + 12x \leqslant 10\,000$.

Donc $12x \leqslant 10\,000 - 460 \Leftrightarrow 12x \leqslant 9\,540 \Leftrightarrow x \leqslant \dfrac{9\,540}{12} \Leftrightarrow x \leqslant 795$.

Le prix maximal d'un ordinateur doit être de 795 €.

CHAPITRE

4 Fonctions

Le concept de fonction a été largement étendu au cours des derniers siècles. En classe de Seconde, on étudie les fonctions polynômes du premier et du second degré, ainsi que leurs courbes associées. Et on découvre que l'on appelle aussi « courbe » la représentation graphique d'un polynôme du premier degré (ou fonction affine) qui est une droite.

1 Notion de fonction numérique

- En mathématiques, une fonction numérique est une machine à transformer, à changer les nombres selon un programme de calcul.
- Soit le programme suivant :
  - Multiplier le nombre par 5
  - Retrancher 3 au résultat

Si on nomme f ce programme de calcul, alors par f, le nombre 1 est transformé en $5\times1-3$, donc en 2. Le nombre $-6{,}1$ est transformé en $5\times(-6{,}1)-3$, donc en $-33{,}5$. Plus généralement, si x désigne un nombre, x est transformé en $5x-3$ par f. On note :

$$f : x \mapsto 5x-3$$

Lire « x est transformé en $5x-3$ par f » ou « x flèche $5x-3$ » ou « à x, f associe $5x-3$ », etc.

> En général, on note f, g, h, etc., les fonctions numériques.
> Au lieu de « fonction numérique », on dit souvent « fonction » tout court.

2 Définitions

A Image et antécédent

- La fonction f transforme tout nombre x en un nombre noté $f(x)$.
  - $f(x)$ (lire : « f de x ») s'appelle l' image de x par la fonction f.
  - x s'appelle l'antécédent de $f(x)$ (par f, évidemment).

Soit f la fonction $x \mapsto 5x-3$. L'image de 1 est égale à 2 car $f(1)=5\times1-3=2$. L'antécédent de $-33{,}5$ est égal à $-6{,}1$ car :

$f(x)=-33{,}5 \Leftrightarrow 5x-3=-33{,}5 \Leftrightarrow 5x=-30{,}5 \Leftrightarrow x=-6{,}1$.

- Soit f une fonction, x et y deux nombres.

Alors, ou bien x n'a pas d'image par f (autrement dit, $f(x)$ n'existe pas).

Ou bien x a une seule image par f.

Exemple

Si $f(x)=\dfrac{1}{x}$, alors le nombre 0 n'a pas d'image. En effet, l'inverse de 0 n'existe pas. Tout nombre x différent de 0 a une et une seule image : c'est l'inverse de x.

On dit qu'un nombre donné a *au plus* une image par *f*.

- Soit *f* une fonction, *x* et *y* deux nombres.

Alors, ou bien y n'a pas d'antécédent par f (autrement dit, il n'existe aucun nombre x tel que $f(x)=y$).

Ou bien y a au moins un antécédent par f.

Exemple

Si $f(x)=x^2$, alors le nombre -2 (et tout nombre strictement négatif) n'a pas d'antécédent. 0 a un seul antécédent (qui est 0 lui-même) et 17 (ainsi que tout nombre strictement positif) a deux antécédents qui sont $-\sqrt{17}$ et $\sqrt{17}$.

B Représentation graphique

- On se place ici dans un repère $(O;\, I,\, J)$. La représentation graphique d'une fonction *f* est l'ensemble de tous les points de coordonnées $(x\,;f(x))$. Même si la représentation graphique de *f* est une droite, on parle de « courbe représentant *f* ».

Les *images* sont placées sur l'axe des *ordonnées* et les *antécédents* sont placés sur l'axe des *abscisses*.

3 Lectures graphiques

A Cas d'une seule courbe

- La courbe de la page suivante montre la représentation graphique d'une fonction *f*.
- Le nombre b a trois antécédents qui sont a_1, a_2 et a_3.

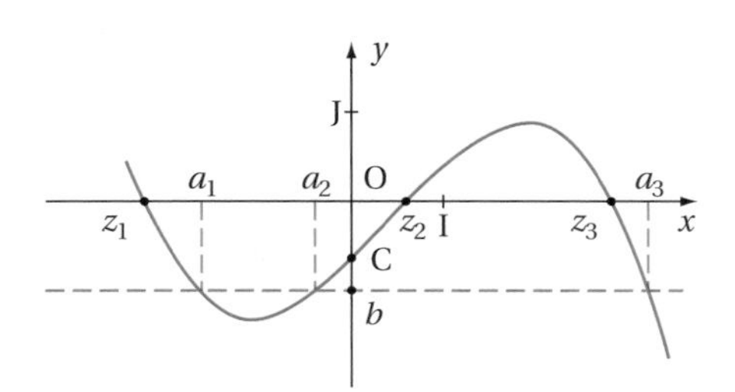

- La courbe coupe l'axe des abscisses en trois points. Les abscisses de ces trois points sont z_1, z_2 et z_3. On a donc $f(z_1)=f(z_2)=f(z_3)=0$.
- Les points dont les abscisses sont situées entre z_1 et z_2 ont des ordonnées négatives.

Donc, pout tout $x\in[z_1\,;z_2]$, $f(x)\leqslant 0$.

De même, pour tout $x\in[z_2\,;z_3]$, $f(x)\geqslant 0$.

Autrement dit, dans l'intervalle où la courbe est au-dessus de l'axe des abscisses, $f(x)\geqslant 0$ et dans l'intervalle où la courbe est en dessous de l'axe des abscisses, $f(x)\leqslant 0$.

- Lorsque la courbe coupe l'axe des ordonnées en un point C, l'ordonnée de C est égale à $f(0)$.

On peut donc résoudre graphiquement une équation ou une inéquation. Ainsi, les nombres z_1, z_2 et z_3 sont les solutions de l'équation $f(x)=0$.

B Cas de deux courbes

- **Résolution de l'équation $f(x)=g(x)$**

Le nombre de points d'intersection des courbes f et g fournit le nombre de solutions de l'équation.

Sur la figure de la page suivante, l'équation a au moins deux solutions qui sont les nombres a_1 et a_2.

Remarque

Il est possible que l'équation ait d'autres solutions ; tout dépend de l'allure des courbes pour les autres valeurs de x.

- **Résolution de l'inéquation $f(x)\geqslant g(x)$**

L'intervalle $[a_1\,;a_2]$ fait partie de l'ensemble des solutions de l'inéquation. En effet, sur cet intervalle, la courbe représentant f est au-dessus de celle représentant g.

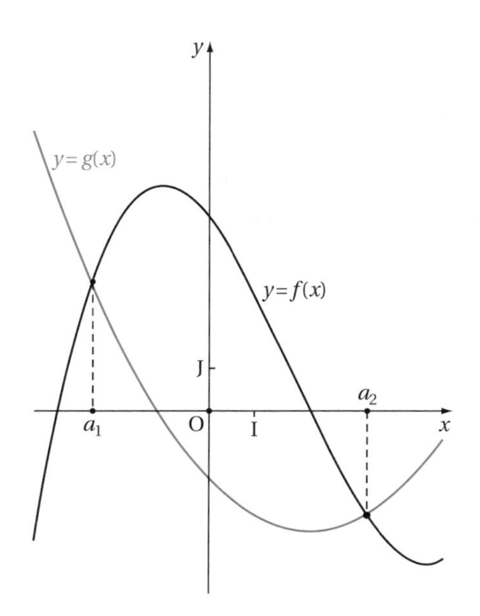

Remarque

L'ensemble des solutions de l'inéquation est peut-être plus vaste que l'intervalle $[a_1 ; a_2]$; tout dépend de l'allure des courbes pour les autres valeurs de x.

4 Croissance et décroissance sur un intervalle *I*

Lorsqu'on étudie une fonction, on s'intéresse notamment à ses variations : sur quels intervalles est-elle croissante ou décroissante ?

A Monotonie sur un intervalle

Définition : Dire qu'une fonction f est croissante sur un intervalle I signifie qu'elle conserve l'ordre des nombres. Autrement dit, quels que soient les nombres a et b de I, $a < b \Rightarrow f(a) \leqslant f(b)$.

Les images des nombres *a* et *b* sont donc rangées dans le même ordre que *a* et *b* eux-mêmes.

Remarque

Bien sûr, on peut dire aussi : $a > b \Rightarrow f(a) \geqslant f(b)$.

Définition : Dire qu'une fonction f est décroissante sur un intervalle I signifie qu'elle *inverse* l'ordre des nombres. Autrement dit, quels que soient les nombres a et b de I, $a < b \Rightarrow f(a) \geqslant f(b)$.

Les images des nombres *a* et *b* sont donc rangées dans l'ordre inverse de *a* et *b* eux-mêmes.

Remarque

Bien sûr, on peut dire aussi : $a > b \Rightarrow f(a) \leqslant f(b)$.

Définition : Dire qu'une fonction f est monotone sur un intervalle signifie qu'elle est soit croissante soit décroissante sur I.

Exemple

En parcourant de gauche à droite la courbe ci-dessous représentant la fonction f, on constate que f est décroissante sur l'intervalle $[-8\,;a]$ ainsi que sur l'intervalle $[b\,;7]$. On voit aussi que f est croissante sur l'intervalle $[a\,;b]$. En bref, la fonction f est monotone sur chacun des intervalles précédents.

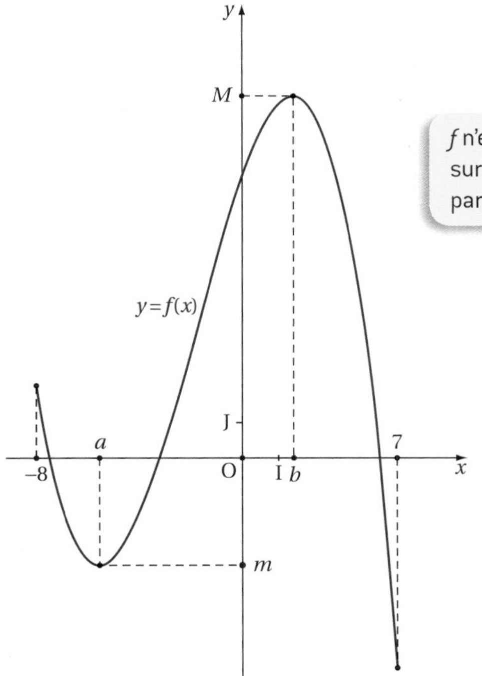

f n'est pas monotone sur l'intervalle $[-8\,;b]$, par exemple.

B Tableau de variation

On résume les variations d'une fonction dans un tableau de variation. On y met aussi, le cas échéant, les maximums et les minimums de la fonction.

Les maximums et minimums d'une fonction s'appellent les extremums de cette fonction.

Définition : Soit f une fonction définie sur un intervalle I, a et b deux points de I.

- Dire que f a un minimum en a sur I signifie que pour tout $x \in I$, $f(a) \leqslant f(x)$.
- Dire que f a un maximum en b sur I signifie que pour tout $x \in I$, $f(x) \leqslant f(b)$.

En somme, $f(a)$ est la plus petite valeur de $f(x)$ sur I, donc sa valeur minimum ; $f(b)$ est la plus grande valeur de $f(x)$ sur I, donc sa valeur maximum.

Exemple : Voici le tableau de variation de la fonction f dont la représentation graphique est la courbe de la page précédente.

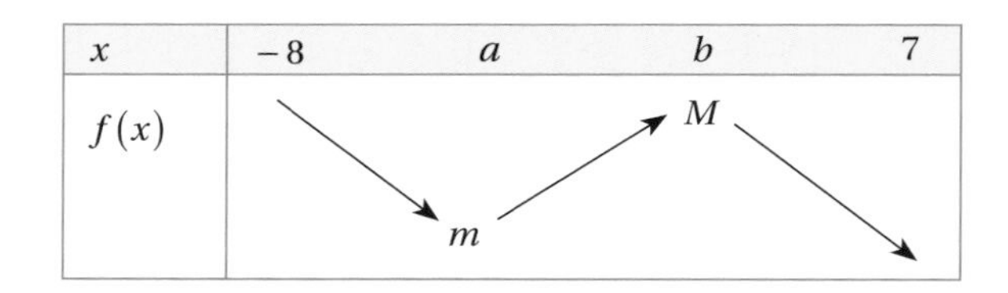

On constate que f a un minimum en a sur l'intervalle $[-8 ; b]$ et un maximum en b sur l'intervalle $[a ; 7]$. Le minimum est égal à m et le maximum est égal à M.

La fonction f n'a pas de minimum en a sur l'intervalle $[-8 ; 7]$. En effet, $f(7) \leqslant f(a)$. On ne peut donc pas dire que $f(a)$ est la plus petite valeur de $f(x)$ sur l'intervalle $[-8 ; 7]$

5 Mises au point

Il ne faut pas confondre f et $f(x)$. Si on considère un distributeur de boissons, c'est f. Si on introduit une pièce de monnaie, c'est x. On presse le bouton. La boisson servie est $f(x)$. En mathématiques, une fonction f est une machine et les nombres que l'on note $f(x)$ sont la production de cette machine. L'expression « la fonction $f(x)$ » n'a donc pas de sens.

Le mot « fonction » n'a pas le même sens dans le langage courant et en mathématiques. Par exemple, dans le langage courant, on dit souvent que la taille des enfants **est fonction de** leur âge ; cela signifie que la taille des enfants **dépend de** leur âge. En mathématiques, on ne peut pas définir une fonction qui à chaque âge (en années entières) associe une taille (en nombre entier de centimètres). En effet, à un âge donné, on peut trouver plusieurs enfants ayant des tailles distinctes. Autrement dit, un âge aurait plusieurs images, ce qui serait incompatible avec la définition d'une fonction.

Exploiter un tableau de variation

ÉNONCÉ

En utilisant le tableau de variation ci-dessous, déterminer :

1 les intervalles sur lesquels f est monotone ;

2 le signe de $f(x)$ pour tout x de $[-3\,;11]$;

3 le nombre d'antécédents de 1 et de 3.

x	-3		1		5		11
$f(x)$	0	$\nearrow$	4	$\searrow$	2	$\nearrow$	8

MÉTHODE

1 Il suffit d'interpréter les flèches : $\nearrow$ signifie que f est croissante et $\searrow$ qu'elle est décroissante sur certains intervalles.

2 À l'extrémité droite d'une flèche $\nearrow$ figure un maximum de f et à l'extrémité droite d'une flèche $\searrow$ figure un minimum de f.

CORRIGÉ

1 f est monotone sur les intervalles :

- $[-3\,;1]$ (elle est croissante) ;
- $[1\,;5]$ (elle est décroissante) ;
- $[5\,;11]$ (elle est croissante).

2 Pour tout x de $[-3\,;1]$: $f(x) \geqslant 0$.

Pour tout x de $[1\,;5]$: $f(x) \geqslant 2$.

Pour tout x de $[5\,;11]$: $f(x) \geqslant 2$

On en conclut que pour tout x de $[-3\,;11]$, $f(x) \geqslant 0$.

3 La lecture du tableau de variation complété ci-dessous fournit les réponses :

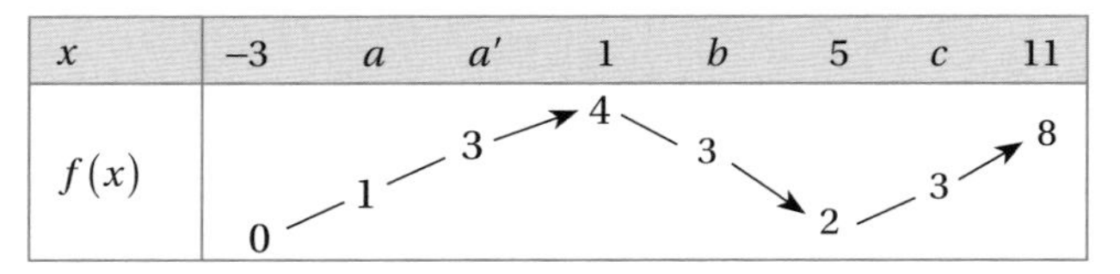

x	-3	a	a'	1	b	5	c	11
$f(x)$	0 ↗	1 ↗	3 ↗	4 ↘	3 ↘	2 ↗	3 ↗	8

Le nombre 1 a un seul antécédent a compris entre –3 et 1.

Le nombre 3 a trois antécédents, a', b et c, l'un compris entre –3 et 1, l'autre entre 1 et 5, encore un autre entre 5 et 11.

Algorithmique

ÉNONCÉ

1 Traduire en quelques phrases les instructions de l'algorithme suivant (x est un nombre quelconque).

```
1   VARIABLES
2       x EST_DU_TYPE NOMBRE
3       fdex EST_DU_TYPE NOMBRE
4   DEBUT_ALGORITHME
5       LIRE x
6       SI (x <= 1) ALORS
7           DEBUT_SI
8           fdex PREND_LA_VALEUR -2
9           FIN_SI
10          SINON
11              DEBUT_SINON
12              fdex PREND_LA_VALEUR 3
13              FIN_SINON
14      AFFICHER "f(x) ="
15      AFFICHER fdex
16  FIN_ALGORITHME
```

2 Tracer la représentation graphique de la fonction décrite par le traitement.

MÉTHODE

1 Le programme de calcul attribue une certaine valeur à $f(x)$ si $x \leqslant 1$ et une autre si $x > 1$. Pour tracer la représentation de *f*, il suffit donc de dessiner deux demi-droites.

2 On notera que le contraire de « $x \leqslant 1$ » est « $x > 1$ ».

CORRIGÉ

1 Si $x \leqslant 1$ alors $f(x) = -2$. Si $x > 1$ alors $f(x) = 3$. La valeur de $f(x)$ est rangée dans la variable qui a pour nom fdex. Cette valeur est affichée par le programme.

2 Quel que soit $x \leqslant 1$, $f(x) = -2$. Cela signifie que la courbe représentant *f* comporte tous les points dont l'abscisse est inférieure ou égale à 1 et dont l'ordonnée est égale à -2.

Quel que soit $x > 1$, $f(x) = 3$. Cela signifie que la courbe représentant *f* comporte tous les points dont l'abscisse est strictement supérieure à 1 et dont l'ordonnée est égale à 3.

La courbe de *f* est donc composée de deux demi-droites.

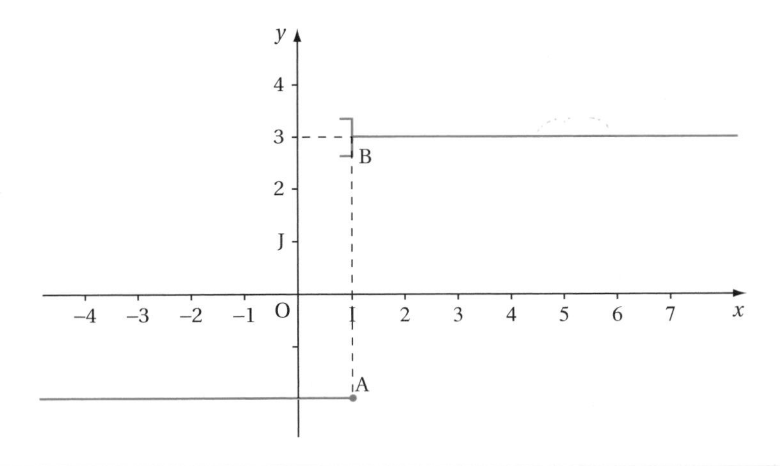

La présence du point A indique que le point de coordonnées $(1\,;-2)$ appartient à la représentation graphique de *f* contrairement au point B qui a pour coordonnées $(1\,;3)$.

SE TESTER QUIZ

1 Parmi les courbes suivantes (figures 1 à 4), définies sur $[a\ ;\ b]$, quelles sont celles qui représentent des fonctions ? Justifier les réponses.

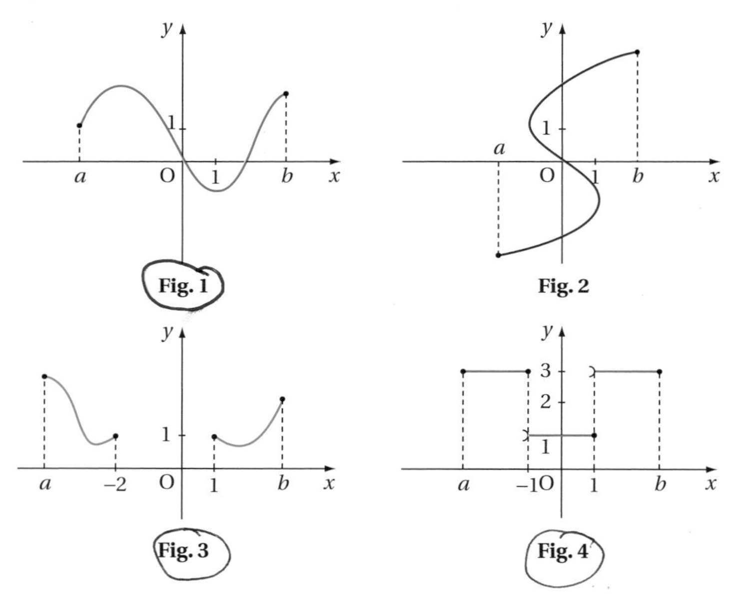

2 En supposant que la représentation de la figure ci-contre continue à monter à droite et à descendre à gauche :

a. les réels $-2, -1, 0, 2$ ont-ils un ou plusieurs antécédents, ou aucun ?

b. les réels $-3, -1, 0, \frac{1}{2}$ ont-ils une image ?

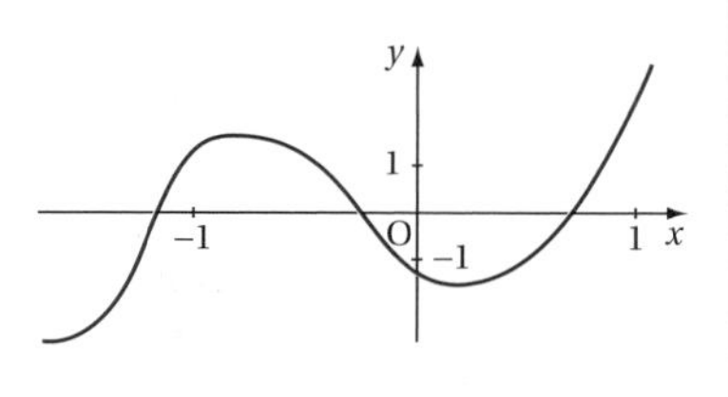

Dans les exercices 3 et 4, dessiner si possible les représentations graphiques des fonctions décrites.

3 Une fonction à la fois croissante et négative sur un intervalle au choix.

4 Une fonction à la fois décroissante et positive sur un intervalle au choix.

5 Associer à la représentation graphique de la fonction f son tableau de variation, sachant qu'elle est définie sur l'intervalle $[-1,6\,;2]$. Donner des valeurs approchées des points importants.

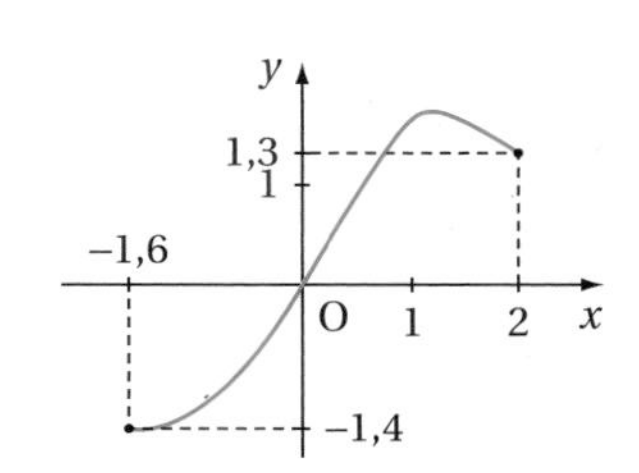

6 Parmi les représentations graphiques ci-dessous, déterminer celles qui représentent des fonctions monotones sur $\mathbb{R}$. (On admettra que les courbes « poursuivent sur leur lancée » à droite et à gauche.) Préciser alors leur sens de variation.

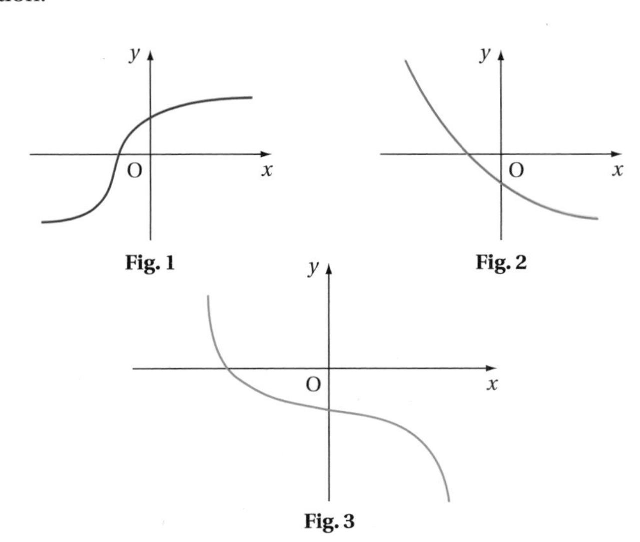

Fig. 1

Fig. 2

Fig. 3

S'ENTRAÎNER

Dans les exercices 7 et 8, à l'aide de la calculatrice, compléter les tableaux en donnant les résultats avec trois décimales exactes.

7 $f(x) = -3x^2 - \frac{3}{7}x + \frac{1}{3}$.

x	0,2	−2,1	3,2	−4,9	$\frac{3}{4}$
$f(x)$					

8 $f(x)=(2x-5)^2+3x-4$.

x	-2	5	$-6{,}3$	0	$\frac{2}{7}$
$f(x)$					

En utilisant les renseignements sur la fonction donnée dans les exercices 9 à 12, associer à chacune des courbes (figures 1 à 4), sa fonction.

9 Le réel 0 admet plus de trois antécédents par f.

10 $g(x)$ est strictement négatif pour toute valeur de x.

11 $h(x)$ est positif pour toute valeur de x.

12 Pour tout réel x supérieur à 1, $k(x)$ est positif.

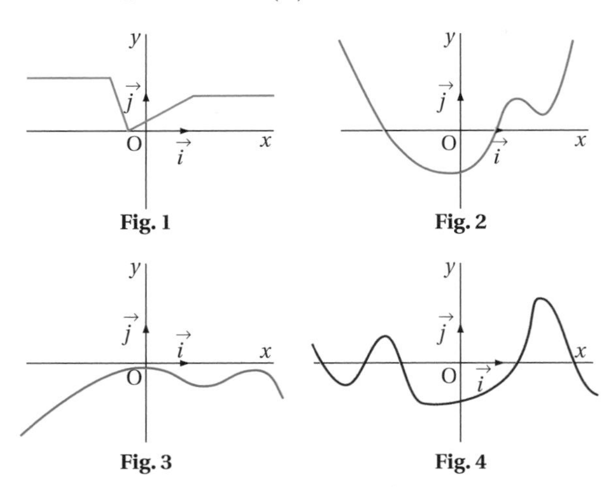

Fig. 1 Fig. 2 Fig. 3 Fig. 4

13 Voici les tableaux de variation de huit fonctions :

x	$-\infty$		0		$+\infty$
$f_1(x)$		↗	‖	↗	

x	$-\infty$		-1		0		1		$+\infty$
$f_2(x)$		↘	-2	↗	-1	↘	-2	↗	

x	$-\infty$		-1		2		$+\infty$
$f_3(x)$		↘	1	↗	2	↘	

x	$-\infty$		0		$+\infty$
$f_4(x)$		↘	‖	↗	

x	$-\infty$		-1		0		$+\infty$
$f_5(x)$		↗		(hachuré)		↗	

x	$-\infty$		-1		2		$+\infty$
$f_6(x)$		↗	1	↘	-1	↗	

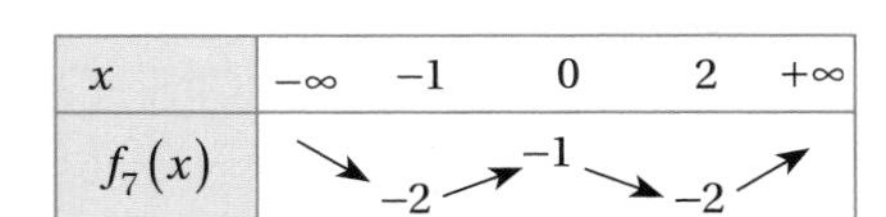

x	$-\infty$		-1		0		2		$+\infty$
$f_7(x)$		↘	-2	↗	-1	↘	-2	↗	

x	$-\infty$		-1		0		1		$+\infty$
$f_8(x)$		↗	2	↘	0	↗	2	↘	

La partie hachurée dans le tableau de variation de f_5 indique que l'on ne peut pas calculer $f_5(x)$ lorsque $x \in [-1\,;0]$.

Et voici leurs représentations graphiques dans le désordre :

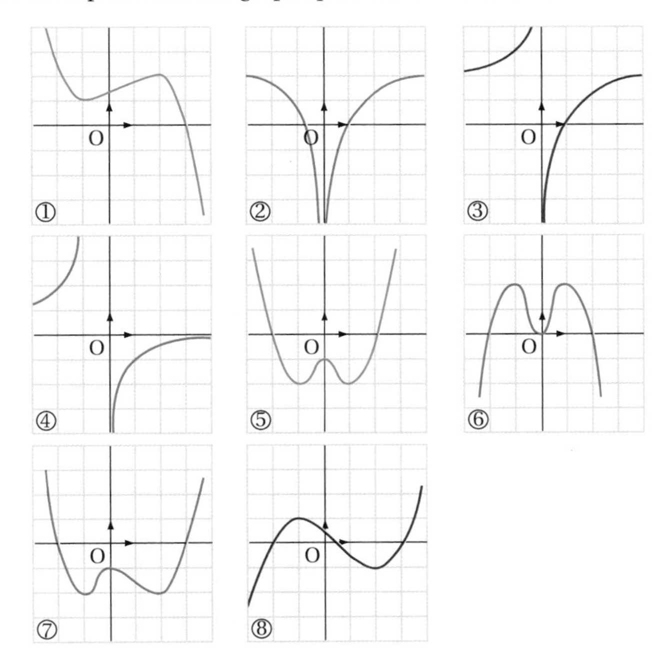

Associer à chaque fonction la courbe qui lui correspond.

14 On considère le tableau de variation suivant. En supposant que la courbe représentative de f ne présente pas de « cassures », examiner le nombre de solutions de l'équation $f(x)=0$.

x	-5		4		11		12
$f(x)$	-4	↗	1	↘	-2	↗	3

15 D'après le tableau de variation ci-dessous, combien l'équation $f(x)=1$ admet-elle de solutions ? (La courbe ne présente pas de cassures.)

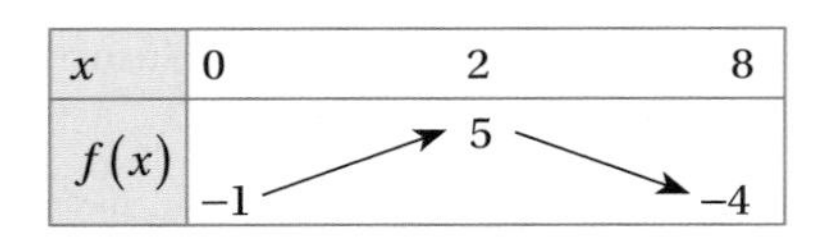

x	0		2		8
$f(x)$	-1	↗	5	↘	-4

Dans les exercices 16 et 17, trouver, s'ils existent, le ou les antécédents du réel *y* par la fonction *f* ; donner la valeur exacte ou trois décimales exactes.

16 a. $y=5; f(x)=4x^2-12x+14$ b. $y=4; f(x)=-x^2+2x+3$

17 a. $y=\frac{1}{4}; f(x)=\frac{-x+1}{x+4}$ b. $y=-\frac{6}{7}; f(x)=\frac{6x-5}{3-7x}$

Dans les représentations graphiques 18 à 21, obtenues à l'aide d'une calculatrice, les axes sont orthogonaux et placés dans les positions habituelles. Les marques des axes indiquent des nombres entiers.

18 Combien le nombre 0 a-t-il d'antécédents ? Quels sont-ils ?

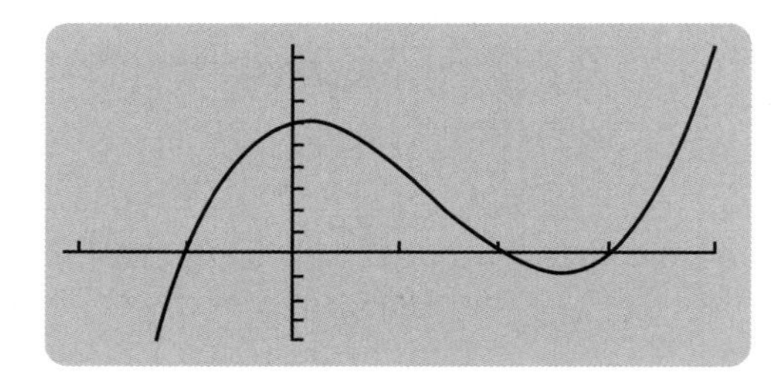

19 Sur la courbe ci-dessous, observer le curseur et les valeurs de x_C et y_C. Les interpréter.

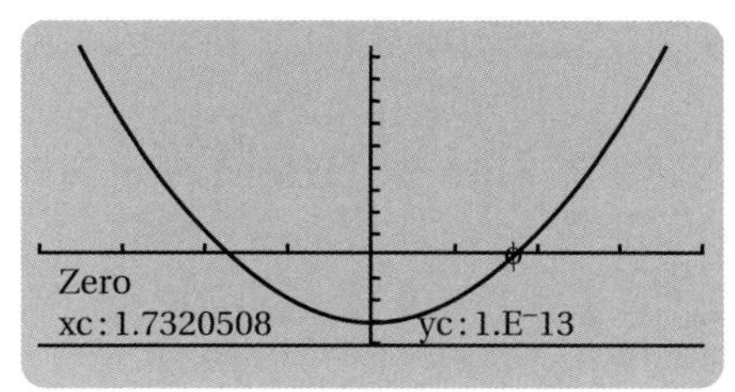

20 **a.** Dresser un tableau de variation sur $[-2\,;\,2]$ de la fonction représentée ci-dessous.

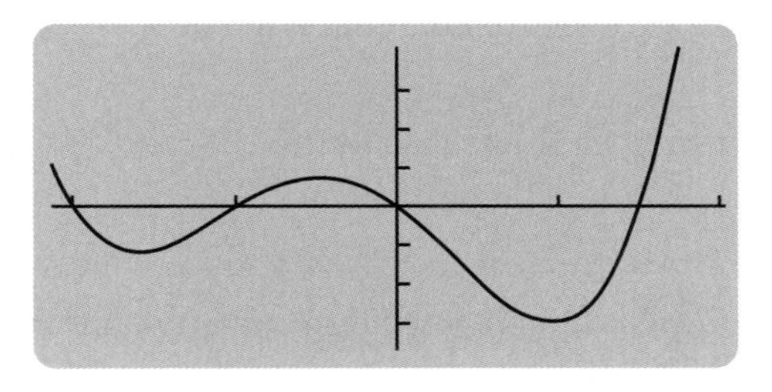

b. En s'aidant des graduations des axes, déterminer, si c'est possible, le maximum et le minimum de f.

21 **a.** Sur le graphique ci-dessous, il y a une droite représentant une fonction f et une courbe représentant une fonction g. L'équation $f(x)=g(x)$ admet-elle des solutions ? Si oui, combien ?

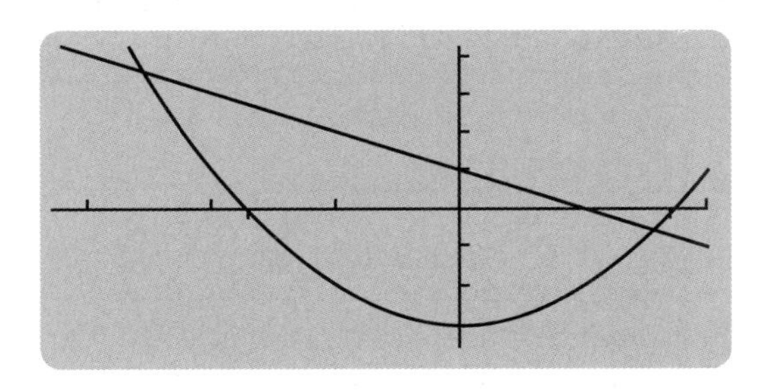

b. Sur quel intervalle (donner une valeur approximative des bornes) a-t-on $f(x) \geqslant g(x)$?

22 Sachant que la fonction qui à x associe x^3 est strictement croissante sur $\mathbb{R}$, résoudre l'équation $x^3 \geqslant 343$.

On a $343 = 7^3$.

23 On admet que la fonction f qui, à tout réel x de $\mathbb{R}-\{2\}$, associe $\dfrac{3x-4}{2-x}$ est strictement croissante sur $]2\ ;+\infty[$.

a. Trouver l'antécédent de $-\dfrac{13}{4}$ par f.

b. Résoudre l'inéquation $\dfrac{3x-4}{2-x} \geqslant -\dfrac{13}{4}$ sur $]2\ ;+\infty[$.

24 On admet que la fonction f définie pour tout x de $\mathbb{R}-\{5\}$, par $f(x)=\dfrac{-1}{x+5}$ est croissante sur $]-\infty\ ;-5[$. Soit x un réel tel que $x<-10$; comparer $\dfrac{-1}{x+5}$ et $\dfrac{1}{5}$.

Astuce : calculez $f(-10)$.

25 La courbe en rouge est la représentation graphique d'une fonction f définie sur l'intervalle $[-3\ ;5]$.

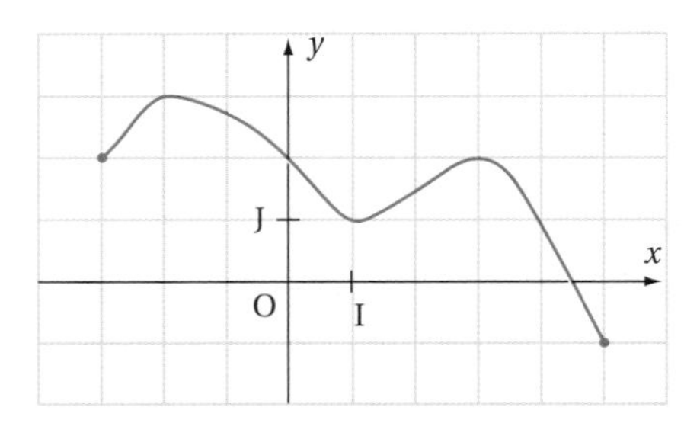

1. Décrire les variations de la fonction f sur $[-3\ ;5]$.

2. Comparer en justifiant : $f(-1{,}5)$ et $f(0{,}5)$ puis $f(1{,}2)$ et $f(2{,}3)$.

3. **a.** Quel est le maximum de f sur $[-3\ ;5]$? Pour quelle valeur est-il atteint ?

b. Quel est le minimum de f sur $[-3\ ;5]$? Pour quelle valeur est-il atteint ?

4. Résoudre graphiquement l'équation $f(x)=2$. Justifier.

Algorithmique

26 Traduire ce que fait l'algorithme suivant en quelques phrases.

```
1    VARIABLES
2      x EST_DU_TYPE NOMBRE
3      fdex EST_DU_TYPE NOMBRE
4    DEBUT_ALGORITHME
5      POUR x ALLANT_DE 0 A 10
6        DEBUT_POUR
7        fdex PREND_LA_VALEUR x*x-5*x+4
8        AFFICHER fdex
9        AFFICHER « ; »
10       FIN_POUR
11   FIN_ALGORITHME
```

PROBLÈME

27 On désire fabriquer une boîte de conserve cylindrique, avec ses deux couvercles, d'un volume de 1 000 cm^3. On veut, pour cela, utiliser le moins de métal possible.

1. a. Rappeler la formule donnant le volume d'un cylindre de révolution.

b. Exprimer la hauteur h de la boîte en fonction de son rayon x.

2. a. Rappeler la formule générale donnant l'aire de la surface d'un cylindre de révolution, couvercles compris.

b. Montrer que la surface $S(x)$ de la boîte étudiée exprimée en fonction de x est $2\left(\dfrac{1000}{x}+\pi x^2\right)$.

3. a. Dans un repère convenablement choisi, tracer point par point la courbe représentant S, x variant de 1 à 10. Utiliser la calculatrice.

b. On constate que la fonction S admet un minimum en une certaine valeur a. En donner une estimation.

4. a. En prenant $a \approx 5{,}42$, donner une approximation de l'aire minimale cherchée.

b. En prenant toujours $a \approx 5{,}42$, vérifier que la hauteur correspondante vaut environ $2a$.

1. a. Le volume d'un cylindre de hauteur h et dont l'aire de base est B vaut $V = B \times h$.
2. a. La surface latérale est un rectangle.

SE TESTER

1 La courbe 1 est celle d'une fonction car chaque point de $[a\,;b]$ a une image unique par la fonction.

La courbe 2 ne représente pas une fonction car il y a des points sur l'axe des abscisses qui ont plusieurs images : 0,8 par exemple a trois images.

La courbe 3 représente une fonction car tous les points de $[a\,;b]$ ont une image unique ou bien aucune image : les points de l'intervalle $]-2\,;1[$ n'ont pas d'image par f, mais tous les autres en ont une, et une seule.

La courbe 4 représente une fonction ; on peut lire que -1 a pour image 3 (et non 1) grâce au point de l'extrémité droite du segment de gauche ; le crochet à l'extrémité gauche du troisième segment signifie que l' image de 1 n'est pas 3 ; c'est 1, comme on peut le lire sur l'extrémité droite du deuxième segment.

2 **a.** Les nombres -2 et 2 ont chacun un unique antécédent : $-1{,}5$ pour -2 et 1 pour 2 car $f(-1{,}5)=-2$ et $f(1)=2$.

Attention aux unités sur les axes.

-1 et 0 ont chacun trois antécédents car on peut trouver trois valeurs de x vérifiant $f(x)=-1\;(-1{,}3\,;-0{,}2\,;0{,}5)$ et $f(x)=0\;(-1{,}25\,;-0{,}25\,;0{,}75)$.

Les valeurs données ici sont des approximations.

b. Ils ont tous une image et une seule, par définition d'une fonction.

3

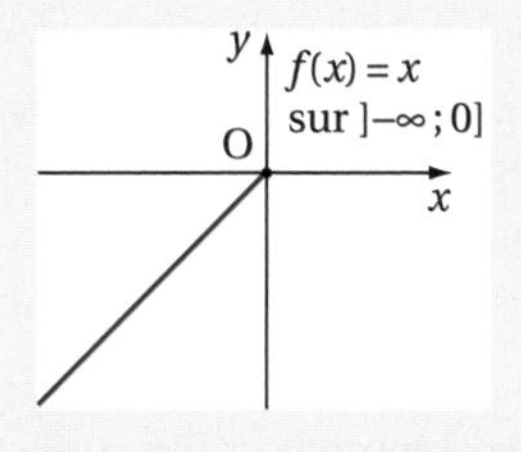

La fonction f est croissante sur l'intervalle $]-\infty\,;0]$.

4

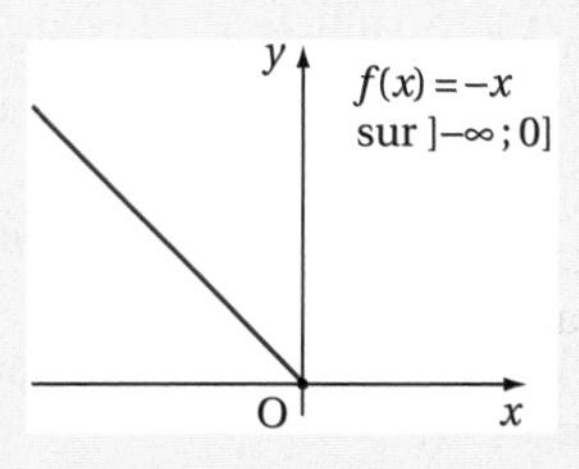

La fonction f est décroissante sur l'intervalle $]-\infty\,;0]$.

5 Il y a nécessairement $-1,6$ et 2 aux extrémités car la fonction est définie sur $[-1,6\,;2]$. Les coordonnées des points caractéristiques apparaissent sur le tableau de variation ci-dessous.

x	$-1,6$	$1,1$	2
$f(x)$	$-1,4$ ↗	$1,5$ ↘	$1,3$

6 Les trois courbes représentent des fonctions monotones ; la fonction représentée par la figure 1 est croissante et les deux autres sont décroissantes. On s'en aperçoit en « lisant » les courbes de gauche à droite et en constatant que la première « monte » tandis que les deux suivantes « descendent ».

S'ENTRAÎNER

7

x	0,2	−2,1	3,2	−4,9	$\frac{3}{4}$
$f(x)$	0,127	−11,996	−31,758	−69,596	−1,675

Le signe *moins* de $-3x^2$ s'obtient en utilisant la touche (−) de la calculatrice et non pas le signe de la soustraction.

8

x	−2	5	−6,3	0	$\frac{2}{7}$
$f(x)$	71	36	286,86	21	16,469

9 Il s'agit de la courbe de la figure 4 car elle coupe l'axe des abscisses en plus de trois points. L'équation $f(x)=0$ admet donc plus de trois solutions ; cela équivaut à dire que le réel 0 admet plus de trois antécédents.

10 C'est de la courbe de la figure 3 qu'il s'agit, puisqu'elle est située tout entière en dessous de l'axe des abscisses ce qui entraîne que $g(x)$ est strictement négatif pour toute valeur de x.

11 La seule courbe située tout entière au-dessus de l'axe des abscisses est celle de la figure 1. Elle représente ainsi une fonction h telle que $h(x)$ est positif pour toute valeur de x.

12 Il reste bien sûr la figure 2. On remarque que sur l'intervalle $[1;+\infty[$, la courbe est bien située au-dessus de l'axe des abscisses.

13 Les correspondances sont les suivantes :

f_1 : ③ (la double barre du tableau de variation indique que 0 n'appartient pas à D_f)

f_2 : ⑤ f_3 : ① f_4 : ② (voir f_1 pour la double barre)

f_5 : ④ (f_5 n'est pas définie sur $[-1\,;\,0]$)

f_6 : ⑧ f_7 : ⑦ f_8 : ⑥

La lecture des courbes s'effectue de gauche à droite.

14 L'équation $f(x)=0$ admet trois solutions ; car la fonction « part » de -4 pour aller en 1 et, comme la courbe n'est pas cassée, elle coupe nécessairement l'axe des abscisses une fois. Elle le coupera une deuxième fois pour passer de 1 à –2 et une troisième fois pour passer de –2 à 3.

15 Il suffit d'imaginer la forme de la courbe pour répondre à la question. Elle culmine en son sommet de coordonnées $(2;5)$. Elle monte de –1 à 5, et passe donc une première fois par 1. Puis elle descend de 5 à -4, et passe donc une nouvelle fois par 1. En conséquence, l'équation $f(x)=1$ admet deux solutions.

16 **a.** La question revient à résoudre l'équation $4x^2-12x+14=5$ équivalente à $4x^2-12x+9=0$ et à $(2x-3)^2=0$. Il n'existe ainsi qu'un seul antécédent qui est $\frac{3}{2}$ soit 1,5.

On reconnaît l'identité remarquable $(2x)^2-2\times 2x\times 3+3^2=(2x-3)^2$.

b. On cherche x pour que $-x^2+2x+3=4$, équivalent à $-x^2+2x-1=0$ et à $-(x-1)^2=0$.

Il n'existe qu'un seul antécédent, qui est 1.

17 **a.** On cherche x pour que $\dfrac{-x+1}{x+4}=\dfrac{1}{4}$. Cette équation est équivalente à $-4x+4=x+4$ (produit en croix) et à $-5x=0$. Donc $x=0$. Il existe donc un antécédent unique à $\dfrac{1}{4}$, c'est 0.

b. Le réel x cherché, s'il existe, est solution de l'équation $f(x)=\dfrac{-6}{7}$ équivalente à $\dfrac{6x-5}{3-7x}=-\dfrac{6}{7}$ et à $42x-35=-18+42x$ (produit en croix).

Comme cette dernière équation n'admet aucune solution, on en déduit que $-\dfrac{6}{7}$ n'admet aucun antécédent par f.

18 Les antécédents de 0 sont les nombres x qui ont pour image 0 par f, c'est-à-dire les nombres x tels que $f(x)=0$. Ce sont les abscisses des trois points où la courbe coupe l'axe horizontal. En s'aidant des graduations sur l'axe des abscisses, on trouve -1, 2 et 3.

19 Le curseur indique les coordonnées du point d'intersection de la courbe avec l'axe des abscisses. Au lieu de noter 0 pour l'ordonnée, la calculatrice indique 1×10^{-13} ; l'abscisse correspondante est environ 1,732. On peut penser que les coordonnées du point repéré sont $\left(\sqrt{3}\ ;\ 0\right)$. Évidemment un calcul algébrique (impossible à faire ici car on ne connaît pas l'expression de f) doit confirmer cela.

La calculatrice fait des calculs approchés ; c'est pourquoi elle assimile 0 à 1×10^{-13}.

20 Le tableau de variation est le suivant :

x	-2		$-1{,}5$		$-0{,}5$		1		2
$f(x)$	0	↘	-1	↗	1	↘	-3	↗	$f(2)$

b. On voit que f a un minimum en 1 sur l'intervalle $[-2\ ;\ 2]$ et qu'il est égal à -3. Comme l'affichage ne montre pas l' image de 2, on ne peut pas calculer la valeur du maximum.

21 **a.** L'équation $f(x)=g(x)$ admet comme solutions les abscisses des points d'intersection des deux courbes. Comme il y a deux intersections, l'équation admet deux solutions.

b. Les abscisses a et b des solutions sont approximativement $-2{,}5$ et $1{,}9$. Comme la courbe représentant f est située au-dessus de celle de g sur l'intervalle $[a\,;b]$, les solutions de l'inéquation $f(x) \geqslant g(x)$ sont tous les nombres de cet intervalle.

22 La stricte croissance de la fonction cube permet de trouver facilement $[7\,;+\infty[$ pour ensemble de solutions. En effet $343=7^3$, donc $x^3 \geqslant 343$ équivaut à $x^3 \geqslant 7^3$ et à $x \geqslant 7$.

23 **a.** On cherche le réel x tel que $-\dfrac{13}{4}=\dfrac{3x-4}{2-x}$. Cette égalité est équivalente à $-26+13x=12x-16$ (produits en croix), ce qui entraîne $x=10$. L'antécédent de $-\dfrac{13}{4}$ par f est donc 10.

b. On peut écrire $-\dfrac{13}{4}=f(10)$. L'inéquation proposée est ainsi équivalente à $f(x) \geqslant f(10)$ et, par suite, puisque f est strictement croissante sur $]2\,;+\infty[$, elle est équivalente à $x \geqslant 10$. On trouve l'ensemble solution $[10\,;+\infty[$.

24 On constate que $f(-10)=\dfrac{1}{5}$.

Donc, si $x<-10$, alors $f(x)<f(-10)$ puisque f est croissante sur $]-\infty\,;-5[$. Donc $f(x)<\dfrac{1}{5}$ et par suite $-\dfrac{1}{x+5}<\dfrac{1}{5}$.

25 La courbe en rouge est la représentation graphique d'une fonction f définie sur l'intervalle $[-3\,;5]$.

1. f est croissante sur les intervalles $[-3\,;-2]$ et $[1\,;3]$ et décroissante sur les intervalles $[-2\,;1]$ et $[3\,;5]$.

2. Comme f est décroissante sur $[-2\,;1]$ et puisque d'une part $-1{,}5$ et $0{,}5$ appartiennent tous les deux à cet intervalle, et d'autre part $-1{,}5<0{,}5$, alors on en conclut que $f(-1{,}5)>f(0{,}5)$.

De même, comme f est croissante sur $[1\,;3]$ et puisque d'une part $1{,}2$ et $2{,}3$ appartiennent tous les deux à cet intervalle, et d'autre part $1{,}2<2{,}3$, alors on en conclut que $f(1{,}2)<f(2{,}3)$.

3. a. Le maximum de f sur $[-3\,;5]$ est égal à 3 et il est atteint en –2 car $f(-2)=3$.

b. Le minimum de f sur $[-3\,;5]$ est égal à –1 et il est atteint en 5 car $f(5)=-1$.

4. Les solutions de l'équation $f(x)=2$ sont les points de la courbe dont l'ordonnée est égale à 2. Par lecture graphique, on trouve les solutions –3, 0 et 3.

Donc : sur $[-3\,;5]$, f admet un maximum en -2 et il est égal à 3, et elle admet un minimum en 5 et il est égal à -1.

26 L'algorithme calcule les valeurs de $f(x)$ pour les valeurs entières de x allant de 0 à 10. Autrement dit, on obtient à l'affichage $f(0)$ puis $f(1)$, ... puis $f(10)$, avec $f(x)=x^2-5x+4$.

```
*** Algorithme lancé ***
4 ; 0 ; -2 ; -2 ; 0 ; 4 ; 10 ; 18 ; 28 ; 40 ; 54 ;
*** Algorithme terminé ***
```

PROBLÈME

27 1. **a.** Si r est le rayon du disque de base et h la hauteur du cylindre, son volume $\mathcal{V}$ est égal à $\pi r^2 h$.

b. Ici $\mathcal{V}=1000$, donc si x est la mesure du rayon exprimée en centimètre, on a $h=\dfrac{1000}{\pi x^2}$ avec $x>0$.

2. **a.** La surface de la boîte comprend les deux couvercles et la surface latérale qui a la forme d'un rectangle. Les dimensions de ce rectangle sont, d'une part, h et, d'autre part, $2\pi x$, circonférence du disque de base. En additionnant les deux surfaces, on trouve ainsi $2\pi x^2+2\pi xh$.

b. Comme $h=\dfrac{1000}{\pi x^2}$, si on le reporte dans l'expression de la surface, on trouve $2\pi x^2+\dfrac{2000}{x}$, c'est-à-dire $2\left(\dfrac{1000}{x}+\pi x^2\right)$.

3. a.

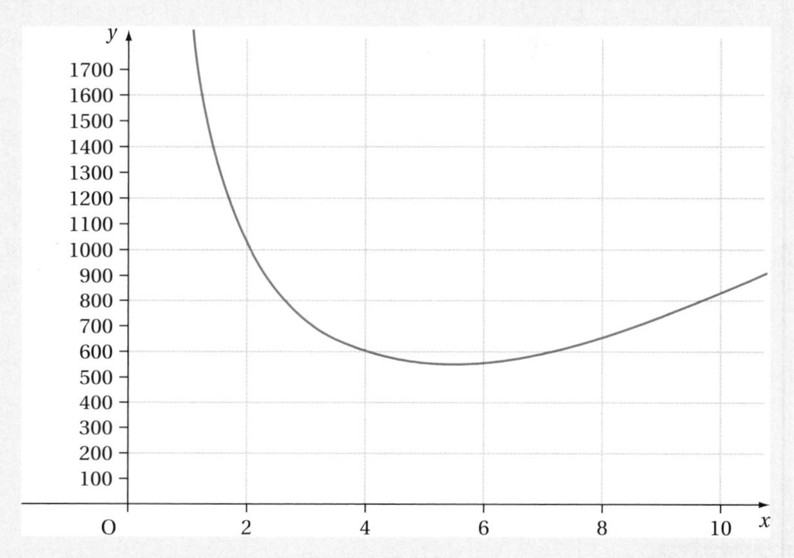

b. Une valeur approchée de a est environ 5,4.

4. a. Si $a \approx 5{,}42$, on trouve pour aire 554 cm^2 environ.

b. Puisque $h = \dfrac{1000}{\pi x^2}$, en remplaçant x par 5,42, on en déduit que $h \approx 10{,}84$ cm.

On peut démontrer qu'en réalité h vaut exactement le double de a. La boîte de conserve « idéale » est donc inscriptible dans un cube d'arête $2a$.

www.annabac.com 

CHAPITRE

5 Fonctions de référence et trigonométrie

En Seconde, on étudie des fonctions de référence identifiables par leur représentation graphique : droite pour la fonction affine, parabole pour la fonction carré, hyperbole pour la fonction inverse, sinusoïdes pour les fonctions sinus et cosinus.

1 Fonctions affines

A Définition

- Étant donnés deux réels a et b, dire qu'une fonction f est affine signifie que, pour tout x, on a : $f(x) = ax + b$.

Remarque : Dans le cas où $a = 0$, on dit que f est constante. Dans le cas où $b = 0$, on dit que f est linéaire.

- **Tableau de variation**

$a < 0$

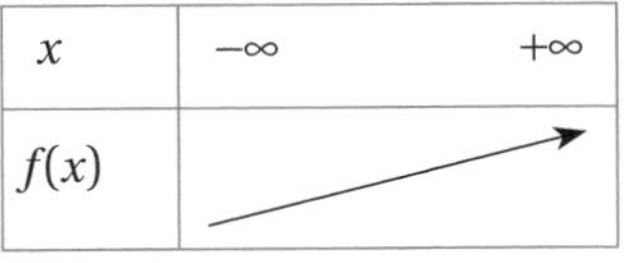

x	$-\infty$ $\qquad$ $+\infty$
$f(x)$	↗

$a > 0$

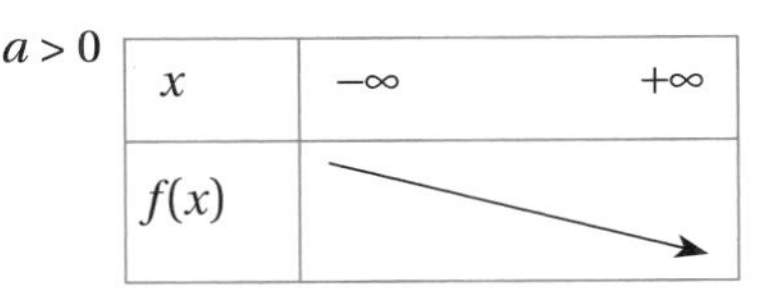

x	$-\infty$ $\qquad$ $+\infty$
$f(x)$	↘

- **Représentation graphique**

La représentation graphique d'une fonction affine est une droite. a s'appelle le **coefficient directeur** de f et b **l'ordonnée à l'origine**.

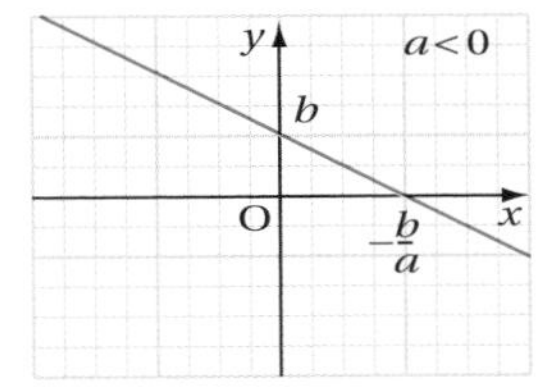

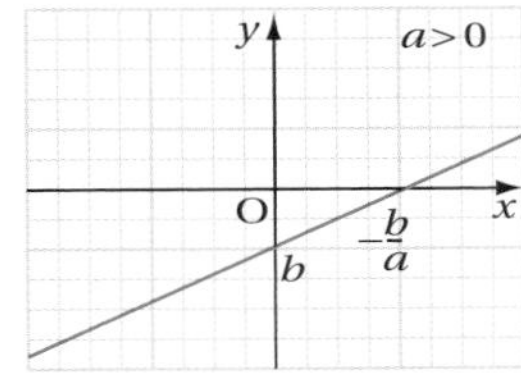

Cas particuliers

La droite passe par l'origine du repère si et seulement si $b = 0$.

La droite est « horizontale » si et seulement si $a = 0$.

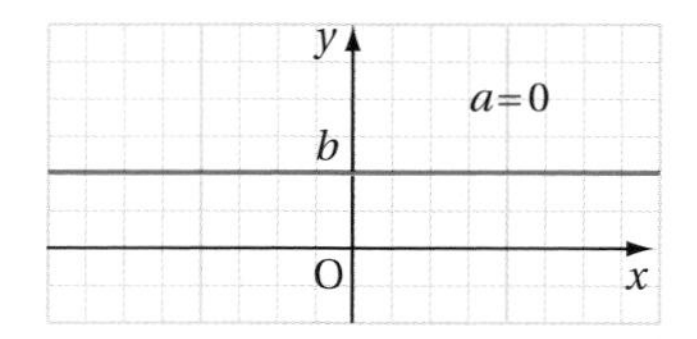

B Détermination d'une fonction affine

Pour déterminer entièrement une fonction affine f, il suffit de connaître les coordonnées de deux points de sa représentation graphique : $(x_1\,;y_1)$ et $(x_2\,;y_2)$

Alors $a = \dfrac{y_2 - y_1}{x_2 - x_1}$ et $b = y_1 - ax_1$ (ou $b = y_2 - ax_2$).

On a $y_1 = f(x_1)$ et $y_2 = f(x_2)$.

On peut facilement trouver graphiquement le coefficient directeur a :

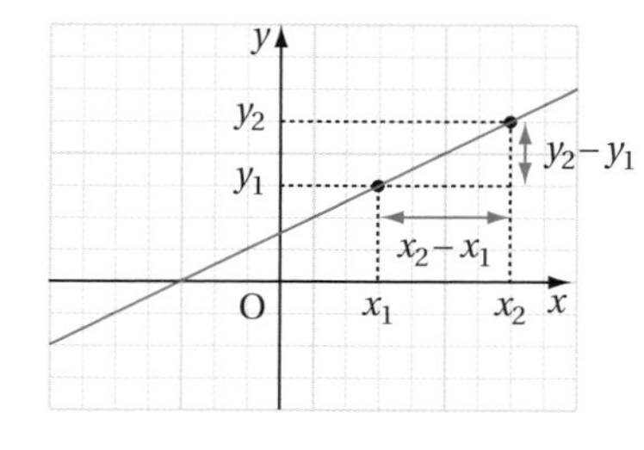

$$a = \frac{y_2 - y_1}{x_2 - x_1}$$

C Application importante

Lorsqu'on augmente une quantité q de 5 %, on obtient une nouvelle quantité. Elle est égale à la précédente augmentée de $0{,}05q$, donc à $q + 0{,}05q$, soit finalement $1{,}05q$. En général, si on augmente une quantité q de t %, la quantité obtenue après augmentation est égale à :

$$\left(1 + \frac{t}{100}\right)q.$$

- Lorsqu'on diminue une quantité q de 8 %, on obtient une nouvelle quantité. Elle est égale à la précédente diminuée de $0{,}08q$, donc à $q-0{,}08q$, soit finalement $0{,}92q$.

En général, si on diminue une quantité q de t %, la quantité obtenue après diminution est égale à :

$$\left(1-\frac{t}{100}\right)q.$$

- Par conséquent, les quantités disponibles, après augmentation ou diminution, ont un lien linéaire avec les quantités initiales.

2 Fonction carré

- **Définition**

La fonction carré est la fonction définie sur $\mathbb{R}$ par $f(x)=x^2$.

- **Tableau de variation**

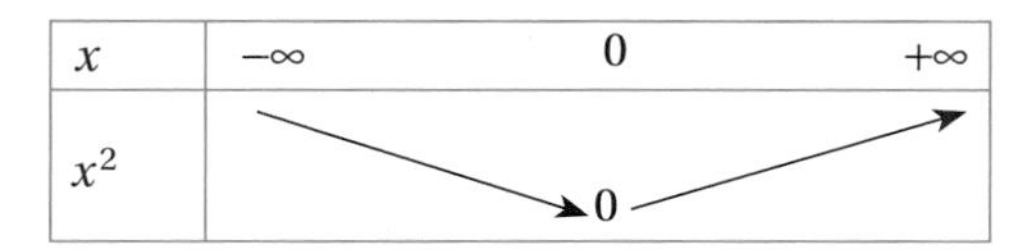

x	$-\infty$	0	$+\infty$
x^2	↘	0	↗

- **Représentation graphique**

La courbe représentative de la fonction carré est symétrique par rapport à l'axe des ordonnées.

Cette courbe s'appelle une parabole.

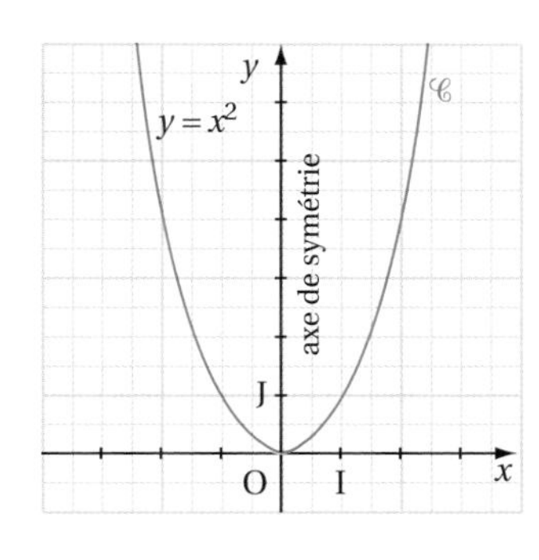

La parabole a pour équation $y=x^2$.

Remarques

Si $x \leqslant y \leqslant 0$, alors $x^2 \geqslant y^2$ (la fonction est décroissante sur $]-\infty\,;0]$).

Si $0 \leqslant x \leqslant y$, alors $x^2 \leqslant y^2$ (la fonction est croissante sur $[0\,;+\infty[$).

3 Fonction inverse

Définition

La fonction inverse est la fonction définie sur $\mathbb{R}^*$ par $f(x)=\dfrac{1}{x}$.

Tableau de variation

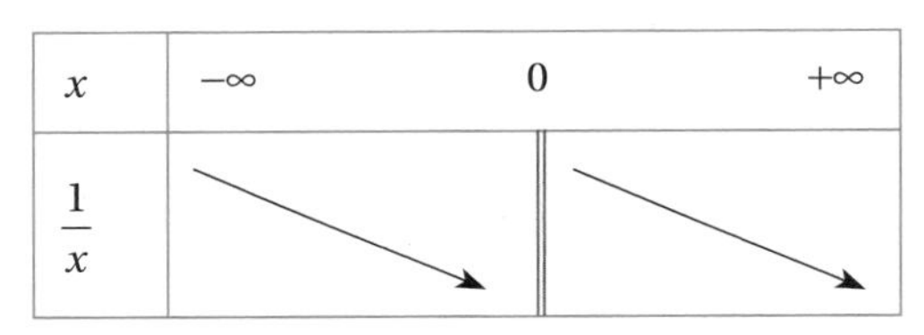

x	$-\infty$	0	$+\infty$
$\dfrac{1}{x}$	↘	‖	↘

La double barre du tableau de variation indique que la valeur 0 est une valeur interdite.

Remarques

Si $x \leqslant y < 0$, alors $\dfrac{1}{x} \geqslant \dfrac{1}{y}$ (la fonction inverse est décroissante sur $]-\infty\,;0[$).

Si $0 < x \leqslant y$, alors $\dfrac{1}{x} \geqslant \dfrac{1}{y}$ (la fonction inverse est décroissante sur $]-\infty\,;0[$).

> Dès que x et y sont non nuls et de même signe : si $x \leqslant y$, alors $\dfrac{1}{x} \geqslant \dfrac{1}{y}$.

En général, lorsque les nombres réels x et y sont quelconques, si $x \leqslant y$, on ne peut pas dire à coup sûr dans quel ordre sont rangés $\dfrac{1}{x}$ et $\dfrac{1}{y}$. On ne peut conclure avec certitude que sur les intervalles où la fonction inverse est décroissante, c'est-à-dire sur $]-\infty\,;0[$ et sur $]0\,;+\infty[$.

Représentation graphique

La courbe représentative de la fonction inverse est symétrique par rapport à l'origine du repère.

Cette courbe s'appelle une hyperbole.

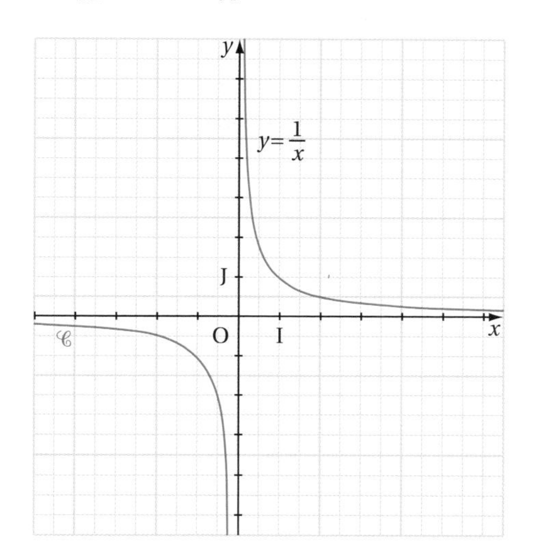

L'hyperbole a pour équation $y = \frac{1}{x}$.

4 Fonctions sinus et cosinus

A Cercle trigonométrique

- Soit $(O\,;\vec{i}, \vec{j})$ un repère orthonormal du plan et $\mathscr{C}$ le cercle de centre O et de rayon 1. Il existe sur $\mathscr{C}$ deux sens de parcours opposés. Par convention, le sens marqué d'une flèche sur la figure ci-dessous s'appelle le sens positif ou sens direct ou sens trigonométrique. Ainsi orienté, le cercle $\mathscr{C}$ s'appelle cercle trigonométrique.

- Plus généralement, on appelle cercle trigonométrique tout cercle de rayon 1 muni du sens de parcours positif et sur lequel a été choisi un point d'origine (A sur la figure).

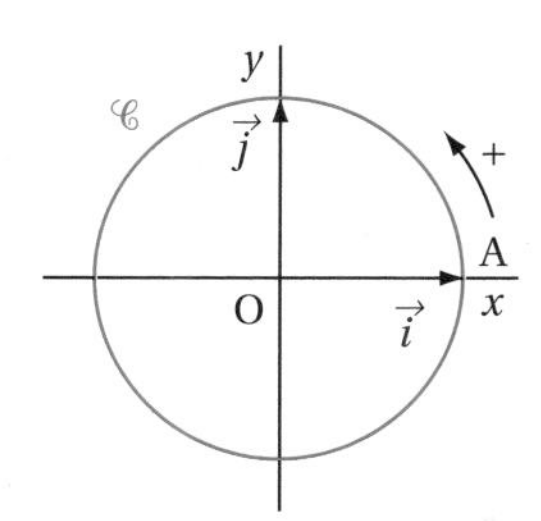

B Fonctions sinus et cosinus

1. Définition

- On considère un cercle trigonométrique de centre O et d'origine A, extrémité du vecteur $\vec{i}$. Soit x un réel positif : on enroule sur le cercle un fil de longueur x en fixant une extrémité en A et en enroulant le fil dans le sens positif.

L'autre extrémité du fil se trouve alors en un point M, après plusieurs tours de cercle éventuellement. Soit C et S les projections orthogonales de M sur les axes du repère.

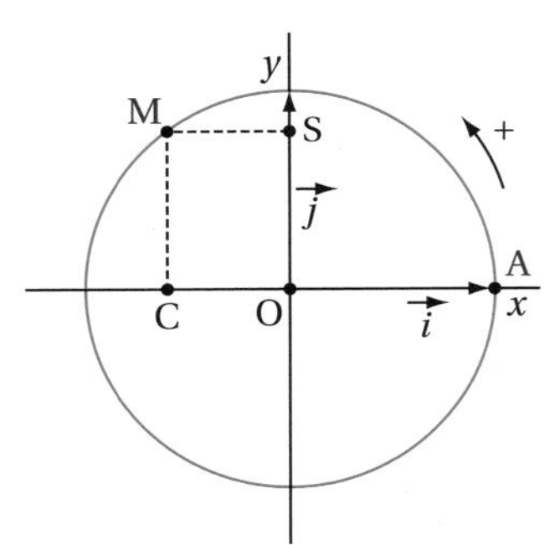

Par définition : $\cos(x) = \overline{OC}$ et $\sin(x) = \overline{OS}$.

On peut noter aussi cos *x* et sin sans les parenthèses.

- **Signification de $\overline{OC}$ et $\overline{OS}$**

$\overline{OC} = -OC$ si C est à gauche de O (c'est le cas sur la figure) et $\overline{OC} = OC$ si C est à droite de O ; de même : $\overline{OS} = -OS$ si S est en dessous de O, et $\overline{OS} = OS$ si S au-dessus de O (c'est le cas sur la figure).

On définit ainsi $\sin x$ et $\cos x$ pour tout réel x. Si x est un nombre négatif, on enroule un fil de la longueur $(-x)$ dans le sens négatif. On obtient alors $\sin x$ et $\cos x$ comme à l'étape précédente.

GÉNÉRALISATION DE CE QUI A ÉTÉ ÉTUDIÉ EN TROISIÈME

Tout ce que vous avez appris en classe de Troisième reste valable : on se limitait alors à des angles aigus dans un triangle rectangle. Désormais, vous étudierez d'autres propriétés des sinus et des cosinus.

Ainsi, dans le triangle rectangle OCM ci-contre :

$\sin x = \frac{MC}{OM} = \frac{OS}{OM}$ et $\cos x = \frac{OC}{OM}$.

Si $OM = 1$, on retrouve la définition.

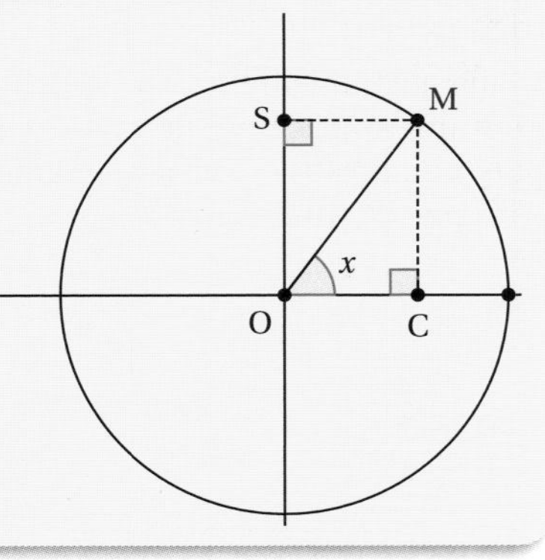

Correspondance entre la longueur de l'arc de cercle $\widehat{AM}$ et la mesure en degré de l'angle $\widehat{AOM}$:

Le tableau ci-dessous est un tableau de proportionnalité.

Donc $180r = d\pi$.

On trouve ainsi une mesure dans une certaine unité lorsqu'on connaît la mesure dans l'autre unité.

$\widehat{AOM}$	180	d
$\widehat{AM}$	π	r

Exemples

- Si $d = 30, r = \dfrac{30 \times \pi}{180} = \dfrac{\pi}{6}$. Donc 30° équivaut à $\dfrac{\pi}{6}$.
- Si $r = \dfrac{\pi}{4}, d = \dfrac{180 \times \dfrac{\pi}{4}}{\pi} = 45$. Donc $\dfrac{\pi}{4}$ équivaut à 45°.

2. Valeurs remarquables

On rappelle que $\tan x = \dfrac{\sin x}{\cos x}$.

Le tableau suivant donne les valeurs exactes des sinus et cosinus de réels particuliers.

x	0	$\dfrac{\pi}{6}$	$\dfrac{\pi}{4}$	$\dfrac{\pi}{3}$	$\dfrac{\pi}{2}$
$\widehat{AOM}$	0°	30°	45°	60°	90°
$\sin(x)$	0	$\dfrac{1}{2}$	$\dfrac{\sqrt{2}}{2}$	$\dfrac{\sqrt{3}}{2}$	1
$\cos(x)$	1	$\dfrac{\sqrt{3}}{2}$	$\dfrac{\sqrt{2}}{2}$	$\dfrac{1}{2}$	0
$\tan(x)$	0	$\dfrac{1}{\sqrt{3}}$	1	$\sqrt{3}$	

On remarque que lorsque x est égal à $\frac{\pi}{2}$, la tangente de x n'existe pas car le cosinus de $\frac{\pi}{2}$ est nul.

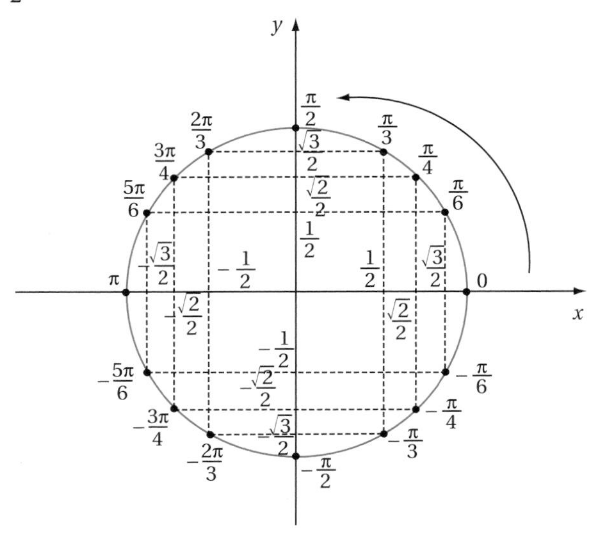

3. Propriétés des fonctions sinus et cosinus

- Pour tout réel x, on a les égalités données par le tableau suivant.

Égalités	Commentaires
$\cos^2(x)+\sin^2(x)=1$	Il s'agit du théorème de Pythagore dans le triangle rectangle OCM par exemple.
$\cos(2\pi+x)=\cos(x)$ $\sin(2\pi+x)=\sin(x)$	On dit que les fonctions sinus et cosinus sont périodiques de période 2π.
$\cos(-x)=\cos(x)$ $\sin(-x)=-\sin(x)$	La courbe de la fonction cosinus (resp. sinus) est symétrique par rapport à (Oy) (resp. O).
$\cos\left(\frac{\pi}{2}-x\right)=\sin(x)$ $\sin\left(\frac{\pi}{2}-x\right)=\cos(x)$	Dans un triangle rectangle, le sinus d'un angle aigu est égal au cosinus de l'autre angle, son complémentaire, et vice versa. En effet, x et $\frac{\pi}{2}-x$ sont complémentaires.

Pour tout réel x, on a aussi : $-1 \leqslant \cos x \leqslant 1$ et $-1 \leqslant \sin x \leqslant 1$.

ANGLES COMPLÉMENTAIRES

Les angles $\frac{\pi}{2} - x$ et x sont complémentaires car la somme des deux est égale à $\frac{\pi}{2}$, qui correspond à 90°.

4. Courbes

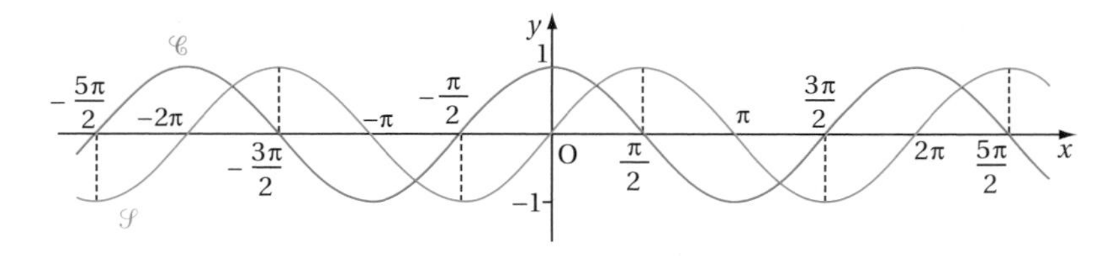

Dans un repère orthonormal $(O ; \vec{i}, \vec{j})$, la courbe $\mathscr{C}$ représentant la fonction cosinus est tracée en rouge sur la figure ; la courbe $\mathscr{S}$ représentant la fonction sinus est tracée en bleu.

La courbe de la fonction sin se déduit de celle de la fonction cos par une translation de vecteur $\frac{\pi}{2}\vec{i}$.

Ces courbes s'appellent des sinusoïdes. Leurs équations sont $y = \sin x$ et $y = \cos x$.

Démontrer certaines propriétés

ÉNONCÉ

1 **a.** Démontrer que la fonction carré est décroissante sur $]-\infty\,;0]$.

b. Démontrer qu'elle est croissante sur $[0\,;+\infty[$.

2 **a.** Démontrer que la fonction $x \mapsto \dfrac{1}{x}$ est décroissante sur $\mathbb{R}^{*-}$.

b. Démontrer qu'elle est décroissante sur $\mathbb{R}^{*+}$.

MÉTHODE

1 Il suffit d'utiliser la définition, à partir de deux réels x et y tels que $x \leqslant y$ par exemple. On doit alors aboutir à $x^2 \geqslant y^2$ si x et y sont négatifs et $x^2 \leqslant y^2$ si x et y sont positifs.

2 De même pour $\dfrac{1}{x}$.

CORRIGÉ

1 **a.** Pour tout x et y dans $]-\infty\,;0]$ tels que $x \leqslant y$, on a :

$xx \geqslant yx$ (multiplication par x négatif) donc $x^2 \geqslant yx$.

$xy \geqslant yy$ (multiplication par y négatif) donc $xy \geqslant y^2$.

En rassemblant, on obtient : $x^2 \geqslant yx \geqslant y^2 \Rightarrow x^2 \geqslant y^2$.

On a donc : $x \leqslant y \Rightarrow x^2 \geqslant y^2$.

Cela signifie que la fonction carré est décroissante sur $]-\infty\,;0]$.

b. Pour tout x et y dans $[0\,;+\infty[$ tels que $x \leqslant y$, on a :

$xx \leqslant yx$ (multiplication par x positif) donc $x^2 \leqslant yx$.

$xy \leqslant yy$ (multiplication par y positif) donc $xy \leqslant y^2$.

En rassemblant, on obtient : $x^2 \leqslant yx \leqslant y^2 \Rightarrow x^2 \leqslant y^2$.

On a donc : $x \leqslant y \Rightarrow x^2 \leqslant y^2$.

Cela signifie que la fonction carré est croissante sur $[0\,;+\infty[$.

2 **a.** Pour tout x et y dans $]-\infty\,;0[$ tels que $x \leqslant y$, on a :

$\dfrac{1}{x} - \dfrac{1}{y} = \dfrac{y-x}{xy}$. Or, $y - x \geqslant 0$ et $xy > 0$.

> $\mathbb{R}^{*-} =]-\infty\,;0$
> $\mathbb{R}^{*+} =]0\,;+\infty$

Donc $\frac{1}{x}-\frac{1}{y}\geqslant 0$ et $\frac{1}{x}\geqslant\frac{1}{y}$.

Cela signifie que la fonction inverse est décroissante sur $]-\infty\,;0[$.

b. Pour tout x et y dans $]0\,;+\infty[$ tels que $x\leqslant y$, on a :

$\frac{1}{x}-\frac{1}{y}=\frac{y-x}{xy}$. Or, $y-x\geqslant 0$ et $xy>0$. Donc $\frac{1}{x}-\frac{1}{y}\geqslant 0$ et $\frac{1}{x}\geqslant\frac{1}{y}$.

Cela signifie que la fonction inverse est décroissante $]0\,;+\infty[$.

Algorithmique

ÉNONCÉ

1 Traduire en quelques phrases les instructions de l'algorithme suivant.

```
1	VARIABLES
2		x1 EST_DU_TYPE NOMBRE
3		x2 EST_DU_TYPE NOMBRE
4		y1 EST_DU_TYPE NOMBRE
5		y2 EST_DU_TYPE NOMBRE
6		a EST_DU_TYPE NOMBRE
7	DEBUT_ALGORITHME
8		LIRE x1
9		LIRE x2
10		LIRE y1
11		LIRE y2
12		SI (x1!=x2) ALORS
13			DEBUT_SI
14			a PREND_LA_VALEUR (y2-y1)/(x2-x1)
15			AFFICHER "a ="
16			AFFICHER a
17			FIN_SI
18			SINON
19				DEBUT_SINON
20				AFFICHER "Le coefficient directeur n'existe pas"
21				FIN_SINON
22	FIN_ALGORITHME
```

Le symbole « != » (ligne 12) signifie « différent de ».
Le message « a = » est affiché car il est entre guillemets. L'instruction AFFICHER a affiche la valeur contenue dans a.

2 Que représentent y_1 et y_2 pour x_1 et x_2 ?

3 Qu'affiche le programme si on lui donne les valeurs suivantes ?

	x_1	x_2	y_1	y_2
a.	2	–1	8	5
b.	7	–9	1	1
c.	–3	–3	–4	4

MÉTHODE

1 Penser au coefficient directeur d'une droite passant par deux points donnés.

CORRIGÉ

1 Le programme calcule, lorsque c'est possible, le coefficient directeur de la droite passant par les points de coordonnées $(x_1 ; y_1)$ et $(x_2 ; y_2)$. Si $x_1 = x_2$, les deux points sont alignés parallèlement à l'axe des ordonnées et donc la droite obtenue n'a pas de coefficient directeur.

2 Il existe une fonction affine f dont la représentation graphique passe par les points $A_1(x_1 ; y_1)$ et $A_2(x_2 ; y_2)$ pourvu que $x_1 \neq x_2$. Dans ce cas, y_1 est l'image de x_1 et y_2 est l'image de x_2.

3

	Affichage
a.	$a = 1$
b.	$a = 0$
c.	Le coefficient directeur n'existe pas

SE TESTER QUIZ

1 Parmi les fonctions suivantes, repérer les fonctions affines et non affines.

a. $x \mapsto -2x$ b. $x \mapsto 5-3x$ c. $x \mapsto 7$

2 Parmi les fonctions suivantes, repérer les fonctions affines et non affines.

a. $x \mapsto x^2$ b. $x \mapsto \frac{1}{2}x - \sqrt{3}$ c. $x \mapsto 4x^2+1$

3

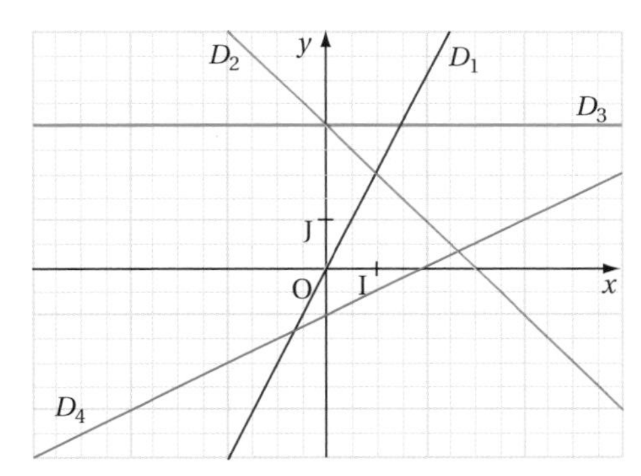

Par simple lecture graphique, associer une fonction à chaque droite tracée (il y a deux fonctions « parasites ») :

a. $x \mapsto 3-x$ b. $x \mapsto x+3$ c. $x \mapsto \frac{1}{2}x-1$

d. $x \mapsto 3$ e. $x \mapsto -\frac{1}{2}x+1$ f. $x \mapsto 2x$

S'ENTRAÎNER

Fonctions affines

4 Donner l'expression des fonctions affines suivantes.

a. $a=\frac{1}{2}$ et $f(3)=0$ b. $a=-2$ et $f(-1)=\frac{1}{3}$

c. $a=-\sqrt{2}$ et $f(1)=2$ d. $a=0$ et $f(50)=-12$

5 Construire les représentations graphiques des fonctions affines suivantes.

a. $x \mapsto -4x+1$ b. $x \mapsto \frac{1}{2}x+1$ c. $x \mapsto 6x-4$

6 Déterminer les fonctions affines f avec les renseignements fournis.

a.

x	1	−1
$f(x)$	0	2

b.

x	0	−3
$f(x)$	1	4

c.

x	−3	2
$f(x)$	−1	−4

7 Dresser les tableaux de variation des fonctions affines suivantes :

a. $x \mapsto 5-2x$ b. $x \mapsto \frac{3}{4}x+8$ c. $x \mapsto -\frac{1}{2}x+5$

Fonction carré

8 Sans utiliser la calculatrice, comparer les nombres suivants :

a. $5{,}01^2$ et $5{,}9^2$ b. $0{,}007^2$ et $0{,}01^2$

c. $(-2{,}8)^2$ et $(-2{,}5)^2$ d. $-4{,}003^2$ et $-4{,}01^2$

On utilisera la monotonie de la fonction carré sur $]-\infty\,;0]$ et $[0\,;+\infty[$

9 Trouver les antécédents (s'ils existent) des nombres suivants par la fonction carré :

a. 25 b. $\frac{1}{16}$ c. $\frac{9}{49}$

d. 3 e. -4 f. 7

10 Sachant que x appartient à un certain intervalle I, donner l'intervalle auquel appartient x^2 :

a. $x \in [2\,;5]$ b. $x \in]0\,;3]$ c. $x \in [-1\,;0[$

d. $x \in]-7\,;1[$ e. $x \in [-2\,;\,-1[$

Fonction inverse

11 Sans utiliser la calculatrice, comparer les nombres suivants.

a. $\frac{1}{0{,}07}$ et $\frac{1}{0{,}01}$ b. $\frac{1}{4{,}3}$ et $\frac{1}{3{,}9}$ c. $-\frac{1}{3}$ et $-\frac{1}{2}$ d. $-\frac{1}{0{,}08}$ et $-\frac{1}{0{,}06}$

12 Pour quelles valeurs de x les expressions suivantes ne sont-elles pas définies (valeurs interdites) ?

a. $\dfrac{1}{x-1}$ b. $\dfrac{1}{x+4}$ c. $\dfrac{1}{2x-3}$ d. $\dfrac{1}{7-x}$

13 Trouver l'antécédent de chaque nombre donné, par la fonction inverse.

a. 3 b. $\dfrac{1}{5}$ c. $-\dfrac{2}{3}$ d. $-\dfrac{1}{7}$

e. $\sqrt{2}$ f. $\dfrac{1}{\sqrt{3}}$

Trigonométrie

14 À l'aide de la calculatrice, donner les valeurs approchées à 10^{-2} près par défaut de :

a. $\sin(57°)$ b. $\cos(243°)$ c. $\tan(108°)$

15 À l'aide de la calculatrice, donner les valeurs approchées à 10^{-2} près par excès de $\dfrac{\sin(47°)+\cos(101°)}{\tan(30°)}$.

16 À l'aide de la calculatrice, comparer $\dfrac{1}{\cos^2(89°)}$ et $1+\tan^2(89°)$.

17 Dans un triangle rectangle en A, l'angle $\hat{B}$ vaut $37°$ et $BC=15$. Calculer AB et AC.

18 Dans un triangle rectangle en A, $BC=15$ et $AC=10$. Calculer des mesures des angles $\hat{B}$ et $\hat{C}$.

19 Pourquoi ces suites de touches donnent-elles des messages d'erreur sur la calculatrice :

[sin⁻¹] [(] [1] [,] [0] [5] [)] et [cos⁻¹] [(] [(–)] [1] [,] [2] [)] ?

20 Existe-t-il un réel x vérifiant simultanément les deux égalités : $\cos(x)=0{,}8$ et $\sin(x)=0{,}6$?

Calculer $0{,}8^2+0{,}6^2$.

21 Une mouche située en M voit arriver sur elle une balle de 10 cm de diamètre.

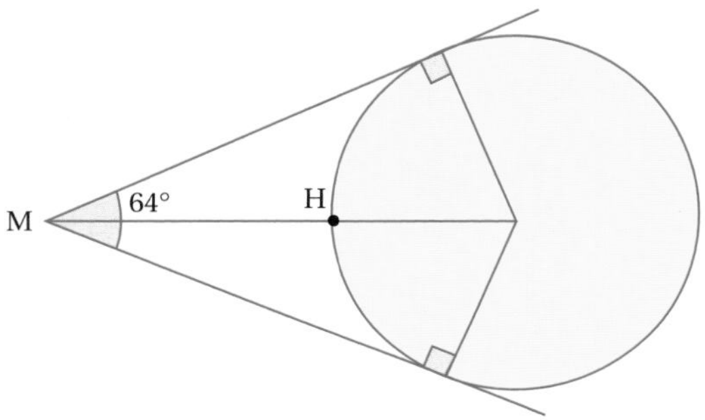

Sachant qu'elle voit cette balle sous un angle de 64°, calculer à quelle distance MH elle se trouve de la balle.

22 ABCDEFGH est un cube de 10 cm d'arête.

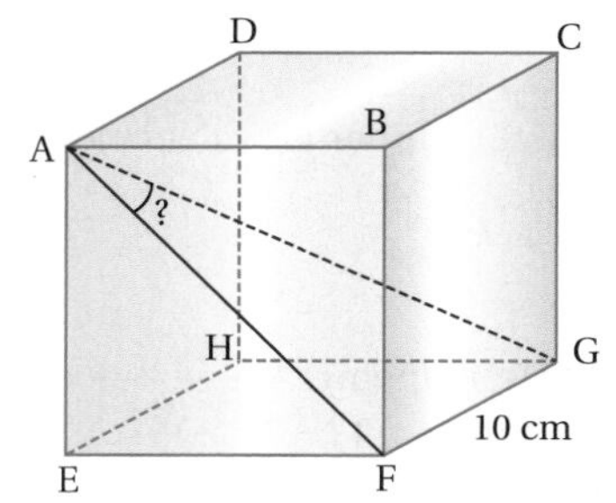

> Le triangle FAG est rectangle en . . .

Donner la mesure à 0,1° près de l'angle $\widehat{FAG}$.

23 ABCDEFGH est un parallélépipède rectangle.

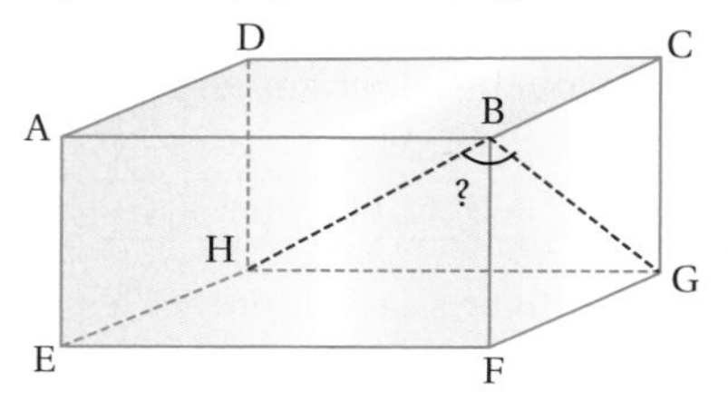

> Le triangle HBG est rectangle en G. En effet, (HG) est perpendiculaire à la face BCGF, donc à toutes les droites qui y sont contenues, en particulier à (BG).

On donne $AB = 3$ cm, $BC = 2$ cm et $BF = 1$ cm. Calculer la mesure de l'angle $\widehat{HBG}$ à 1° près.

24 On considère le cône suivant de hauteur 10 cm et de rayon 3 cm. O est le centre du cercle de base et [AB] est un diamètre de ce cercle.

Calculer la mesure de l'angle $\widehat{ASB}$ à 1° près.

S

?

A O B

Mélanges

25 Trouver le coefficient directeur des fonctions affines suivantes.

Écrire chaque donnée sous la forme $ax+b$.

a. $x \mapsto \frac{2}{3}x - 5 + \frac{4}{5}x$ **b.** $x \mapsto 3 - \frac{1}{2}x + 6x$

c. $x \mapsto \frac{x-7}{2} - \frac{3x+4}{5}$ **d.** $x \mapsto \frac{1-x}{2} + \frac{1+x}{3}$

26 La droite représentant une fonction affine passe par les deux points donnés. Déterminer cette fonction affine dans chaque cas.

a. $A(-1;3)$ et $B(0;8)$ **b.** $A(5;7)$ et $B(-3;-4)$

27 Une certaine somme d'argent S subit des variations.

1re variation : S diminue de 10 % et devient S_1 ;
S_1 diminue de 20 % et devient S_2.

2e variation : S diminue de 20 % et devient T_1 ;
T_1 diminue de 10 % et devient T_2.

a. Exprimer S_1 puis S_2 en fonction de S.

b. Faire de même avec T_1 et T_2.

c. A-t-on $T_2 = S_2$?

28 Sur l'écran suivant, une droite représentant une fonction affine f et la parabole d'équation $y = x^2$ se trouvent dans un repère orthogonal dont les graduations sont visibles.

Répondre aux questions de la page suivante.

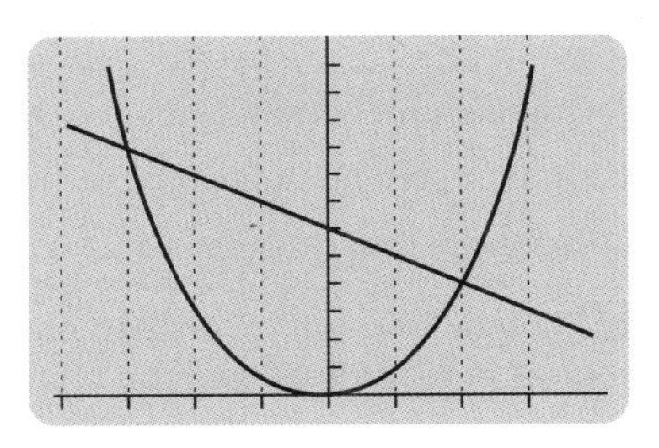

a. Quelles sont les solutions de l'équation $f(x)=x^2$?

b. Quelles sont les solutions de l'inéquation $f(x) \leqslant x^2$?

c. Résoudre l'inéquation $x^2+x-6 \geqslant 0$.

La droite passe par les points $(-3;9)$ et $(2;4)$.

29 Sur l'écran suivant, une droite représentant une fonction affine f et la parabole d'équation $y=x^2$ se trouvent dans un repère orthogonal dont les graduations sont visibles.

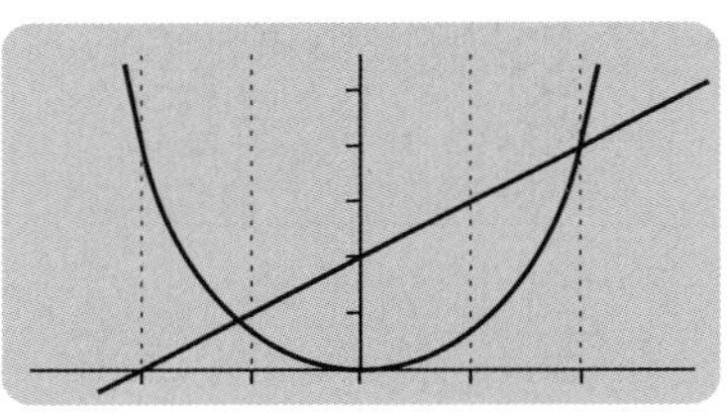

a. Quelles sont les solutions de l'équation $f(x)=x^2$?

b. Quelles sont les solutions de l'inéquation $f(x)>x^2$?

c. Résoudre l'inéquation $x^2-x-2<0$.

Trouvez l'équation de la droite représentée

30 Sur l'écran suivant, une droite représentant une fonction affine f et la parabole d'équation $y=-x^2$ se trouvent dans un repère orthogonal dont les graduations sont visibles.

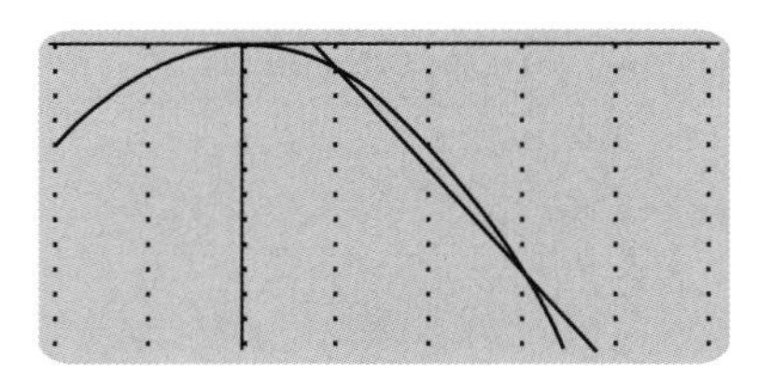

a. Quelles sont les solutions de l'équation $f(x)=-x^2$?

b. Quelles sont les solutions de l'inéquation $f(x)>-x^2$?

c. Résoudre l'inéquation $-x^2+4x-3<0$.

31 Soit la fonction f définie sur $\mathbb{R}$ par $f(x)=\sin(2x)$. On a tracé sa représentation graphique dans un repère orthonormé $(\mathrm{O}\,;\vec{i},\vec{j})$.

a. Calculer $f(0)$; $f\left(\frac{\pi}{6}\right)$; $f\left(\frac{\pi}{12}\right)$; $f\left(\frac{\pi}{2}\right)$; $f\left(\frac{\pi}{8}\right)$ et $f(\pi)$.

b. Montrer que $f\left(\dfrac{\pi}{4}\right)$ est le maximum de la fonction f.

c. Soit x un nombre réel. Comparer $f(x+\pi)$ et $f(x)$. En déduire une propriété de f.

d. Sur le graphique suivant, identifier f et la fonction sinus.

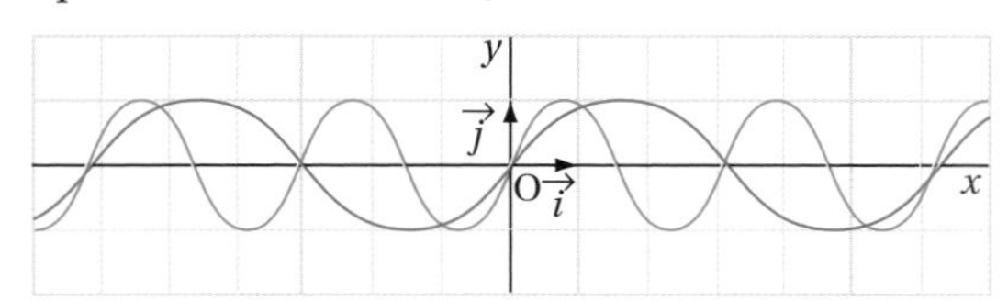

32 Soit la fonction f définie sur $\mathbb{R}$ par $f(x)=\cos(2x)$. On a tracé sa représentation graphique dans un repère orthonormé $\left(\mathrm{O}\ ;\ \vec{i}, \vec{j}\right)$.

a. Calculer $f\left(\dfrac{\pi}{6}\right)$; $f\left(\dfrac{\pi}{4}\right)$; $f\left(\dfrac{\pi}{8}\right)$ et $f\left(\dfrac{\pi}{2}\right)$.

b. Montrer que $f\left(\dfrac{\pi}{2}\right)$ est le minimum de la fonction f.

c. Soit x un nombre réel, comparer $f(x+\pi)$ et $f(x)$. En déduire une propriété de f.

d. Identifier les courbes de f et de la fonction cosinus sur le graphique suivant.

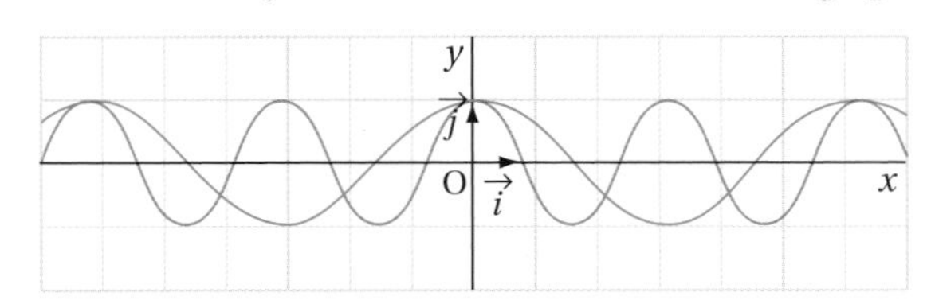

Algorithmique

33 **1.** Traduire en quelques phrases les instructions de l'algorithme de la page suivante où y_1 est l'image de x_1 par une fonction affine de coefficient directeur a.

```
1    VARIABLES
2      x1 EST_DU_TYPE NOMBRE
3      y1 EST_DU_TYPE NOMBRE
4      a EST_DU_TYPE NOMBRE
5      b EST_DU_TYPE NOMBRE
6    DEBUT_ALGORITHME
7      LIRE a
8      LIRE x1
9      LIRE y1
10     b PREND_LA_VALEUR y1 – a* x1
11     SI (b==0) ALORS
12       DEBUT_SI
13       AFFICHER "La fonction est linéaire"
14       FIN_SI
15       SINON
16         DEBUT_SINON
17         AFFICHER "La fonction n'est pas linéaire"
18         FIN_SINON
19   FIN_ALGORITHME
```

2. Qu'affiche le programme si on lui donne les valeurs suivantes ?

	a	x_1	y_1
a.	0	3	–5
b.	–2	3	–6
c.	1	–3	3

PROBLÈMES

34 Sur la figure, le cercle $\mathscr{C}$ de centre O est circonscrit au triangle ABC, le point I est le milieu de [BC].

On admettra pour cet exercice que $\widehat{BAC} = \widehat{BOI}$.

a. On note R le rayon du cercle $\mathscr{C}$ et a la longueur du segment [BC]. Démontrer que $R = \dfrac{a}{2\sin\widehat{BAC}}$.

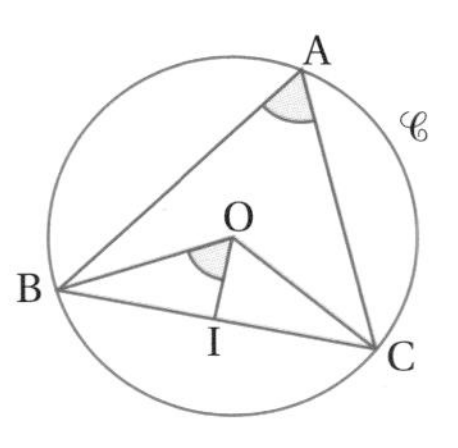

b. Calculer, à 0,1 cm près, le rayon du cercle circonscrit au triangle ABC suivant.

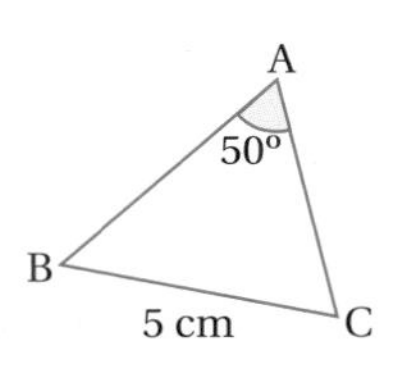

CERCLE CIRCONSCRIT

Le cercle circonscrit à un triangle est le cercle passant par ses trois sommets. Son centre est le point d'intersection des médiatrices des côtés.

35 Les courbes ci-dessous sont celles des fonctions carré, inverse, sinus et cosinus.

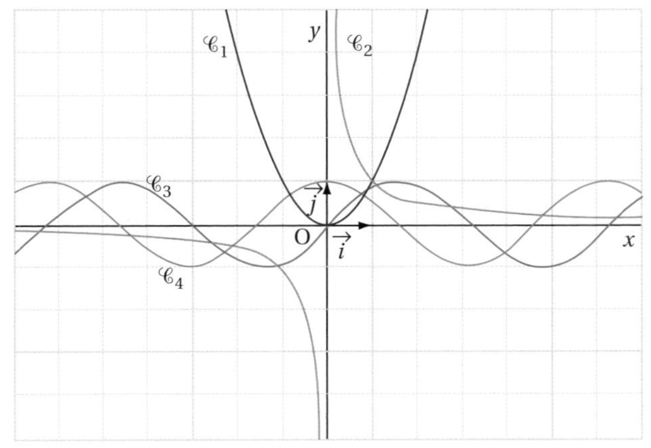

1. Identifier chaque courbe.

2. Utiliser la figure pour conjecturer le nombre de solutions de chacune des équations suivantes :

a. $\sin x = \cos x$; **b.** $\dfrac{1}{x} = x^2$; **c.** $\sin x = \dfrac{1}{x}$;

d. $\sin x = x^2$; **e.** $\cos x = \dfrac{1}{x}$; **f.** $\cos x = x^2$.

3. Une solution de $\sin x = \cos x$ est $\dfrac{\pi}{4}$. Donner une infinité d'autres valeurs qui sont aussi solutions.

SE TESTER

1 **a.** C'est une fonction affine, avec $a = -2$ et $b = 0$.

b. C'est une fonction affine, avec $a = -3$ et $b = 5$.

c. C'est une fonction affine, avec $a = 0$ et $b = 7$

Dans l'expression d'une fonction affine, la variable x a pour exposant 1 ou 0.

2 **a.** Ce n'est pas une fonction affine.

b. C'est une fonction affine avec $a = \frac{1}{2}$ et $b = -\sqrt{3}$

c. Ce n'est pas une fonction affine.

3 D_1 : **f.** (seule fonction linéaire). D_2 : **a.** (coefficient directeur -1).

D_3 : **d.** (seule fonction constante). D_4 : **c.** (coefficient directeur $\frac{1}{2}$).

S'ENTRAÎNER

4 **a.** $f(x) = \frac{1}{2}x + b$; et $0 = \frac{1}{2} \times 3 + b \Rightarrow b = -\frac{3}{2}$. Donc $f(x) = \frac{1}{2}x - \frac{3}{2}$.

b. $f(x) = -2x + b$; et $\frac{1}{3} = -2 \times (-1) + b \Rightarrow b = -\frac{5}{3}$. Donc $f(x) = -2x - \frac{5}{3}$.

c. $f(x) = -x\sqrt{2} + b$; et $2 = -\sqrt{2} + b \Rightarrow b = 2 + \sqrt{2}$. Donc $f(x) = -x\sqrt{2} + 2 + \sqrt{2}$.

d. $f(x) = -12$ car son coefficient directeur est égal à 0.

5 Les points suivants ont été utilisés pour la construction.

a. $(0 ; 1)$; $(-1 ; 5)$.

b. $(0 ; 1)$; $(2 ; 2)$.

c. $(0 ; -4)$; $(1 ; 2)$.

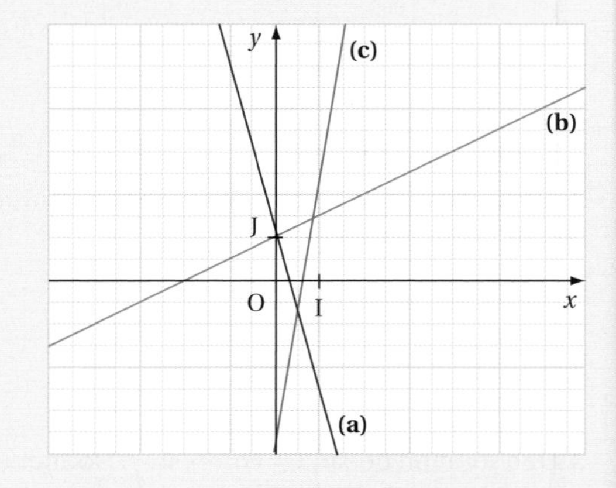

6 Pour toutes les fonctions ci-dessous, on utilise les formules :

$$a = \frac{f(x_2) - f(x_1)}{x_2 - x_1} \text{ et } b = f(x_1) - ax_1.$$

> x_1 et x_2 figurent sur la première ligne des tableaux ; $f(x_1)$ et $f(x_2)$ figurent sur la deuxième ligne.

a. $f(x) = -x + 1$

b. $f(x) = -x + 1$

c. $f(x) = -\frac{3}{5}x - \frac{14}{5}$.

7 On ne retient que le signe du coefficient directeur.

a.

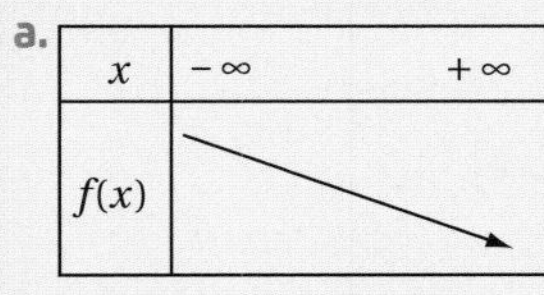

$a = -2$

b.

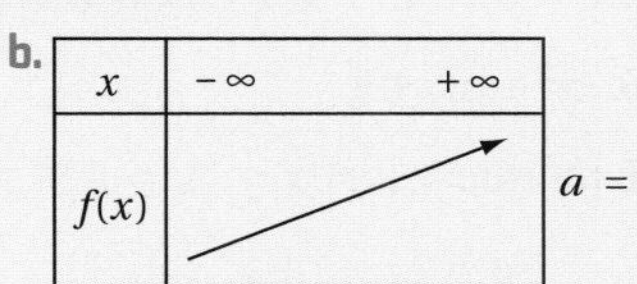

$a = \frac{3}{4}$

c.

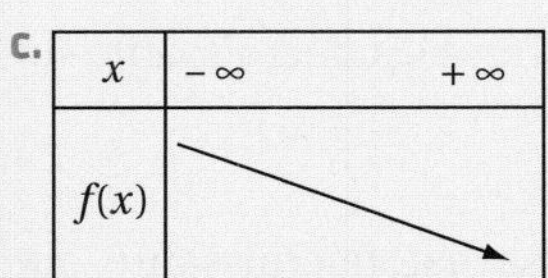

$a = -\frac{1}{2}$

8 **a.** $0 < 5{,}01 < 5{,}9 \Rightarrow 5{,}01^2 < 5{,}9^2$.

b. $0 < 0{,}007 < 0{,}01 \Rightarrow 0{,}007^2 < 0{,}01^2$.

c. $-2{,}8 < -2{,}5 < 0 \Rightarrow (-2{,}8)^2 > (-2{,}5)^2$.

d. $0 < 4{,}003 < 4{,}01 \Rightarrow 4{,}003^2 < 4{,}01^2 \Rightarrow -4{,}003^2 > -4{,}01^2$.

> $(-x)^2 = x^2 \geqslant 0$
> $-x^2 \leqslant 0$

9 **a.** Il s'agit de résoudre l'équation $x^2 = 25$.

On trouve $x = 5$ ou $x = -5$. Les antécédents cherchés sont donc 5 et −5.

b. De la même façon, les antécédents de $\frac{1}{16}$ sont $\frac{1}{4}$ et $-\frac{1}{4}$.

c. Antécédents de $\frac{9}{49}$: $\frac{3}{7}$ et $-\frac{3}{7}$.

d. Antécédents de 3 : $\sqrt{3}$ et $-\sqrt{3}$.

e. Pas d'antécédent car, un carré étant positif, l'équation n'a pas de solution.

f. Antécédents de 7 : $\sqrt{7}$ et $-\sqrt{7}$.

10 a. $2 \leqslant x \leqslant 5 \Rightarrow 4 \leqslant x^2 \leqslant 25$ car la fonction carré est croissante sur $[0\,;+\infty[$; donc $x^2 \in [4\,;25]$.

b. $0 < x \leqslant 3 \Rightarrow 0 < x^2 \leqslant 9$ car la fonction carré est croissante sur $[0\,;+\infty[$; donc $x^2 \in]0\,;9]$.

c. $-1 \leqslant x < 0 \Rightarrow 1 \geqslant x^2 > 0$ car la fonction carré est décroissante sur $]-\infty\,;0]$; donc $x^2 \in]0\,;1]$.

d. De même : $-7 < x < 1 \Rightarrow -7 < x \leqslant 0$ ou $0 \leqslant x < 1$.

$-7 < x \leqslant 0 \Rightarrow 49 > x^2 \geqslant 0$ ou $0 \leqslant x < 1 \Rightarrow 0 \leqslant x^2 < 1$.

Donc $x^2 \in [0\,;49[$.

e. De même : $-2 \leqslant x < -1 \Rightarrow 4 \geqslant x^2 > 1$; donc $x^2 \in]1\,;4]$.

11 a. $0 < 0{,}01 < 0{,}07 \Rightarrow \dfrac{1}{0{,}01} > \dfrac{1}{0{,}07}$ car la fonction inverse est décroissante sur $]0\,;+\infty[$.

b. $0 < 3{,}9 < 4{,}3 \Rightarrow \dfrac{1}{3{,}9} > \dfrac{1}{4{,}3}$ car la fonction inverse est décroissante sur $]0\,;+\infty[$.

c. $-3 < -2 < 0 \Rightarrow \dfrac{1}{-3} > \dfrac{1}{-2} \Rightarrow -\dfrac{1}{3} > -\dfrac{1}{2}$ car la fonction inverse est décroissante sur $]-\infty\,;0[$.

d. $0 > -0{,}06 > -0{,}08 \Rightarrow \dfrac{1}{-0{,}06} < \dfrac{1}{-0{,}08}$ car la fonction inverse est décroissante sur $]-\infty\,;0[$.

Donc $-\dfrac{1}{0{,}06} < -\dfrac{1}{0{,}08}$.

12 On note v_{i} la valeur interdite.

a. $v_{\mathrm{i}} = 1$ b. $v_{\mathrm{i}} = -4$ c. $v_{\mathrm{i}} = \dfrac{3}{2}$ d. $v_{\mathrm{i}} = 7$

Pour obtenir chacune des valeurs, on résout les équations :

$x - 1 = 0$, $x + 4 = 0$, $2x - 3 = 0$ et $7 - x = 0$.

13 a. Il s'agit de résoudre l'équation $\frac{1}{x} = 3$.

On trouve $x = \frac{1}{3}$. L'antécédent cherché est donc $\frac{1}{3}$.

b. De la même façon, l'antécédent de $\frac{1}{5}$ est 5.

c. Antécédent de $-\frac{2}{3}$: $-\frac{3}{2}$.

d. Antécédent de $-\frac{1}{7}$: -7.

e. Antécédent de $\sqrt{2}$: $\frac{1}{\sqrt{2}}$.

f. Antécédent de $\frac{1}{\sqrt{3}}$: $\sqrt{3}$.

14 a. $\sin(57°) \approx 0{,}83$ b. $\cos(243°) \approx -0{,}46$

c. $\tan(108°) \approx -3{,}08$.

N'oubliez pas de vous mettre en mode degré avant de commencer vos calculs.

15 La suite de touches ci-dessous permet le calcul, à condition que la calculatrice soit en mode degré : $(\sin(47) + \cos(101)) \div \tan(30)$.
On trouve 0,94 à 10^{-2} près par excès.

16 La calculatrice donne l'impression que les deux réels sont égaux : c'est vrai.
En effet : $1 = \cos^2(89°) + \sin^2(89°)$. Donc :

$$\frac{1}{\cos^2(89°)} = \frac{\sin^2(89°) + \cos^2(89°)}{\cos^2(89°)} = \frac{\sin^2(89°)}{\cos^2(89°)} + \frac{\cos^2(89°)}{\cos^2(89°)} = \tan^2(89°) + 1$$

Le résultat annoncé en découle.

Vous remarquez que ce résultat a une portée plus générale : vous pouvez remplacer 89° par n'importe quelle autre valeur différente de 90° et ses multiples.

17 Dans le triangle ABC rectangle en A, l'hypoténuse est le segment [BC].
Le sinus de l'angle $\widehat{B}$ est égal au rapport $\frac{AC}{BC}$; par conséquent :
$AC = BC\sin(\widehat{B})$, soit environ 9.
On utilise le cosinus pour calculer AB : $AB = BC\cos(\widehat{B})$, soit environ 12.

18 Dans le triangle ABC rectangle en A, l'hypoténuse est le segment $[BC]$. Pour calculer des mesures des angles, on utilise le sinus de l'angle $\widehat{B}$: il est égal à $\frac{AC}{BC}$, donc à $\frac{2}{3}$.

$\sin^{-1}(2 \div 3)$ permet d'évaluer une mesure de l'angle $\widehat{B}$. On trouve environ 41,8°, à condition que la calculatrice soit en mode degré. L'angle $\widehat{C}$ a alors pour mesure 48,2° (c'est-à-dire 90° – 41,8°).

19 Ces touches montrent un essai de recherche d'angles dont l'un aurait pour sinus 1,05 et l'autre pour cosinus $-1{,}2$. Cette recherche conduit nécessairement à un message d'erreur puisque le sinus et le cosinus d'un réel sont compris entre -1 et 1.

20 Oui, il existe un nombre x vérifiant simultanément les égalités $\cos x = 0{,}8$ et $\sin x = 0{,}6$ car $\cos^2 x + \sin^2 x = 1$. Une valeur de x est donnée par la suite de touches $\cos^{-1}(0{,}8)$ et $\sin^{-1}(0{,}6)$. On trouve environ 37°, à condition que la calculatrice soit en mode degré.

21 Si on note O le centre du cercle et K un point de tangence, on obtient :

$\sin(32°) = \frac{OK}{MO} = \frac{5}{MO}$ dans le triangle rectangle MOK.

Donc $MO = \frac{5}{\sin(32°)}$.

L'angle $\widehat{MOK}$ mesure 32°.

Par conséquent : $MH = MO - 5$. D'où $MH \approx 4{,}4\,\text{cm}$.

22 Le triangle FAG est rectangle en F. En effet, la droite (FG) est perpendiculaire à la face ABFE, donc à la droite (AF) qui y est contenue.

Donc $\tan \widehat{FAG} = \frac{10}{AF}$.

Or $AF = 10\sqrt{2}$, donc $\tan \widehat{FAG} = \frac{1}{\sqrt{2}}$.

Dans tout carré de côté a, la diagonale mesure $a\sqrt{2}$.

En utilisant la touche $\tan^{-1}$, on trouve $\widehat{FAG} \approx 35{,}3°$.

23 Dans le triangle FBG rectangle en F :

$BG^2 = BF^2 + FG^2 \Rightarrow BG^2 = 1 + 4 = 5 \Rightarrow BG = \sqrt{5}$.

Dans le triangle BHG rectangle en G : $\tan \widehat{HGB} = \dfrac{HG}{BG} = \dfrac{3}{\sqrt{5}} \Rightarrow \widehat{HGB} \approx 53°$.

24 Dans le triangle OSB rectangle en O : $\tan \widehat{OSB} = \dfrac{OB}{SO} = \dfrac{3}{10}$.

On en déduit que $\widehat{OSB} \approx 16{,}7°$ et donc $\widehat{ASB} \approx 33°$.

25 **a.** $f(x) = \dfrac{22}{15}x - 5$, donc $a = \dfrac{22}{15}$.

b. $f(x) = \dfrac{11}{2}x + 3$, donc $a = \dfrac{11}{2}$.

c. $f(x) = \dfrac{x}{2} - \dfrac{7}{2} - \dfrac{3}{5}x - \dfrac{4}{5} = -\dfrac{1}{10}x - \dfrac{43}{10}$, donc $a = -\dfrac{1}{10}$.

d. $f(x) = \dfrac{1}{2} - \dfrac{1}{2}x + \dfrac{1}{3} + \dfrac{1}{3}x = -\dfrac{1}{6}x + \dfrac{5}{6}$, donc $a = -\dfrac{1}{6}$.

26 **a.** $a = \dfrac{y_B - y_A}{x_B - x_A} = \dfrac{8-3}{0-(-1)} = 5$. Comme $f(0) = 8, b = 8$; donc $f(x) = 5x + 8$.

b. $a = \dfrac{y_B - y_A}{x_B - x_A} = \dfrac{-4-7}{-3-5} = +\dfrac{11}{8}$. $b = 7 - \dfrac{11}{8} \times 5 = \dfrac{1}{8}$, donc $f(x) = \dfrac{11}{8}x + \dfrac{1}{8}$.

27 **a.** $S_1 = S - \dfrac{10}{100}S = \dfrac{90}{100}S = 0{,}9S$.

$S_2 = S_1 - \dfrac{20}{100}S_1 = 0{,}9S - 0{,}2 \times 0{,}9S = 0{,}9S - 0{,}18S = 0{,}72S$.

b. $T_1 = S - \dfrac{20}{100}S = \dfrac{80}{100}S = 0{,}8S$.

$T_2 = T_1 - \dfrac{10}{100}T_1 = 0{,}8S - 0{,}1 \times 0{,}8S = 0{,}8S - 0{,}08S = 0{,}72S$.

c. De manière inattendue, on a $S_2 = T_2$.

Les sommes T_2 et S_2 représentent 72 % de la somme initiale S. Elle a été réduite de 28 % dans les deux cas.

28 **a.** Les solutions de l'équation $f(x)=x^2$ sont les abscisses des points d'intersection des deux courbes. On trouve -3 et 2.

b. On observe que la parabole est au-dessus de la droite si et seulement si : $x\in\,]-\infty\,;-3]\cup[2\,;+\infty[$. Cela correspond aux solutions de l'inéquation.

c. L'inéquation $x^2+x-6\geqslant 0$ équivaut à $-x+6\leqslant x^2$.

Or la droite représentant la fonction affine $x\mapsto -x+6$ passe par les points de coordonnées $(-3\,;9)$ et $(2\,;4)$ comme sur la figure. On a donc ici $f(x)=-x+6$. On en déduit que les solutions de l'inéquation sont les nombres de l'ensemble $]-\infty\,;-3]\cup[2\,;+\infty[$.

29 **a.** Les solutions de l'équation $f(x)=x^2$ sont les abscisses des points d'intersection des deux courbes. On trouve -1 et 2.

b. On observe que la parabole est en dessous de la droite si et seulement si $x\in\,]-1\,;2[$. Cela correspond aux solutions de l'inéquation.

c. L'inéquation $x^2-x-2<0$ équivaut à $x+2>x^2$. Or la droite représentant la fonction affine $x\mapsto x+2$ passe par les points de coordonnées $(-1\,;1)$ et $(2\,;4)$ comme sur la figure. On a donc ici $f(x)=x+2$. On en déduit que les solutions de l'inéquation sont les nombres de l'intervalle $]-1\,;2[$.

30 **a.** Les solutions de l'équation $f(x)=-x^2$ sont les abscisses des points d'intersection des deux courbes. On trouve 1 et 3.

b. On observe que la parabole est en dessous de la droite si et seulement si : $x\in\,]-\infty\,;1[\cup]3\,;+\infty[$. Cela correspond aux solutions de l'inéquation.

c. L'inéquation $-x^2+4x-3<0$ équivaut à $-4x+3>-x^2$. Or la droite représentant la fonction affine $x\mapsto -4x+3$ passe par les points de coordonnées $(1\,;-1)$ et $(3\,;-9)$ comme sur la figure. On a donc ici $f(x)=-4x+3$. On en déduit que les solutions de l'inéquation sont les nombres de l'ensemble $]-\infty\,;1[\cup]3\,;+\infty[$.

31 **a.** $f(0)=\sin 0=0$; $f\left(\frac{\pi}{6}\right)=\sin\frac{\pi}{3}=\frac{\sqrt{3}}{2}$; $f\left(\frac{\pi}{12}\right)=\sin\frac{\pi}{6}=\frac{1}{2}$;

$f\left(\frac{\pi}{2}\right)=\sin\pi=0$; $f\left(\frac{\pi}{8}\right)=\sin\frac{\pi}{4}=\frac{\sqrt{2}}{2}$; $f(\pi)=\sin 2\pi=0$.

b. $f\left(\frac{\pi}{4}\right)=\sin\frac{\pi}{2}=1$. Or pour tout x, $\sin(2x)\leqslant 1$ donc $f\left(\frac{\pi}{4}\right)$ est effectivement le maximum de f.

c. $f(x+\pi)=\sin(2(x+\pi))=\sin(2x+2\pi)=\sin(2x)=f(x)$ (car la fonction sinus est périodique de période 2π). f est donc périodique de période π.

d. La courbe représentant f est la courbe bleue, la courbe verte étant celle de la fonction sinus.

32 **a.** $f\left(\frac{\pi}{6}\right)=\cos\frac{\pi}{3}=\frac{1}{2}$; $f\left(\frac{\pi}{4}\right)=\cos\frac{\pi}{2}=0$; $f\left(\frac{\pi}{8}\right)=\cos\frac{\pi}{4}=\frac{\sqrt{2}}{2}$;

$f\left(\frac{\pi}{2}\right)=\cos\pi=-1$.

b. $f\left(\frac{\pi}{2}\right)=\cos\left(\frac{2\pi}{2}\right)=\cos\pi=-1$. Or, pour tout x, $\cos 2x\geqslant -1$; donc $f\left(\frac{\pi}{2}\right)$ est effectivement le minimum de f.

c. $f(x+\pi)=\cos(2(x+\pi))=\cos(2x+2\pi)=\cos 2x=f(x)$ (car la fonction cosinus est périodique de période 2π). On en déduit que f est périodique de période π.

d. La courbe représentant f est la courbe orange, la courbe bleue étant celle de la fonction cosinus.

33 **1.** Le programme calcule l'ordonnée à l'origine de la fonction affine ; si elle est égale à 0 alors la fonction est linéaire, et le programme affiche son état. Sinon il affiche que la fonction n'est pas linéaire.

2.

	Affichage	Justification
a.	La fonction n'est pas linéaire	$b=-5$
b.	La fonction est linéaire	$b=0$
c.	La fonction n'est pas linéaire	$b=6$

On calcule b en effectuant $y_1 - ax_1$.

PROBLÈMES

34 **a.** Le triangle BOC étant isocèle, on en déduit que le triangle BOI est rectangle en I.

Donc $\sin\widehat{BOI} = \frac{BI}{BO}$. En remarquant que $BO = R$, $BI = \frac{a}{2}$ et que $\widehat{BOI} = \widehat{BAC}$, il vient :

$$\sin\widehat{BOI} = \frac{a}{2R} \Rightarrow \sin\widehat{BAC} = \frac{a}{2R} \Rightarrow R = \frac{a}{2\sin\widehat{BAC}}.$$

b. D'après la question **a.** : $R = \frac{5}{2\times\sin 50°} \approx 3{,}3$ cm.

35 **1.** $\mathscr{C}_1$: carré ; $\mathscr{C}_2$: inverse ; $\mathscr{C}_3$: sinus ; $\mathscr{C}_4$: cosinus.

2. a. $\sin x = \cos x$ admet une infinité de solutions car les courbes se coupent une infinité de fois.

b. $\frac{1}{x} = x^2$ admet une seule solution car les courbes ne se coupent qu'une seule fois.

c. $\sin x = \frac{1}{x}$ admet une infinité de solutions car les courbes se coupent une infinité de fois.

d. $\sin x = x^2$ admet deux solutions (l'une d'elles est 0) car les deux courbes se coupent deux fois.

e. $\cos x = \frac{1}{x}$ admet une infinité de solutions car les courbes se coupent une infinité de fois.

f. $\cos x = x^2$ admet deux solutions car les deux courbes se coupent deux fois.

3. Comme sin et cos sont périodiques de période 2π, $\sin(2\pi + x) = \sin x$ et $\cos(2\pi + x) = \cos x$, donc tous les nombres de la forme $\frac{\pi}{4} + 2k\pi$ (où k est un entier quelconque) sont encore solutions.

On voit graphiquement que les nombres de la forme $\frac{\pi}{4} + k\pi$ sont aussi solutions.

www.annabac.com

CHAPITRE

6 Autres fonctions

En Seconde, hormis les fonctions étudiées dans les chapitres précédents, les autres fonctions étudiées sont essentiellement des polynômes du second degré et des fonctions homographiques (de la forme $\frac{ax+b}{cx+d}$ où $c \neq 0$). Les représentations graphiques des fonctions polynômes sont des paraboles, celles des fonctions homographiques sont des hyperboles.

1 Fonctions polynômes du second degré

A Définition

Une fonction polynôme du second degré est une fonction f définie par : $f(x) = ax^2 + bx + c$ où a, b et c sont trois nombres fixés et $a \neq 0$.

Exemples

• La fonction $x \mapsto -2x^2 + 3x - 5$ est une fonction polynôme du second degré ; on a choisi $a = -2$, $b = 3$ et $c = -5$.

• La fonction $x \mapsto 3x^2 + 4$ est une fonction polynôme du second degré ; on a choisi $a = 3$, $b = 0$ et $c = 4$.

B Allures des courbes

▮ Une courbe représentant une fonction polynôme du second degré s'appelle une parabole.

▮ L'allure d'une parabole dépend du signe de a.

• Si $a > 0$, la parabole a la forme d'un vase ; ce vase est plus ou moins étroit selon que a prend des valeurs plus ou moins grandes.

• Si $a < 0$, la parabole a la forme d'une cloche ; cette cloche est plus ou moins étroite selon que a prend des valeurs plus ou moins éloignées de 0.

La forme de vase est convexe ; la forme de cloche est concave.

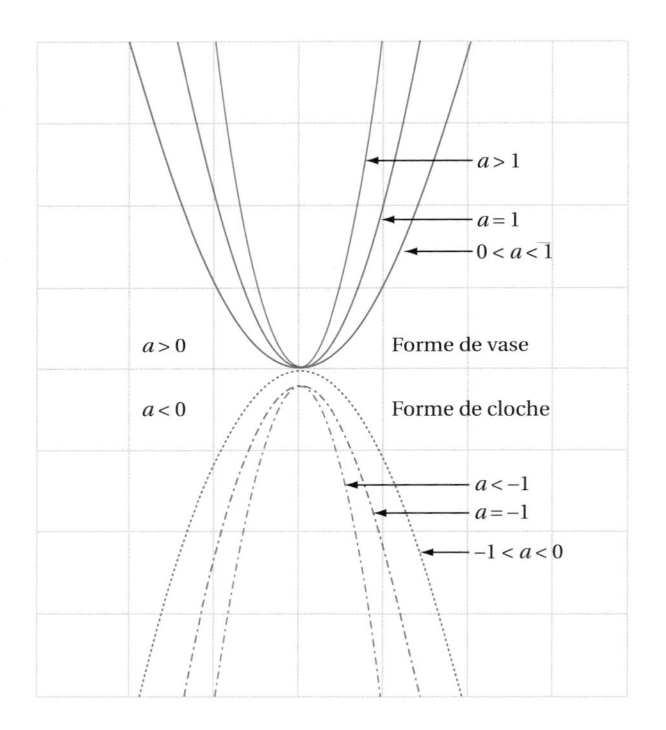

Remarque
La forme d'une parabole dont l'équation est $y = ax^2 + bx + c$ ne dépend que du nombre a et notamment de son signe. Ainsi les deux paraboles dont les équations sont $y = -54x^2 + 120x - 987$ et $y = -x^2 + x + 1$ sont en forme de cloche car le coefficient de x^2 est négatif.

C Position des paraboles par rapport à un axe horizontal

- Pour déplacer horizontalement la parabole représentant la fonction $x \mapsto ax^2$, il suffit de considérer des fonctions de la forme $x \mapsto a(x - \alpha)^2$ où α est un nombre donné.
- Pour déplacer la parabole vers la droite, il suffit de choisir $\alpha > 0$.
- Pour déplacer la parabole vers la gauche, il suffit de choisir $\alpha < 0$. Sur la figure de la page suivante, on a choisi $\alpha = 1$ puis $\alpha = -2$ que l'on retrouve comme indiqué sur l'axe des abscisses.

La lettre grecque α se lit « alpha ».

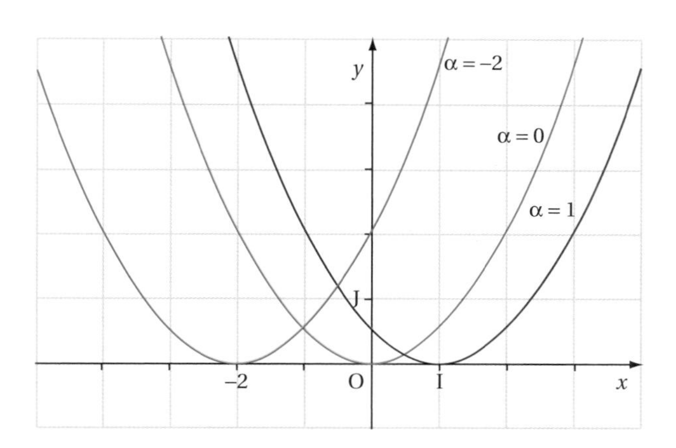

D Position des paraboles par rapport à un axe vertical

- Pour déplacer verticalement la parabole représentant la fonction $x \mapsto ax^2$, il suffit de considérer des fonctions de la forme $x \mapsto ax^2 + \beta$ où β est un nombre donné.
- Pour déplacer la parabole vers le haut, il suffit de choisir $\beta > 0$.
- Pour déplacer la parabole vers le bas, il suffit de choisir $\beta < 0$.

La lettre grecque β se lit « bêta ».

Sur la figure ci-dessous, on a choisi $\beta = -1$ puis $\beta = 2$ que l'on retrouve comme indiqué sur l'axe des ordonnées.

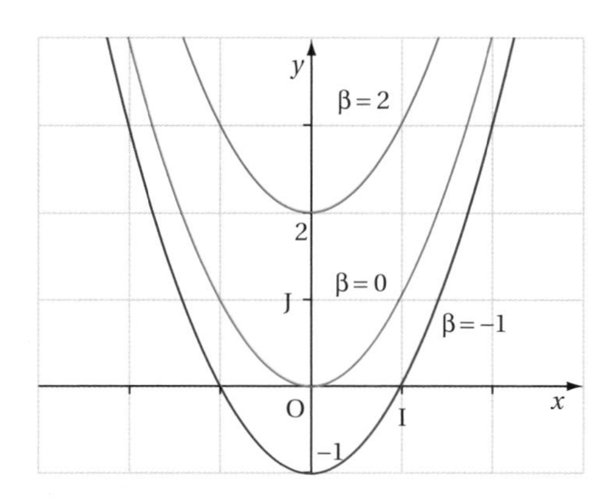

E Tableau de variation

L'allure du tableau de variation dépend du signe de a.

- $a > 0$ (forme de vase)

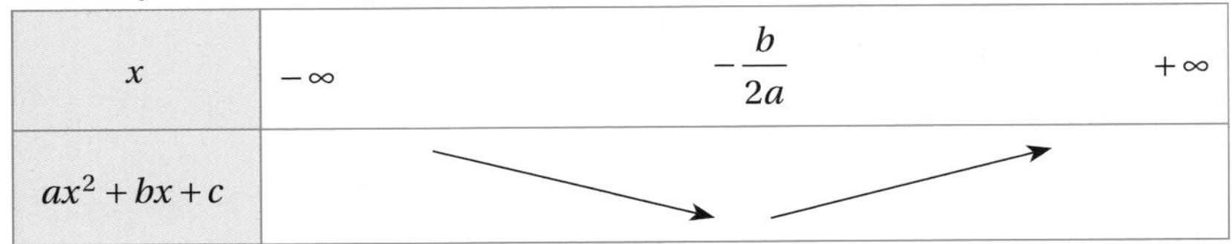

x	$-\infty$	$-\dfrac{b}{2a}$	$+\infty$
ax^2+bx+c	↘		↗

- $a < 0$ (forme de cloche)

x	$-\infty$	$-\dfrac{b}{2a}$	$+\infty$
ax^2+bx+c	↗		↘

F Axe de symétrie

Comme on peut l'observer sur les représentations graphiques, les paraboles admettent un axe de symétrie.

Son équation est $x = -\dfrac{b}{2a}$.

> L'équation n'est pas à retenir par cœur. Il faut retenir l'existence d'un axe de symétrie.

G Intersection avec les axes

- Une parabole représentant un polynôme du second degré $f(x)$ coupe **toujours** l'axe des ordonnées en un point A dont l'abscisse est égale à 0 ; son ordonnée est égale à $f(0)$ et on peut toujours la calculer.
- Une parabole représentant un polynôme du second degré $f(x)$ ne coupe pas nécessairement l'axe des abscisses. En effet, les points d'intersection éventuels ont une abscisse x qui vérifie $f(x) = 0$ et cette équation n'a pas toujours de solution.

Exemple : La parabole d'équation $y = x^2 + 1$ ne coupe pas l'axe des abscisses car il n'existe aucun réel x vérifiant $f(x) = 0$. Sa représentation graphique le montre clairement.

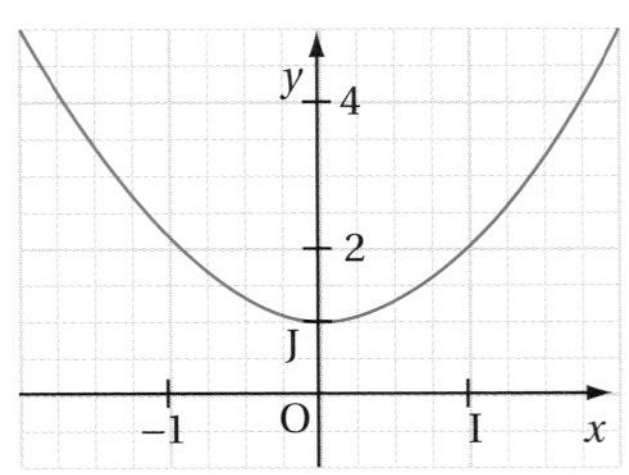

2 Fonctions homographiques

A Définition

Une fonction homographique est une fonction de la forme $x \mapsto \frac{ax+b}{cx+d}$ où a, b, c et d sont quatre nombres tels que $c \neq 0$.

Exemples : Les fonctions suivantes sont des fonctions homographiques.

Fonction	Valeurs de a	Valeurs de b	Valeurs de c	Valeurs de d
$x \mapsto \frac{1}{x}$	0	1	1	0
$x \mapsto \frac{3}{2x+1}$	0	3	2	1
$x \mapsto \frac{-2x+5}{1-3x}$	-2	5	-3	1

B Ensemble de définition

- Par une fonction homographique, tous les réels ont une image sauf celui qui annule $cx+d$. Il s'agit de $-\frac{d}{c}$.
- L'ensemble de définition d'une fonction homographique f est constitué de tous les réels qui ont une image par f.

Par conséquent l'ensemble de définition de f est constitué de tous les réels sauf $-\frac{d}{c}$. On note : $D_f = \mathbb{R} - \left\{-\frac{d}{c}\right\} = \left]-\infty\,;-\frac{d}{c}\right[\cup \left]-\frac{d}{c}\,;+\infty\right[$.

C Représentation graphique et tableau de variation

- La représentation graphique d'une fonction homographique s'appelle une hyperbole. On a représenté page suivante les hyperboles des fonctions de la forme $x \mapsto \frac{k}{x}$, k étant un réel non nul ainsi que les tableaux de variation correspondants. Les doubles barres indiquent que la valeur 0 n'a pas d'image par f.

On dit aussi que 0 est une valeur interdite.

- $k > 0$

x	$-\infty$	0	$+\infty$
$f(x)$	↘	‖	↘

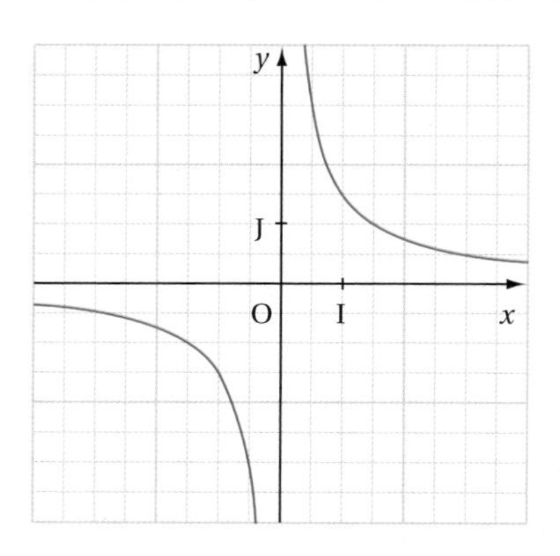

- $k < 0$

x	$-\infty$	0	$+\infty$
$f(x)$	↗	‖	↗

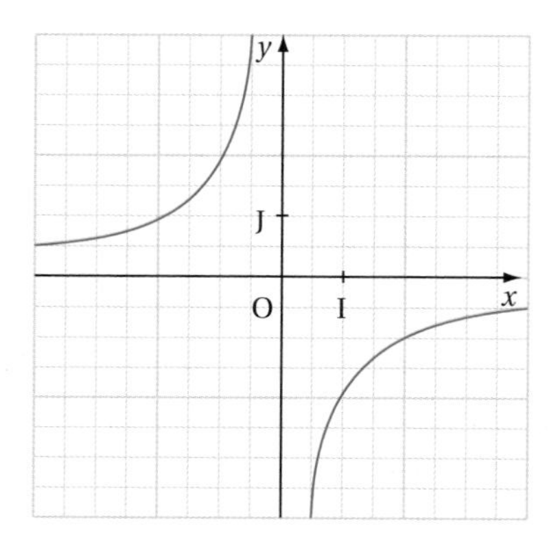

Choisir la bonne forme

ÉNONCÉ

1 Vérifier que pour tout x de $\mathbb{R}$: $2x^2 - 4x - 5 = 2(x-1)^2 - 7$.

On pose $f(x) = 2x^2 - 4x - 5$ et on note $\mathscr{C}_f$ la parabole représentant f.

2 Quelle forme est-il souhaitable de choisir pour :
a. trouver les coordonnées du point d'intersection de $\mathscr{C}_f$ avec l'axe des ordonnées ?

b. trouver le minimum de f et en quel nombre il est atteint ?

3 Dessiner l'allure de $\mathscr{C}_f$.

MÉTHODE

1 Il suffit de développer le membre de droite. On doit trouver le membre de gauche après réduction.

2 **a.** Les coordonnées du point sont $(0\ ; f(0))$.

b. On cherche le nombre m tel que, pour tout x, $f(x) \geqslant m$ et le nombre a tel que $f(a) = m$.

3 Il suffit de déterminer la forme de la parabole et de choisir judicieusement quelques points.

CORRIGÉ

1 En développant le membre de droite, on trouve :

$$2(x-1)^2 = 2(x^2 - 2x + 1) - 7 = 2x^2 - 4x + 2 - 7 = 2x^2 - 4x - 5$$

On obtient le résultat qu'il fallait démontrer.

2 **a.** On choisit la forme $2x^2 - 4x - 5$. Le calcul de $f(0)$ fournit immédiatement -5. Les coordonnées cherchées sont donc $(0\ ; -5)$.

b. On choisit la forme $2(x-1)^2 - 7$. En effet, on sait qu'un carré est toujours positif. Par conséquent : $f(x) \geqslant 0 - 7 \Rightarrow f(x) \geqslant -7$.

De plus, $f(x)=-7$ si et seulement si $2(x-1)^2=0$, ce qui équivaut à $(x-1)^2=0$, donc à $x=1$. On déduit de tout cela que la fonction f admet comme minimum le nombre -7 et que ce minimum est atteint en $x=1$.

3 La parabole est convexe. On utilise $f(0)=-5$ et le point $(1;-7)$. On obtient d'autres points à l'aide de la calculatrice.

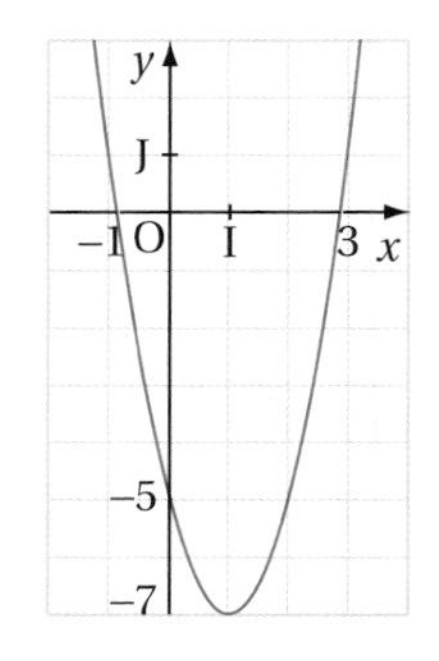

Algorithme de Syracuse

ÉNONCÉ

1 Traduire en quelques phrases les instructions de l'algorithme suivant.

```
1   VARIABLES
2       a EST_DU_TYPE NOMBRE
3       x EST_DU_TYPE NOMBRE
4       fdex EST_DU_TYPE NOMBRE
5   DEBUT_ALGORITHME
6       LIRE a
7       LIRE x
8       SI (x!=0) ALORS
9           DEBUT_SI
10          fdex PREND_LA_VALEUR a/x
11          AFFICHER " f(x) = "
12          AFFICHER fdex
13          FIN_SI
14          SINON
15              DEBUT_SINON
16              AFFICHER "L'inverse de 0 n' existe pas"
17              FIN_SINON
18  FIN_ALGORITHME
```

« $x != 0$ » signifie « $x \neq 0$ ».

2 Qu'affiche le programme si on lui donne les valeurs suivantes ?

	a	x
a.	–1	2
b.	7	0
c.	–3	4

MÉTHODE

1 Il suffit de penser à la fonction $x \mapsto \frac{a}{x}$.

2 Il peut être utile de penser en termes de calcul d'images par la fonction $x \mapsto \frac{a}{x}$.

CORRIGÉ

1 Le programme demande deux nombres a et x. Puis il examine si x est différent de 0. Si oui, alors il calcule $\frac{a}{x}$, le nomme *fdex* puis l'affiche. Sinon (si $x = 0$), il affiche « L'inverse de 0 n'existe pas ».

2

	Affichage
a.	$-\frac{1}{2}$
b.	« L'inverse de 0 n'existe pas »
c.	$-\frac{3}{4}$

SE TESTER QUIZ

Dans les questions suivantes, les axes sont construits autour d'un repère orthonormal (O ; I, J).

1 Attribuer sa courbe à trois des fonctions données. Il restera deux fonctions sans courbe.

a. $x \mapsto x^2 + 1$ **b.** $x \mapsto -x^2 + 1$ **c.** $x \mapsto (x-1)^2$

d. $x \mapsto (x+1)^2$ **e.** $x \mapsto x^2 - 1$

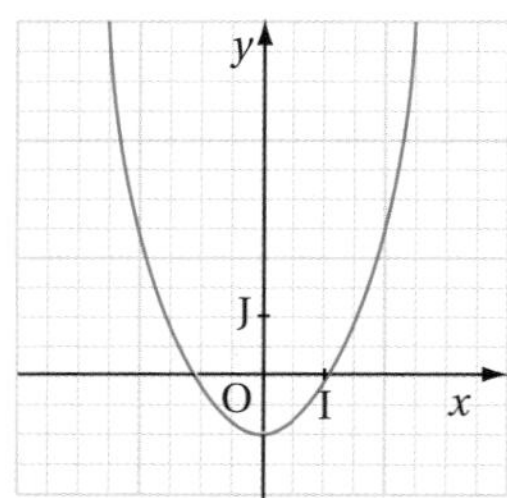

Fig. 1

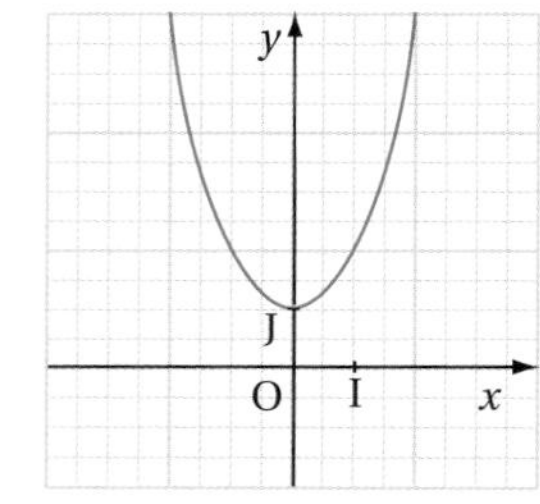

Fig. 2

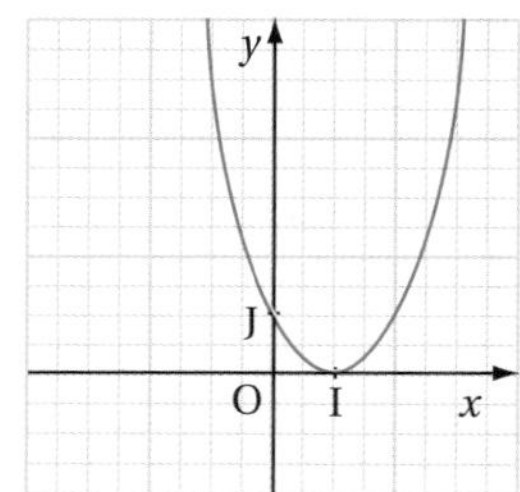

Fig. 3

2 Attribuer sa courbe à trois des fonctions données. Il restera deux fonctions sans courbe.

a. $x \mapsto -x^2 - 1$ **b.** $x \mapsto -x^2 + 1$ **c.** $x \mapsto -x^2$

d. $x \mapsto (-x)^2$ **e.** $x \mapsto -(x+1)^2$

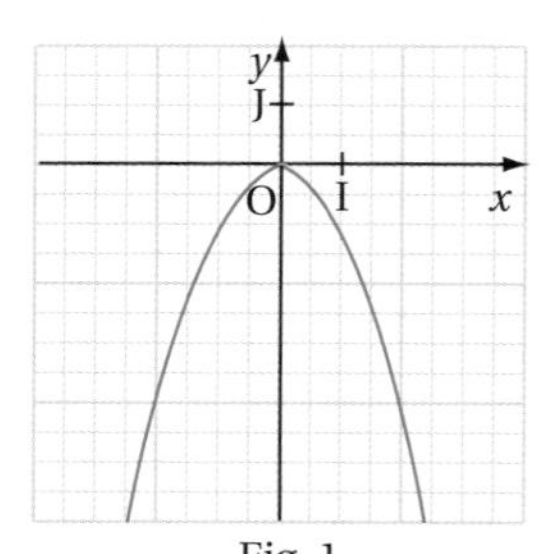

Fig. 1

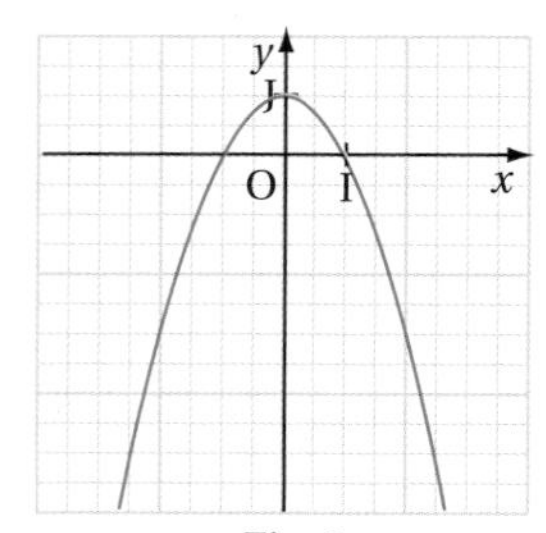

Fig. 2

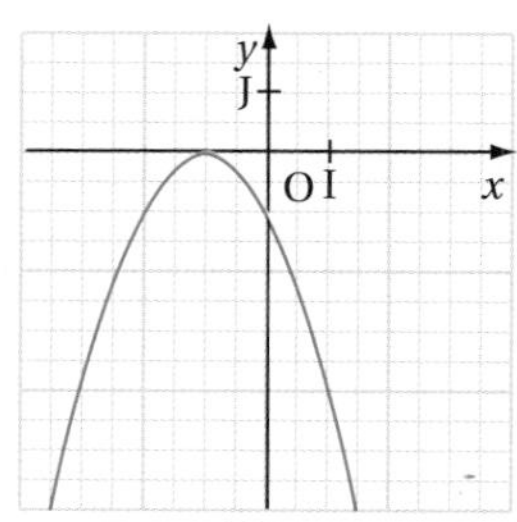

Fig. 3

3 Attribuer sa courbe à trois des fonctions données. Il restera deux fonctions sans courbe.

a. $x \mapsto 1-(x+1)^2$ b. $x \mapsto (x-1)^2+1$ c. $x \mapsto -x^2+1$

d. $x \mapsto -1-(x+1)^2$ e. $x \mapsto (x+1)^2-1$

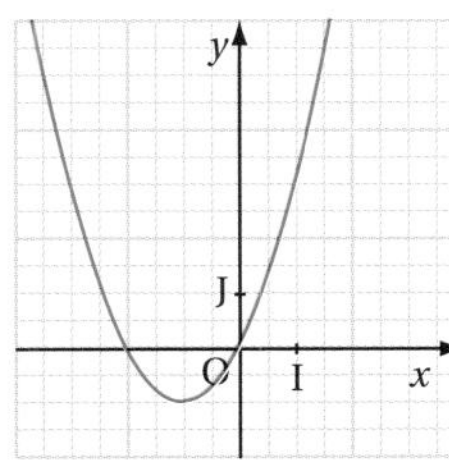

Fig. 1

y
J
O
I
x

Fig. 2

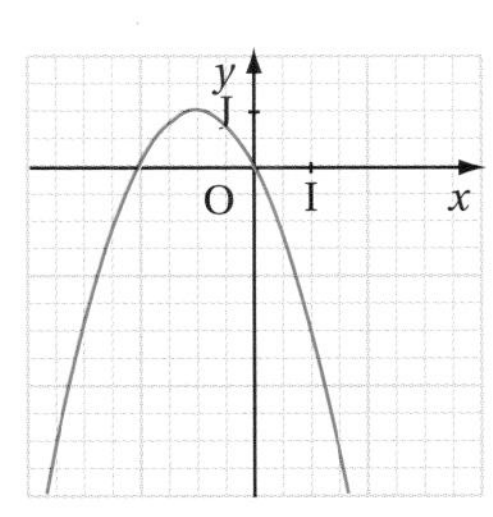

Fig. 3

4 Attribuer sa courbe à trois des tableaux de variation. Il restera un tableau de variation sans courbe.

a.

x		-1	
$f(x)$	↘	-1	↗

b.

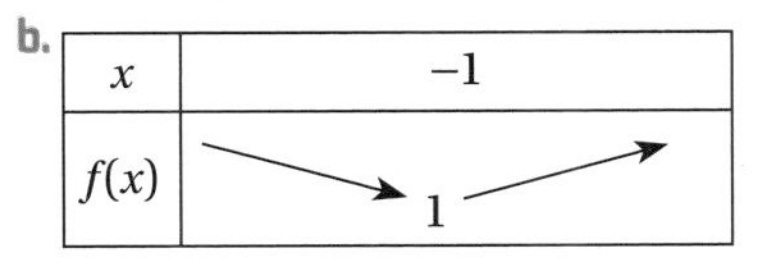

x		-1	
$f(x)$	↘	1	↗

c.

x		0	
$f(x)$	↗	1	↘

d.

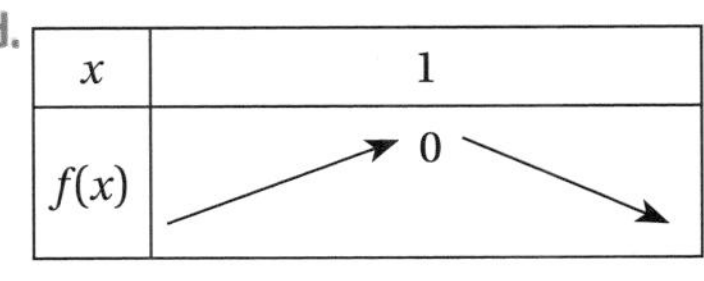

x		1	
$f(x)$	↗	0	↘

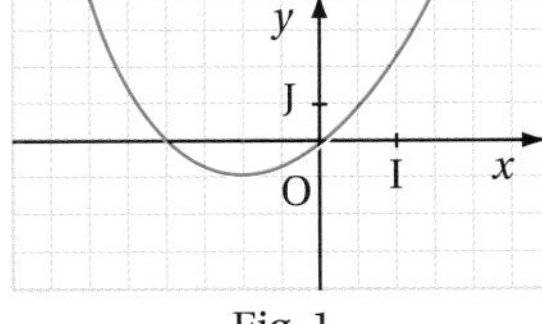

Fig. 1

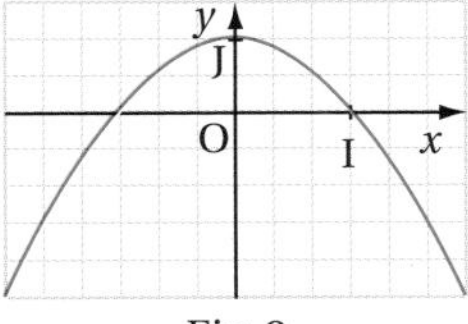

Fig. 2

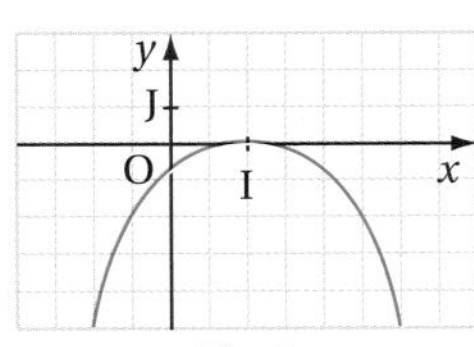

Fig. 3

5 Attribuer sa courbe à trois des fonctions données. Il restera deux fonctions sans courbe (toutes les courbes sont tracées dans le même repère).

a. $x \mapsto \dfrac{1}{x}$ **b.** $x \mapsto -\dfrac{1}{x}$ **c.** $x \mapsto \dfrac{-2}{-x}$ **d.** $x \mapsto \dfrac{-2}{x}$ **e.** $x \mapsto \dfrac{1}{2x}$

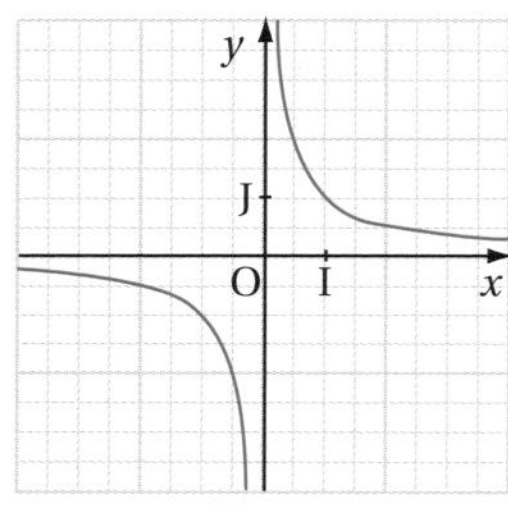

Fig. 1

Fig. 2

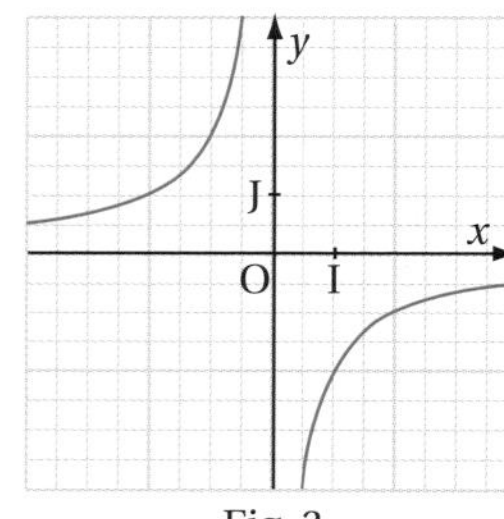

Fig. 3

S'ENTRAÎNER

Second degré et paraboles

6 Dans chaque cas, dire si la parabole représentant f a une forme de cloche ou de vase.

a. $x \mapsto (-x)^2 + 3$ **b.** $x \mapsto -x^2 + 2{,}5x - 10$ **c.** $x \mapsto \dfrac{1}{2}x^2 + 5$ **d.** $x \mapsto -3 + 5x^2$

7 Dans chaque cas, dire si la parabole représentant f a une forme de cloche ou de vase.

a. $x \mapsto -5 - (-x)^2$ **b.** $x \mapsto -2(x+7)^2 + 9$

c. $x \mapsto \dfrac{3}{5} - (5-x)^2$ **d.** $x \mapsto -\dfrac{7}{3}(6-x)^2 + 1$

8 Les paraboles suivantes sont tracées dans le même repère orthogonal. Elles représentent des fonctions de la forme $x \mapsto a(x-\alpha)^2 + \beta$. Classer les valeurs de a de chacune des fonctions dans l'ordre croissant.

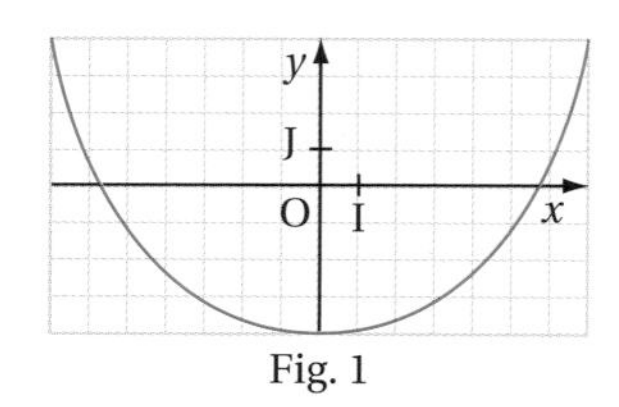

Fig. 1

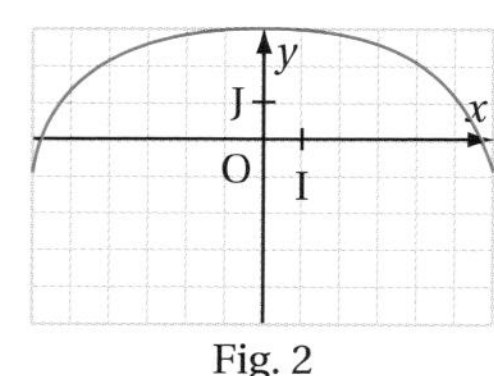

Fig. 2

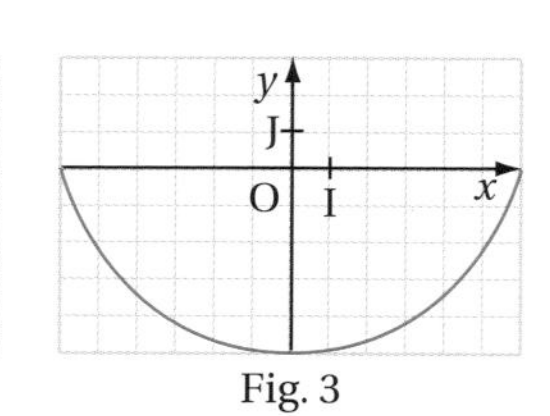

Fig. 3

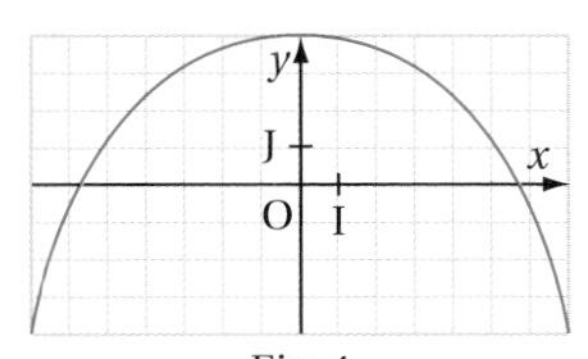

Fig. 4

Fig. 5

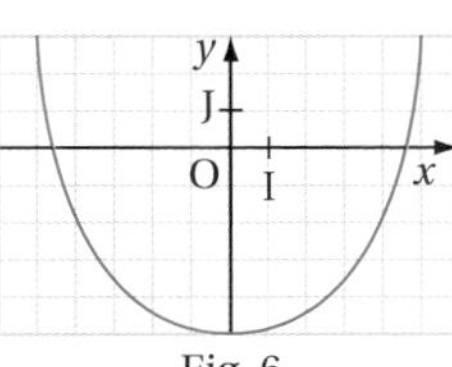

Fig. 6

9 Les paraboles suivantes sont tracées dans le même repère orthogonal. Elles représentent des fonctions de la forme $x \mapsto (x+1)^2 + \beta$. Classer les valeurs de β de chacune des fonctions dans l'ordre croissant.

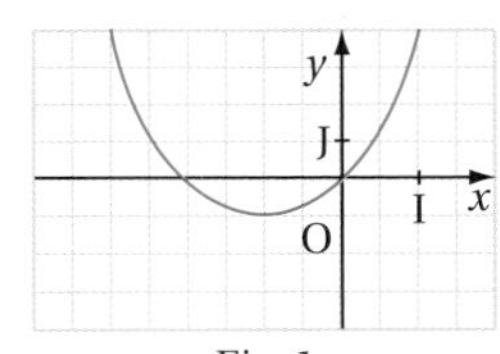

Fig. 1

Fig. 2

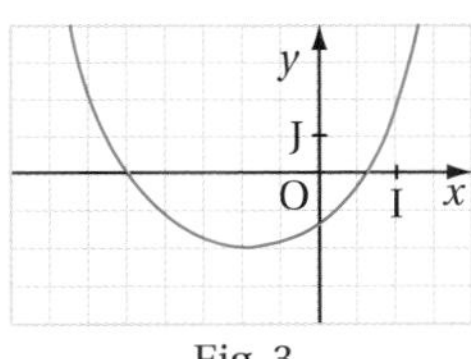

Fig. 3

10 Les paraboles suivantes sont tracées dans le même repère orthogonal. Elles représentent des fonctions de la forme $x \mapsto (x-\alpha)^2 - 1$. Classer les valeurs de α de chacune des fonctions dans l'ordre croissant.

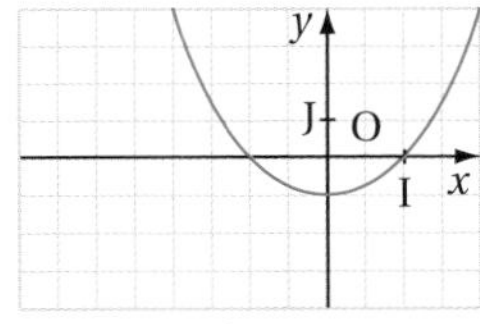

Fig. 1

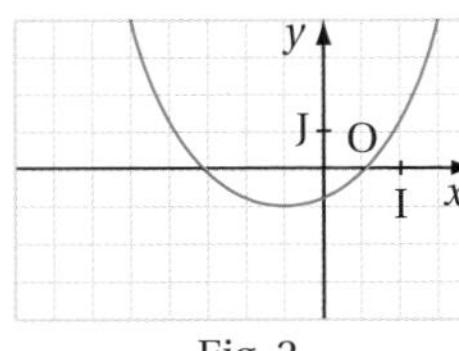

Fig. 2

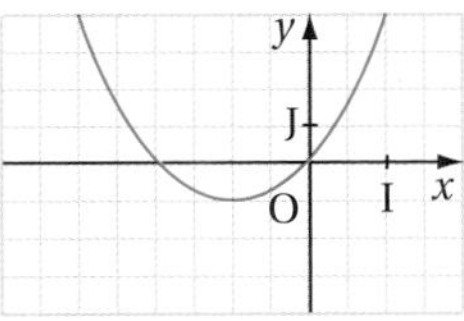

Fig. 3

11 On considère la fonction f définie par $f(x) = x^2 - 6x$.

a. Démontrer que $f(x) = (x-3)^2 - 9$.

b. En déduire le minimum de f. En quel nombre est-il atteint ?

> Développer et réduire les expressions à droite du signe « = ».

12 On considère la fonction f définie par $f(x) = -25x^2 + 30x$.

a. Démontrer que $f(x) = -(5x-3)^2 + 9$.

b. En déduire le maximum de f. En quel nombre est-il atteint ?

13 Les deux courbes sont tracées dans un même repère orthogonal dont on voit les graduations, de 1 en 1. La figure 1 est la représentation graphique de la fonction $x \mapsto x^2$. Quelle fonction f représente la figure 2 ?

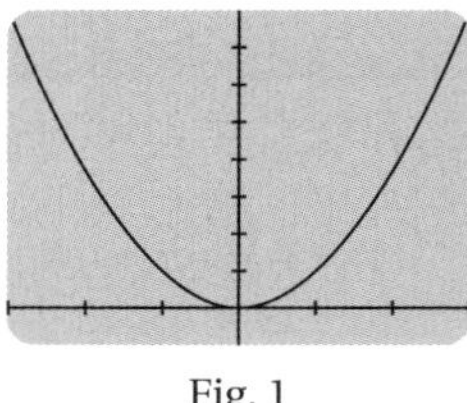
Fig. 1

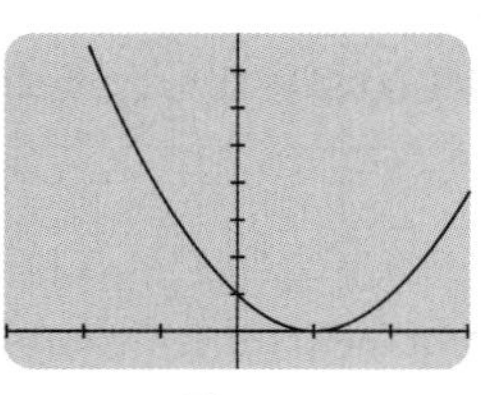
Fig. 2

14 Les deux courbes sont tracées dans un même repère orthogonal dont on voit les graduations, de 1 en 1. La figure 1 est la représentation graphique de la fonction $x \mapsto 0{,}5x^2$. Quelle fonction f représente la figure 2 ?

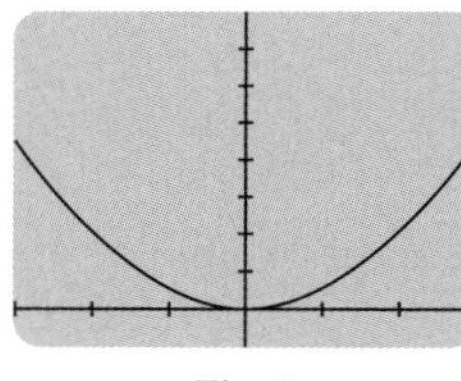
Fig. 1

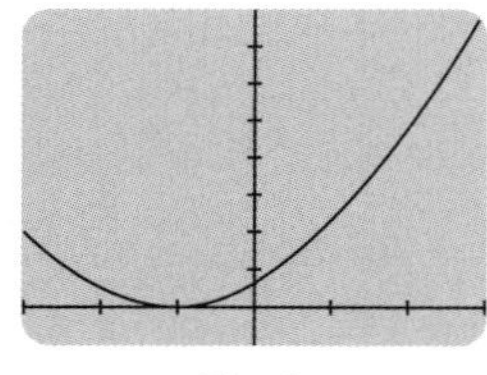
Fig. 2

15 Les deux courbes sont tracées dans un même repère orthogonal dont on voit les graduations, de 1 en 1. La figure 1 est la représentation graphique de la fonction $x \mapsto -x^2$. Quelle fonction f représente la figure 2 ?

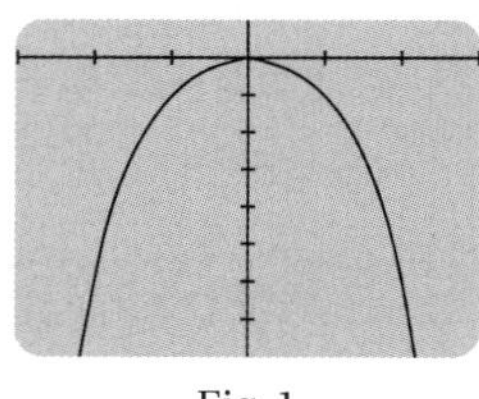
Fig. 1

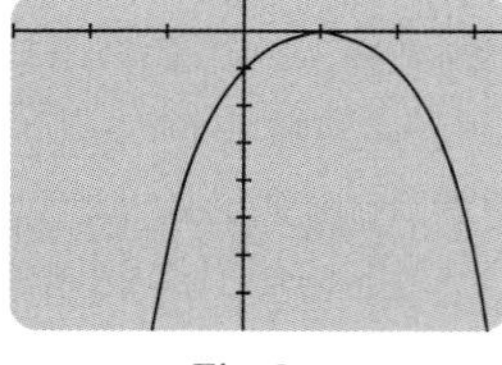
Fig. 2

16 On considère la fonction f définie par $f(x) = x^2 + 2x + 3$.

a. Calculer l'image de 0 par f.

b. Déterminer les antécédents de 3 par f.

c. Résoudre l'inéquation $f(x) \leqslant 3$.

17 On considère la fonction f définie par $f(x)=-5x^2+x-2$.

a. Calculer $f(0)$.

b. Déterminer les antécédents de -2 par f.

c. Résoudre l'inéquation $f(x)>-2$.

18 On considère la fonction f définie par $f(x)=7x^2-6x-1$.

a. Démontrer que pour tout x : $f(x)=(7x+1)(x-1)$.

b. Résoudre l'inéquation $f(x)\leqslant 0$.

19 On considère la fonction f définie par $f(x)=3x^2+7x+4$.

1. Vérifier que $f(x)=3(x+1)\left(x+\dfrac{4}{3}\right)$ et $f(x)=3\left(x+\dfrac{7}{6}\right)^2-\dfrac{1}{12}$.

2. Utiliser la forme la mieux adaptée pour calculer :

a. $f(-1)$ **b.** $f\left(-\dfrac{7}{6}\right)$ **c.** $f(0)$

On pourra se reporter à la fiche méthode.

20 On considère la fonction f définie par $f(x)=-x^2-x+6$ et sa courbe $\mathscr{C}_f$.

1. Vérifier que $f(x)=(2-x)(x+3)=-\left(x+\dfrac{1}{2}\right)^2+\dfrac{25}{4}$.

2. Utiliser la forme la mieux adaptée pour déterminer :

a. l'antécédent de $\dfrac{25}{4}$;

b. les coordonnées du point d'intersection de $\mathscr{C}_f$ avec l'axe des ordonnées ;

c. les coordonnées des points d'intersection de $\mathscr{C}_f$ avec l'axe des abscisses.

Fonctions homographiques

21 Parmi les fonctions suivantes décrites telles qu'elles ont été saisies sur une calculatrice, quelles sont celles qui sont des fonctions homographiques ?

$y1 = x+\dfrac{1}{x}$

$y2 = \dfrac{x}{3x+2}$

$y3 = 1+\dfrac{2}{x}$

22 Quel est l'ensemble de définition des fonctions suivantes ?

a. $x \mapsto \dfrac{3}{x+1}$ b. $x \mapsto 1+\dfrac{2}{5x-1}$ c. $x \mapsto \dfrac{1-x}{4+x}$ d. $x \mapsto -\dfrac{3x}{-x+7}$

23 Parmi les fonctions suivantes décrites telles qu'elles ont été saisies sur une calculatrice, déterminer celles qui sont des fonctions homographiques et déterminer leur ensemble de définition.

$$y1 = \frac{1}{-2x} + 3$$

$$y2 = \frac{x+1}{x+2}$$

$$y3 = \frac{x}{x+3} - 2$$

24 a. Décrire en quelques mots l'action de l'algorithme suivant.

```
1    VARIABLES
2        x EST_DU_TYPE NOMBRE
3        fdex EST_DU_TYPE NOMBRE
4        k EST_DU_TYPE NOMBRE
5    DEBUT_ALGORITHME
6        POUR k ALLANT_DE 0 A 10
7            DEBUT_POUR
8            x PREND_LA_VALEUR k/2
9            fdex PREND_LA_VALEUR x*x–3*x+2
10           AFFICHER "f( "
11           AFFICHER x
12           AFFICHER ")= "
13           AFFICHER fdex
14           AFFICHER ";"
15           FIN_POUR
16   FIN_ALGORITHME
```

Les instructions AFFICHER sont destinées à rendre pl[us] lisible la sortie des donnée[s]

b. Parmi les nombres suivants, quels sont ceux qui seront affichés ?
$f(1{,}5)$; $f(-1)$; $f(5)$; $f(10)$; $f(3{,}5)$.

PROBLÈMES

25 On considère le rectangle représenté sur la figure ci-dessous. Il est à l'intérieur d'un triangle rectangle dont les deux côtés de l'angle droit valent respectivement, en centimètre, 20 et 30 ; l'une des dimensions du rectangle est x. L'objet du problème est de trouver la valeur de x pour laquelle l'aire du rectangle est maximale.

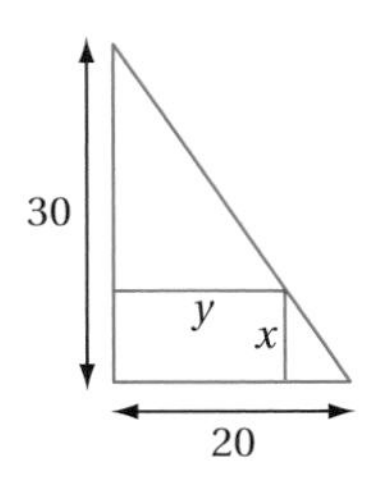

a. Donner la dimension y du rectangle en fonction de x.
b. Exprimer l'aire du rectangle en fonction de x.
On doit trouver $-\frac{2}{3}x^2 + 20x$.

Pensez au théorème de Thalès.

c. Trouver deux réels b et c tels que pour tout x :

$$-\frac{2}{3}x^2 + 20x = -\frac{2}{3}(x+b)^2 + c.$$

d. Déduire, de l'étude précédente, la solution du problème.

Développez, réduisez le membre de droite de l'égalité et procédez par identification.

26 L'objet du problème est de trouver les rectangles de périmètre donné qui ont une aire maximum. On appelle x et y les mesures des côtés d'un rectangle de périmètre p donné. Dans un premier temps, on prend $p = 20$. (L'unité est le centimètre.)
a. Exprimer y en fonction de x.
b. Exprimer l'aire d'un rectangle de périmètre 20 en fonction de x.
c. Démontrer que cette aire peut s'écrire sous la forme $-(x+b)^2 + c$, b et c étant à trouver.
d. Résoudre le problème dans le cas où $p = 20$.
e. Résoudre le problème dans le cas général, c'est-à-dire lorsque p est égal à… p.

Développez, réduisez le membre de droite de l'égalité et procédez par identification.

SE TESTER

1 **a.** Fig. 2. Le minimum est 1, atteint en 0.

b. Sans courbe ici.
c. Fig. 3. La fonction s'annule si et seulement si $x=1$.
d. Sans courbe ici.
e. Fig. 1. La fonction s'annule si et seulement si $x=-1$ ou $x=1$. En outre, $a=1$, donc $a>0$.

2 **a.** Sans courbe ici.

b. Fig. 2. La fonction s'annule si et seulement si $x=-1$ ou $x=1$. En outre, $a=-1$, donc $a<0$.

c. Fig. 1. $-x^2$ est l'opposé de x^2.

d. Sans courbe ici. $(-x)^2=x^2$

e. Fig. 3. La fonction s'annule si et seulement si $x=-1$.

3 **a.** Fig. 3. Forme de cloche car $a=-1$, donc $a<0$. La fonction s'annule en 0 et -2.

b. Fig. 2. Le minimum est 1 et il est atteint en 1.
c. Sans courbe ici.
d. Sans courbe ici.
e. Fig. 1. Forme de vase car $a=1$, donc $a>0$. La fonction s'annule en 0 et -2.

> **a.** $1-(x+1)^2=(1-x-1)(1+x+1)=-x(x+2)$
> **e.** $(x+1)^2-1=(x+1-1)(x+1+1)=x(x+2)$

4 **a.** Fig. 1. Le minimum est égal à -1 : $f(-1)=-1$.
b. Sans courbe ici.
c. Fig. 2. Le maximum est égal à 1 : $f(0)=1$.
d. Fig. 3. Le maximum est égal à 0 : $f(1)=0$.

5 **a.** Fig. 1. La fonction est décroissante sur $]-\infty\,;0[$ et sur $]0\,;+\infty[$ et $f(1)=1$.

b. Fig. 2. La fonction est croissante sur $]-\infty\,;0[$ et sur $]0\,;+\infty[$ et $f(1)=-1$.

c. Sans courbe ici. $\dfrac{-2}{-x}=\dfrac{2}{x}$. Cette fonction est décroissante sur $]-\infty\,;0[$ et sur $]0\,;+\infty[$. La seule courbe représentant une telle fonction est déjà prise.

d. Fig. 3. La fonction est croissante sur $]-\infty\,;0[$ et sur $]0\,;+\infty[$ et $f(1)=-2$.
e. Sans courbe ici.

S'ENTRAÎNER

6 a. Vase. $(-x)^2+3=x^2+3$; $a=1$, donc $a>0$.

b. Cloche. $a=-1$, donc $a<0$.

c. Vase. $a=\frac{1}{2}$, donc $a>0$.

d. Vase. $a=5$, donc $a>0$.

7 a. Cloche. $-5-(-x)^2=-x^2-5$; $a=-1$, donc $a<0$.

b. Cloche. $a=-2$, donc $a<0$.

c. Cloche. $\frac{3}{5}-(5-x)^2=\frac{3}{5}-(25-10x+x^2)$; $a=-1$, donc $a<0$.

d. Cloche. $-\frac{7}{3}(6-x)^2+1=-\frac{7}{3}(36-12x+x^2)+1$; $a=-\frac{7}{3}$, donc $a<0$.

8 On note a_1, a_2, a_3, a_4, a_5 et a_6 les six valeurs de a correspondant respectivement aux figures 1 à 6. On classe d'abord les « cloches », obtenues avec des valeurs négatives de a. Parmi celles-ci, la moins évasée est la parabole de la figure 5 et la plus évasée est la parabole de la figure 2. Donc $a_5<a_4<a_2$.
Pour les formes en cloche, la parabole de la figure 3 étant la plus évasée et la parabole, de la figure 6 étant la moins évasée, on a : $a_3<a_1<a_6$.
Donc : $a_5<a_4<a_2<a_3<a_1<a_6$.

9 Le nombre β est le minimum de la fonction. On appelle β_1, β_2 et β_3 les minimums respectifs correspondant aux figures 1 à 3. $\beta_1=-1$, $\beta_2=1$, $\beta_3=-2$. On a donc : $\beta_3<\beta_1<\beta_2$.

> Pour tout x, $(x+1)^2+\beta \geqslant \beta$ car $(x+1)^2 \geqslant 0$. Donc β est le minimum de f.

10 Le nombre α est l'abscisse du minimum de la fonction. On appelle α_1, α_2 et α_3 les abscisses respectives correspondant aux figures 1 à 3. $\alpha_1=0$, $\alpha_2=-0{,}5$, $\alpha_3=-1$. On a donc : $\alpha_3<\alpha_2<\alpha_1$.

11 a. Pour tout x : $(x-3)^2-9=(x^2-6x+9)-9=x^2-6x=f(x)$.

b. Pour tout x, $(x-3)^2\geqslant 0$, donc $f(x)\geqslant -9$. Comme $f(3)=-9$, on en déduit que f a pour minimum -9 et que ce minimum est atteint en 3.

12 a. Pour tout x :

$$-(5x-3)^2+9=-(25x^2-30x+9)+9=-25x^2+30x-9+9=f(x)$$

b. Pour tout x, $-(5x-3)^2 \leqslant 0$, donc $f(x) \leqslant 9$. Comme $f\left(\frac{3}{5}\right)=9$, on en déduit que f a pour maximum 9 et que ce maximum est atteint en $\frac{3}{5}$.

13 La parabole de la figure 2 se déduit de la figure 1 en la translatant horizontalement vers la droite d'une unité. La fonction f représentée est donc $x \mapsto (x-1)^2$. On constate que $f(1)=0$.

14 La parabole de la figure 2 se déduit de la figure 1 en la translatant horizontalement vers la gauche d'une unité. La fonction f représentée est donc $x \mapsto 0{,}5(x+1)^2$. On constate que $f(-1)=0$.

15 La parabole de la figure 2 se déduit de la figure 1 en la translatant horizontalement vers la droite d'une unité. La fonction f représentée est donc $x \mapsto -(x-1)^2$. On constate que $f(1)=0$.

16 a. Puisque $f(0)=3$, l'image de 0 par f est égale à 3.

b. On résout $f(x)=3$, équivalente à $x^2+2x=0$. Donc $x(x+2)=0$.
Les solutions étant 0 et -2, on en déduit que les antécédents de 3 sont 0 et -2.
c. L'inéquation $f(x) \leqslant 3$ équivaut à $x^2+2x \leqslant 0$, donc $x(x+2) \leqslant 0$.
On dresse un tableau de signes :

x	$-\infty$		-2		0		$+\infty$
x		$-$		$-$	0	$+$	
$x+2$			0	$+$		$+$	
$x(x+2)$		$+$	0	$-$	0	$+$	

On en déduit que les solutions de l'inéquation proposée sont les nombres de $[-2;0]$.

17 **a.** On trouve $f(0) = -2$.

b. On doit résoudre : $f(x) = -2$.

$f(x) = -2$ est équivalent à $-5x^2 + x = 0$, donc à $x(-5x+1) = 0$.

Les solutions étant 0 et $\frac{1}{5}$, on en déduit que les antécédents de -2 sont 0 et $\frac{1}{5}$.

c. L'inéquation $f(x) > -2$ équivaut à $-5x^2 + x > 0$, donc à $x(-5x+1) > 0$.
On dresse le tableau de signes :

x	$-\infty$		0		$\frac{1}{5}$		$+\infty$
$-5x+1$		$+$		$+$	0	$-$	
x		$-$	0	$+$		$+$	
$x(-5x+1)$		$-$	0	$+$	0	$-$	

On en déduit que les solutions de l'inéquation proposée sont les nombres de l'intervalle $\left]0\ ;\ \frac{1}{5}\right[$.

18 **a.** Pour tout x :

$(7x+1)(x-1) = 7x^2 - 7x + x - 1 = 7x^2 - 6x - 1 = f(x)$.

b. L'inéquation $f(x) \leqslant 0$ équivaut à $(7x+1)(x-1) \leqslant 0$.

x	$-\infty$		$-\frac{1}{7}$		1		$+\infty$
$x-1$		$-$		$-$	0	$+$	
$7x+1$		$-$	0	$+$		$+$	
$(x-1)(7x+1)$		$+$	0	$-$	0	$+$	

On en déduit que les solutions de l'inéquation proposée sont les nombres de l'intervalle $\left[-\frac{1}{7}\ ;1\right]$.

19 On note (1) la forme $3x^2+7x+4$.

1. Pour tout x :

$$3(x+1)\left(x+\frac{4}{3}\right)=3\left(x^2+\frac{4}{3}x+x+\frac{4}{3}\right)=3\left(x^2+\frac{7}{3}x+\frac{4}{3}\right)=3x^2+7x+4=f(x)$$

On note (2) la forme : $3(x+1)\left(x+\frac{4}{3}\right)$.

De plus, pour tout x :

$$3\left(x+\frac{7}{6}\right)^2-\frac{1}{12}=3\left(x^2+\frac{7}{3}x+\frac{49}{36}\right)-\frac{1}{12}=3x^2+7x+\frac{49}{12}-\frac{1}{12}$$

$$=3x^2+7x+\frac{48}{12}=f(x)$$

On note (3) la forme : $3\left(x+\frac{7}{6}\right)^2-\frac{1}{12}$.

2. **a.** $f(-1)=0$ par la forme (2). Pour qu'un produit de facteurs soit nul, il faut et il suffit que l'un des deux facteurs soit nul.

Utilisez la forme qui conduit à un minimum de calculs.

b. $f\left(-\frac{7}{6}\right)=-\frac{1}{12}$ par la forme (3).

c. $f(0)=4$ par la forme (1).

20 On note (1) la forme : $-x^2-x+6$.

1. Pour tout x : $(2-x)(x+3)=2x+6-x^2-3x=-x^2-x+6=f(x)$.

On note (2) la forme : $(2-x)(x+3)$.

De plus, pour tout x :

$$-\left(x+\frac{1}{2}\right)^2+\frac{25}{4}=-\left(x^2+x+\frac{1}{4}\right)+\frac{25}{4}=-x^2-x-\frac{1}{4}+\frac{25}{4}$$

$$=-x^2-x+\frac{24}{4}=f(x)$$

On note (3) la forme : $-\left(x+\frac{1}{2}\right)^2+\frac{25}{4}$.

2. **a.** On cherche x tel que $f(x)=\frac{25}{4}$. Par la forme (3), on trouve $\left(x+\frac{1}{2}\right)^2=0$.

Donc $x=-\frac{1}{2}$.

b. Le point d'intersection de $\mathscr{C}_f$ avec l'axe des ordonnées a pour abscisse 0. Son ordonnée est égale à $f(0)$. En utilisant la forme (1), on trouve 6.

c. L'ordonnée des points d'intersection de $\mathscr{C}_f$ avec l'axe des abscisses est égale à 0. On cherche donc x tel que $f(x)=0$. Par la forme (2), on trouve -3 et $2 : (2-x)(x+3)=0 \Leftrightarrow 2-x=0$ ou $x+3=0$.

21 Seules y_1 et y_2 sont des fonctions homographiques.

Fonction	Homographique	Justification
y_1	Non	$x+\frac{1}{x}=\frac{x^2+1}{x}$ et le numérateur est du second degré.
y_2	Oui	$a=1,\ b=0,\ c=3,\ d=2$
y_3	Oui	$1+\frac{2}{x}=\frac{x+2}{x}$. Donc $a=1,\ b=2,\ c=1$ et $d=0$.

22

Fonction	Ensemble de définition	Justification
a.	$\mathbb{R}-\{-1\}=]-\infty\,;-1[\cup]-1\,;+\infty[$	On doit avoir $x+1\neq 0$.
b.	$\mathbb{R}-\left\{\frac{1}{5}\right\}=\left]-\infty\,;\frac{1}{5}\right[\cup\left]\frac{1}{5}\,;+\infty\right[$	On doit avoir $5x-1\neq 0$.
c.	$\mathbb{R}-\{-4\}=]-\infty\,;-4[\cup]-4\,;+\infty[$	On doit avoir $4+x\neq 0$.
d.	$\mathbb{R}-\{7\}=]-\infty\,;7[\cup]7\,;+\infty[$	On doit avoir $-x+7\neq 0$.

Les réponses reposent sur le fait que la division par 0 est une opération impossible.

23 Les trois fonctions sont homographiques.

Fonction	Ensemble de définition	Justification
y_1	$\mathbb{R}-\{0\}=]-\infty\,;0[\cup]0\,;+\infty[$	$\frac{1}{-2x}+3=\frac{1-6x}{-2x}$ et on doit avoir $-2x\neq 0$.
y_2	$\mathbb{R}-\{-2\}=]-\infty\,;-2[\cup]-2\,;+\infty[$	On doit avoir $x+2\neq 0$.
y_3	$\mathbb{R}-\{-3\}=]-\infty\,;-3[\cup]-3\,;+\infty[$	$\frac{x}{x+3}-2=\frac{x-2(x+3)}{x+3}=\frac{-x-6}{x+3}$ et on doit avoir $x+3\neq 0$.

24 **a.** Il s'agit de calculer $f(x)$ (dont le contenu est situé dans la variable nommée *fdex*) pour les valeurs de x allant de 0 à 5 par sauts de 0,5. La boucle « Pour k allant de 0 à 10 » impose à k de prendre les 11 valeurs entières de 0 (compris) à 10 (compris). Chacune de ces valeurs est divisée par 2 et est stockée dans la variable nommée x.

L'affichage des six premiers résultats sera donc :

```
*** Algorithme lancé ***
f(0) = 2 ; f(0.5) = 0.75 ; f(1) = 0 ; f(1.5) = –0.25 ; f(2) = 0 ; f(2.5) = 0.75
*** Algorithme terminé ***
```

b. Parmi les valeurs données, seules $f(1,5)$, $f(3,5)$ et $f(5)$ seront affichées.

PROBLÈMES

25 **a.** D'après le théorème de Thalès appliqué dans le grand triangle rectangle :

$$\frac{y}{20}=\frac{30-x}{30}, \text{ donc } \frac{y}{20}=1-\frac{x}{30},\ y=20\left(1-\frac{x}{30}\right)=20-\frac{2}{3}x.$$

b. L'aire du rectangle est : $xy=x\left(20-\frac{2}{3}x\right)=20x-\frac{2}{3}x^2=-\frac{2}{3}x^2+20x.$

c. $-\frac{2}{3}x^2+20x=-\frac{2}{3}\left(x^2-30x\right)=-\frac{2}{3}\left(x^2-30x+225-225\right)$

$$=-\frac{2}{3}\left[(x-15)^2-225\right] \text{ car } 15^2=225.$$

D'où $-\frac{2}{3}x^2+20x=-\frac{2}{3}(x-15)^2+\frac{2\times 225}{3}=-\frac{2}{3}(x-15)^2+150.$

Pour résoudre cette question, on peut aussi procéder ainsi :

$$-\frac{2}{3}(x+b)^2+c=-\frac{2}{3}\left(x^2+2bx+b^2\right)+c=-\frac{2}{3}x^2-\frac{4}{3}bx-\frac{2}{3}b^2+c.$$

Puisqu'on doit avoir $-\frac{2}{3}x^2+20x=-\frac{2}{3}x^2-\frac{4}{3}bx-\frac{2}{3}b^2+c$ pour tout réel x,

alors on a nécessairement $20=-\frac{4}{3}b$ et $0=-\frac{2}{3}b^2+c$.

De la première équation, on déduit $b=-\frac{60}{4}=-15$.

De la seconde, on déduit $c=\frac{2}{3}b^2=\frac{2}{3}\times 225=150$.

d. Pour tout réel x, $-\frac{2}{3}(x-15)^2+150\leqslant 150$ et l'égalité a lieu si $x=15$.

Donc $-\frac{2}{3}x^2+20x\leqslant 150$.

Par conséquent, le maximum de la fonction qui à x associe $-\frac{2}{3}x^2+20x$ est atteint au point d'abscisse 15 et vaut 150. L'aire maximale cherchée vaut donc 150 cm^2 et on doit choisir $x=15$ pour qu'il en soit ainsi.

À l'aire maximale, on voit que le rectangle est un carré de côté 15 cm.

26 **a.** Puisque $x+y=10$ (c'est le demi-périmètre), on a : $y=10-x$.
b. L'aire du rectangle de périmètre 20 est donc égale à $x(10-x)$, soit $-x^2+10x$.
c. Pour tout x :

$$-x^2+10x=-\left(x^2-10x+25-25\right)=-\left[(x-5)^2-25\right]=-(x-5)^2+25.$$

Il vient donc : $b=-5$ et $c=25$.

On peut aussi procéder par identification :

$$-(x+b)^2+c=-\left(x^2+2bx+b^2\right)+c=-x^2-2bx-b^2+c.$$

Puisqu'on doit avoir $-x^2+10x=-x^2-2bx-b^2+c$ pour tout réel x, alors on a nécessairement : $10=-2b$ et $0=-b^2+c$.

De la première équation, on déduit $b=-5$ et de la seconde $c=b^2=25$.
d. Puisque $-x^2+10x\leqslant 25$, le maximum de l'aire est atteint lorsque $x=5$. On trouve alors $y=5$, ce qui signifie que le rectangle cherché est un carré.
e. « Il suffit » de remplacer 20 par p dans tous les calculs des questions précédentes. On trouve $y=\frac{p}{2}-x$ puis l'aire : $-x^2+\frac{p}{2}x$.
Ensuite on obtient :

$$-x^2+\frac{p}{2}x=-\left(x^2-\frac{p}{2}x\right)=-\left(x^2-2\frac{p}{4}x+\frac{p^2}{16}-\frac{p^2}{16}\right)$$
$$=-\left[\left(x-\frac{p}{4}\right)^2-\frac{p^2}{16}\right]=-\left(x-\frac{p}{4}\right)^2+\frac{p^2}{16}.$$

Cela montre que le maximum de la fonction définie par $f(x)=-x^2+\frac{p}{2}x$ vaut $\frac{p^2}{16}$. Il est atteint pour $x=\frac{p}{4}$.

Autrement dit, $x=y$, car $y=\frac{p}{2}-x$.

Le rectangle d'aire maximale est un carré de côté $\frac{p}{4}$.

www.annabac.com

CHAPITRE

7 Statistiques

Des mots comme « sondage », « échantillon », « prévision », « moteur de recherche » rythment désormais notre existence. En termes mathématiques, ils ont un point en commun : le traitement des données. À condition de répertorier les données, de les classer, de les interpréter, les statistiques (ou la statistique) éclairent les masses de données.

1 Vocabulaire

A Vocabulaire de base

- En statistique, il existe un vocabulaire particulier. Un ensemble s'appelle une **population** et les éléments de l'ensemble sont des **individus**. Une trousse de lycéen peut ainsi être une population dont les individus sont les objets contenus dans la trousse.

- L'étude de la population s'effectue sous plusieurs angles. Parmi les objets de la trousse, on peut étudier, par exemple, les individus servant à écrire ; pour cela, on définit le **caractère** « écriture » ; les **modalités** de ce caractère sont par exemple : stylo-bille, stylo-plume, crayon noir, feutre ; en étudiant la trousse sous cet aspect, on constate que l'on compte chaque modalité un certain nombre de fois ; ce nombre s'appelle l'**effectif** de la modalité. Dire que la modalité feutre a pour effectif 5 signifie qu'il y a cinq feutres dans la trousse.

- Si maintenant on étudie une population de marguerites, on peut s'intéresser au nombre de pétales par fleur ; pour cela, on définit le caractère « nombre de pétales » et les **valeurs** de ce caractère sont les nombres 0, 1, 2, 3, ...

Dire que la valeur 15 a pour effectif 10 signifie qu'il y a 10 marguerites qui ont 15 pétales.

- On peut répartir les valeurs d'un caractère quantitatif en classes ; une **classe** est constituée des valeurs qui sont comprises entre deux valeurs choisies ; c'est donc un intervalle qui est soit fermé, soit ouvert, soit semi-ouvert.

Chacune des valeurs du caractère doit être dans une classe et une seule.

B Vocabulaire complémentaire

■ Un caractère est appelé **qualitatif** si on lui attribue des modalités ; lorsqu'on lui attribue des valeurs (c'est-à-dire des nombres), on dit qu'il est **quantitatif**. C'est ainsi que le caractère « écriture » du paragraphe précédent est qualitatif tandis que le caractère « nombre de pétales » est quantitatif.

On peut n'étudier que des caractères quantitatifs : à l'aide d'un codage approprié (1 = stylo-bille, 2 = stylo-plume, 3 = crayon noir...), on convertit les modalités en valeurs ; de qualitatif, le caractère devient quantitatif.

■ L'**étendue** d'une série statistique relative à un caractère quantitatif est la différence entre sa plus grande et sa plus petite valeur.

2 Fréquences

On considère une population dont l'effectif total est N ; on appelle fréquence d'une valeur dont l'effectif est p le nombre $\frac{p}{N}$. Ce nombre est donc inférieur ou égal à 1 et il est souvent exprimé en pourcentage.

La somme de toutes les fréquences est égale à 1 (ou 100 %).

Exemple

Voici les résultats d'une étude statistique portant sur une population de bouquetins des Alpes. Le caractère est l'âge.

Nombre d'années (âge)	1	2	3	4	5	6	7	8	9
Effectif	11	7	10	8	5	7	4	1	1

L'effectif total de cette population est 54.

En prenant des valeurs approchées ($11:54 \approx 0,2$, $7:54 \approx 0,13$, etc.), on dresse le tableau des fréquences.

Nombre d'années (âge)	1	2	3	4	5	6	7	8	9
Fréquence (valeurs approchées)	0,2	0,13	0,18	0,15	0,09	0,13	0,07	0,02	0,02
Fréquence en pourcentage	20 %	13 %	18 %	15 %	9 %	13 %	7 %	2 %	2 %

On trouve 99 % au total, car les valeurs sont approchées.

3 Cumuls

A Effectifs et fréquences cumulés

- Pour un caractère quantitatif, l'effectif cumulé croissant d'une valeur v est le nombre d'individus concernés par les valeurs inférieures ou égales à v.

Exemple

Voici les notes obtenues à un test de mathématiques dans une classe de Seconde de 25 élèves :

Note	5	8	10	11	12	14	15	16	18	20
Effectif	1	3	5	2	7	2	1	1	2	1
Effectif cumulé croissant	1	4	9	11	18	20	21	22	24	25

L'effectif cumulé croissant de la valeur 12 est égal à 18.

On voit ainsi qu'il y a 18 élèves qui ont eu une note inférieure ou égale à 12.

- Pour un caractère quantitatif, l'effectif cumulé décroissant d'une valeur v est le nombre d'individus concernés par les valeurs supérieures ou égales à v.

Exemple

Note	5	8	10	11	12	14	15	16	18	20
Effectif	1	3	5	2	7	2	1	1	2	1
Effectif cumulé décroissant	25	24	21	16	14	7	5	4	3	1

En reprenant l'exemple précédent, on voit ainsi que l'effectif cumulé décroissant de la valeur 11 est égal à 16.

Il y a 16 élèves qui ont une note supérieure ou égale à 11.

- On définit d'une façon tout à fait analogue les *fréquences* cumulées croissantes et décroissantes.

B Courbes cumulatives

En étudiant la répartition des notes (de 0 à 4) d'un devoir de mathématiques, on obtient la répartition suivante :

Note	0	1	2	3	4
Effectif	4	10	3	6	5
Effectif cumulé croissant	4	14	17	23	28
Effectif cumulé décroissant	28	24	14	11	5

Si à la place des effectifs, on considère les fréquences, on obtient des courbes de fréquences cumulées.

Les graphiques ci-contre représentent respectivement les courbes des effectifs cumulés croissants et décroissants associés au caractère étudié.

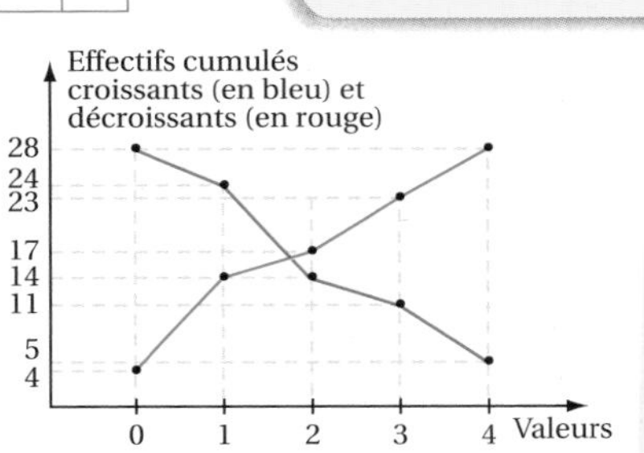

4 Moyenne

Voici la répartition des mesures en amètres de la taille de vingt-cinq élèves d'une classe.

Mesure	159	160	164	165	166	168	169	170	173	175	177	179
Effectif	1	1	3	2	4	5	1	2	1	3	1	1
Fréquence	4 %	4 %	12 %	8 %	16 %	20 %	4 %	8 %	4 %	12 %	4 %	4 %

Pour calculer la taille moyenne, on effectue le calcul suivant :

$$\frac{1\times159+1\times160+3\times164+2\times165+4\times166+5\times168+1\times169+2\times170}{25}$$
$$+\frac{1\times173+3\times175+1\times177+1\times179}{25}.$$

On trouve $\frac{4208}{25}$, soit 168,32.

Remarque

En utilisant les fréquences, on peut aussi calculer :

$0{,}04\times159+0{,}04\times160+\cdots+0{,}12\times175+0{,}04\times177+0{,}04\times179.$

On trouve le même résultat, 168,32.

La moyenne d'une série statistique s'interprète ainsi : c'[…] la valeur qu'auraient toutes les modalités [si] elles étaient égales.

5 Médiane et quartiles

A Médiane

On considère un caractère quantitatif de taille N. On forme la suite dont les termes sont les valeurs du caractère, répétées selon leur effectif et rangées dans l'ordre croissant.

Si N est impair, la médiane des valeurs est le terme de rang $\frac{N+1}{2}$.

Si N est pair, la médiane des valeurs est le nombre égal à la demi-somme des valeurs de rangs $\frac{N}{2}$ et $\frac{N}{2}+1$.

B Quartiles

On considère un caractère quantitatif de taille N. On forme la suite dont les termes sont les valeurs du caractère, répétées selon leur effectif et rangées dans l'ordre croissant.

Le premier quartile est la plus petite valeur que l'on note Q_1 telle qu'au moins un quart des valeurs soient inférieures ou égales à Q_1.

Le troisième quartile est la plus petite valeur que l'on note Q_3 telle qu'au moins trois quarts des valeurs soient inférieures ou égales à Q_3.

La différence $Q_3 - Q_1$ s'appelle l'écart interquartile de la série.

Le deuxième quartile est égal à la médiane.

C Résumé

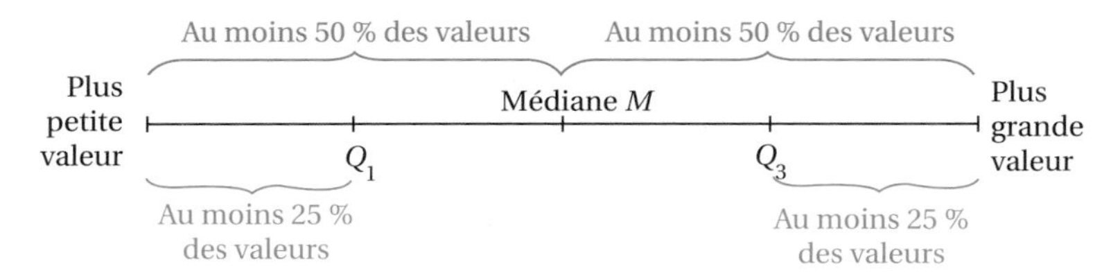

6 Représentations graphiques

A Diagrammes circulaires et semi-circulaires

- Un **diagramme circulaire** est un disque partagé en secteurs circulaires. Les mesures des secteurs sont proportionnelles aux quantités qu'ils représentent.

■ Un **diagramme semi-circulaire** est un demi-disque partagé en secteurs circulaires. Les mesures des secteurs sont proportionnelles aux quantités qu'ils représentent.

Exemple

On a représenté la répartition des genres cinématographiques présents dans la dvd-thèque d'un élève de Seconde par un diagramme circulaire et semi-circulaire.

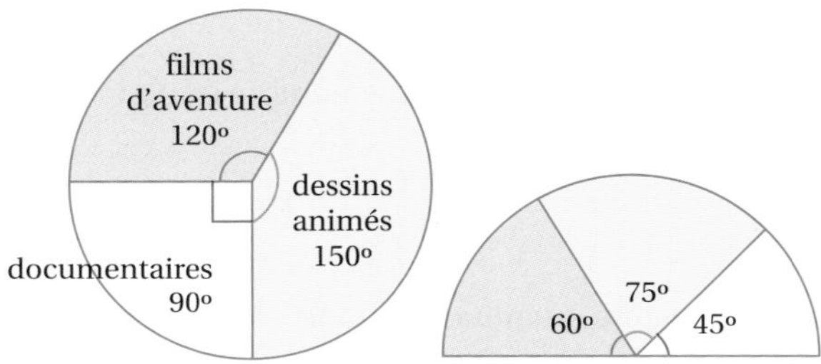

Il y a 25 % de documentaires, un tiers de films d'aventure et le reste en dessins animés. En effet :

$90° = \frac{1}{4} \times 360°$ et $120° = \frac{1}{3} \times 360°$.

B Diagrammes à barres (ou en bâtons)

Un **diagramme à barres** est une représentation de données statistiques à l'aide de rectangles de largeur constante ; les valeurs (ou modalités) du caractère étudié sont représentées sur une droite horizontale, et les effectifs (ou fréquences) correspondants sont représentés par les mesures des longueurs des rectangles, comme dans l'exemple ci-dessous.

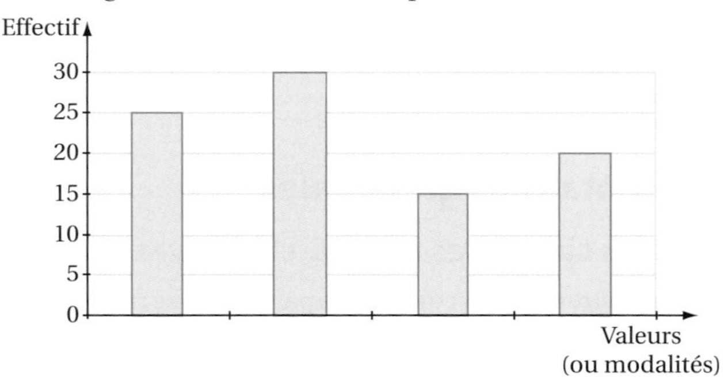

C Histogramme

Un histogramme est une représentation par des rectangles contigus de données statistiques regroupées en classes. Les aires des rectangles sont proportionnelles aux effectifs des classes.

Exemple

Voici la répartition de l'argent de poche mensuel (en €) des élèves d'une classe et l'histogramme correspondant :

Classe	$0 \leqslant S < 10$	$10 \leqslant S < 50$	$50 \leqslant S < 100$
Effectif	5	8	15

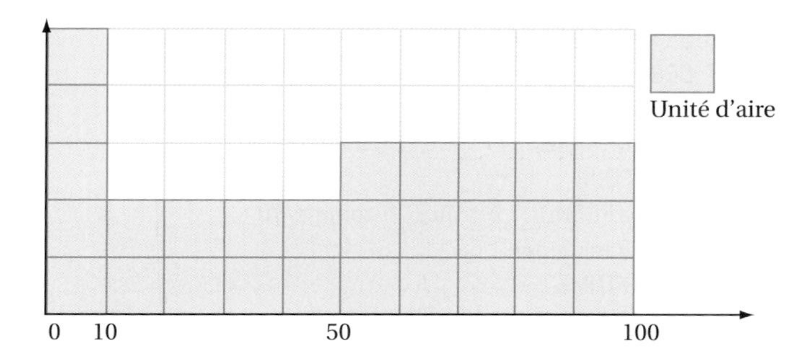

Dans un histogramme, ce sont les *aires* des rectangles qui sont proportionnelles aux effectifs et non les hauteurs, comme dans un diagramme à barres.

Algorithmique

ÉNONCÉ

Montrer que l'algorithme décrit ci-dessous calcule et affiche une moyenne.

```
1    VARIABLES
2       x EST_DU_TYPE NOMBRE
3       moyenne EST_DU_TYPE NOMBRE
4       k EST_DU_TYPE NOMBRE
5       somme EST_DU_TYPE NOMBRE
6    DEBUT_ALGORITHME
7       somme PREND_LA_VALEUR 0
8       POUR k ALLANT_DE 1 A 10
9          DEBUT_POUR
10         LIRE x
11         somme PREND_LA_VALEUR x+somme
12         FIN_POUR
13      moyenne PREND_LA_VALEUR somme/10
14      AFFICHER moyenne
15   FIN_ALGORITHME
```

MÉTHODE

Observer les valeurs que contient la variable nommée **somme**.

CORRIGÉ

La variable **somme** est initialement mise à 0. Puis on demande à l'utilisateur de saisir dix nombres. À chaque saisie, le nombre fourni par l'utilisateur est ajouté au contenu de la variable **somme**. Si bien qu'au bout de 10 itérations, la variable **somme** contient précisément la somme des dix valeurs saisies. La variable nommée **moyenne** divise cette somme par 10. Elle contient donc la moyenne des dix valeurs saisies. C'est cette moyenne qui est affichée.

Construire un histogramme

ÉNONCÉ

On donne la série statistique suivante :

Classe	[0;5[	[5;7[	[7;10[
Effectif	45	30	21

Construire l'histogramme correspondant.

MÉTHODE

Calculer de nouveaux effectifs (que l'on nomme parfois effectifs normalisés) en divisant l'effectif par la longueur de la classe. Justifier que les hauteurs des rectangles sont les effectifs normalisés.

CORRIGÉ

Classe	[0;5[	[5;7[	[7;10[
Longueur	5	2	3
Effectif normalisé	$\frac{45}{5}=9$	$\frac{30}{2}=15$	$\frac{21}{3}=7$

On obtient l'effectif normalisé en divisant l'effectif par la longueur de l'intervalle.

On a : aire du rectangle $1 = 5 \times 9 = 45$;
aire du rectangle $2 = 2 \times 15 = 30$;
aire du rectangle $3 = 3 \times 7 = 21$.

Si on prend comme hauteurs les effectifs normalisés, les aires des rectangles sont bien proportionnelles aux effectifs.

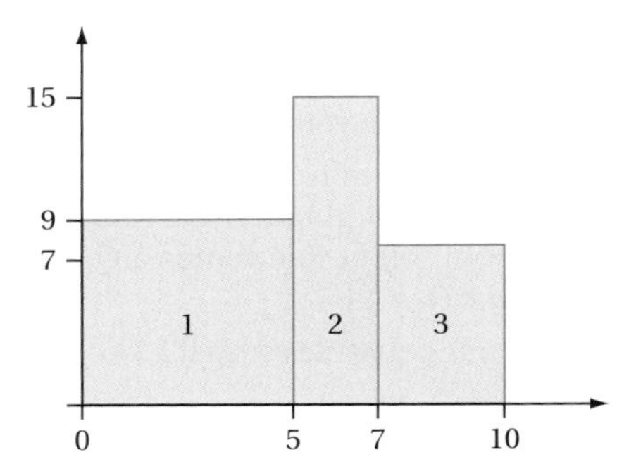

Calculer la médiane et les quartiles

ÉNONCÉ

On reprend la série de notes du cours.

Note	5	8	10	11	12	14	15	16	18	20
Effectif	1	3	5	2	7	2	1	1	2	1

Calculer la médiane, les deux quartiles et l'écart interquartile.

MÉTHODE

Calculer les effectifs cumulés croissants et appliquer les définitions.

CORRIGÉ

Note	5	8	10	11	12	14	15	16	18	20
Effectif	1	3	5	2	7	2	1	1	2	1
Effectif cumulé croissant	1	4	9	11	18	20	21	22	24	25

On constate que l'effectif total est 25. La médiane est donc la valeur de rang $\frac{25+1}{2}$, donc la treizième valeur. La onzième est 11, la douzième est 12 et la treizième, 12 encore. La médiane est donc égale à 12.

Pour calculer le premier quartile Q_1, il faut connaître le quart de 25 : c'est 6,25. Il faut donc trouver sept notes (car il en faut au moins 25%) qui soient inférieures à Q_1. On voit que la septième note est un 10, donc $Q_1 = 10$.

Pour calculer le troisième quartile Q_3, il faut connaître les trois quarts de 25 : c'est 18,75. Il faut donc trouver dix-neuf notes (car il en faut au moins 75 %) qui soient inférieures à Q_3. On voit que la dix-neuvième note est un 14, donc $Q_3 = 14$.

L'écart interquartile est égal à 14 – 10, donc à 4.

SE TESTER QUIZ

1 La moyenne d'une série statistique est toujours positive.

☐ **a.** Vrai ☐ **b.** Faux

2 La médiane est toujours différente de la moyenne.

☐ **a.** Vrai ☐ **b.** Faux

3 Dans une série statistique, il est possible qu'une valeur soit égale à la moyenne de la série.

☐ **a.** Vrai ☐ **b.** Faux

4 Dans un histogramme, les hauteurs des rectangles sont proportionnelles aux effectifs qu'ils représentent.

☐ **a.** Vrai ☐ **b.** Faux

5 Le deuxième quartile d'une série statistique est égal à la médiane.

☐ **a.** Vrai ☐ **b.** Faux

S'ENTRAÎNER

Calcul simples

6 Dans une ville, il y a deux lycées. L'un d'eux compte 80 % de garçons et l'autre 40 %. Peut-on affirmer que, dans cette ville, le nombre de garçons lycéens est supérieur au nombre de filles lycéennes ?

7 Représenter les données ci-dessous par un diagramme circulaire.

Valeur	A	B	C	D	E
Effectif	12	21	17	8	42

8 Donner le tableau des fréquences du tableau de l'exercice **7**.

9 Le tableau des effectifs cumulés croissants ci-dessous est relatif aux notes obtenues par des élèves. Le professeur veut établir un classement ; quelle est la place des élèves ayant obtenu la note 12 ?

Valeur	2	5	6	8	9	10	12	13	15	16
Effectif cumulé croissant	1	4	6	13	19	24	30	34	38	40

10 En se référant au tableau ci-dessous présentant les effectifs cumulés décroissants des poids d'individus d'une population donnée, calculer le nombre de personnes pesant au moins 60 kg.

Masse (en kg)	54	55	58	60	62	65
Effectif cumulé décroissant	24	22	20	15	12	5

11 On considère un caractère statistique dont la répartition des effectifs est donnée par le tableau suivant :

Valeur	0	2	3	5	7	9
Effectif	10	7	13	6	13	1

Donner la médiane, les quartiles et la moyenne relatifs au caractère.

12 On considère les deux distributions suivantes :

Valeur	0	2	3
Effectif	10	7	13

et

Valeur	5	7	9
Effectif	6	13	1

Calculer les moyennes de chacune d'elles et en déduire la moyenne des valeurs du caractère de l'exercice **11**.

13 On considère un nouveau caractère ; ses valeurs v' sont obtenues à partir des valeurs v du caractère de l'exercice **11** par $v' = 3v - 5$. On obtient la répartition suivante :

Valeur v'	–5	1	4	10	16	22
Effectif	10	7	13	6	13	1

Calculer la moyenne du nouveau caractère.

14 Observer l'histogramme ci-contre, représentant la répartition de données statistiques en trois classes : $[0;10[$; $[10;50[$; $[50;70[$.

La classe $[10;50[$ est-elle celle qui a l'effectif minimum ?

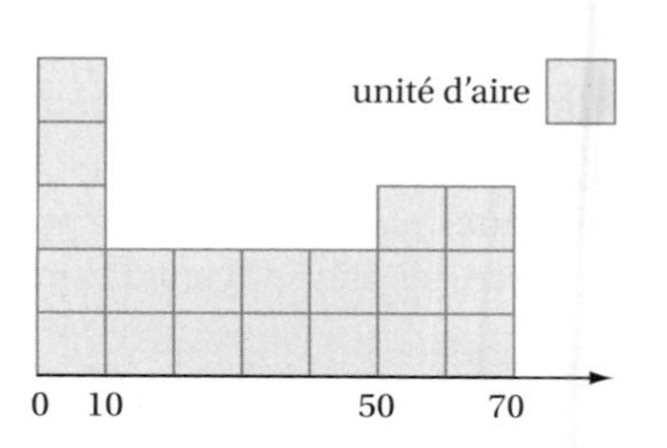

Effectifs et fréquences

Dans les exercices 15 à 17, compléter la ligne des effectifs ou la ligne des fréquences.

15 Le tableau suivant donne la répartition des mariages dans une commune du centre de la France.

Mois	01	02	03	04	05	06	07	08	09	10	11	12
Nombre de mariages	0	3	3	10	7	20	25	9	12	4	1	2
Fréquence												

16 Voici les résultats d'une enquête sur les thèmes du programme de mathématiques de Seconde que redoutent le plus les élèves. Une seule réponse était autorisée et 254 élèves ont été interrogés.

Thème	Vecteurs	Fonctions	Calculs	Droites	Équations	Espace
Nombre de réponses						
Fréquence	31 %	16 %	5 %	2 %	27 %	19 %

17 Des pièces détachées sont produites en usine et peuvent présenter des défauts. On a constaté, sur un échantillon représentatif de 643 pièces, qu'elles pouvaient être affectées par cinq défauts au maximum.

Nombre de défauts	0	1	2	3	4	5
Nombre de pièces						
Fréquence	75 %	12 %	3 %	5 %	3 %	2 %

Représentation de séries statistiques

Dans les exercices 18 à 20, faire la représentation graphique demandée en choisissant des unités adéquates sur chacun des axes le cas échéant.

18 Histogramme avec les données de l'exercice **15.**

19 Diagramme circulaire avec les données de l'exercice **17.**

20 La figure ci-contre représente le diagramme circulaire relatif à une étude sur les 2 250 individus d'une grande basse-cour. En utilisant au besoin un rapporteur, dire quels sont les effectifs de chaque espèce A, B, C, D, E.

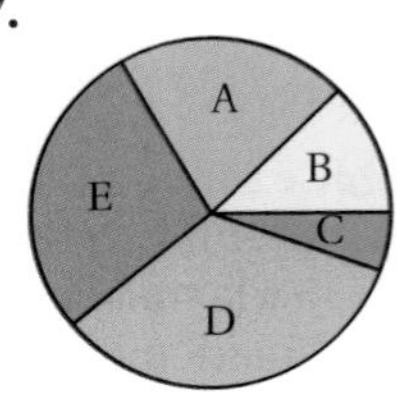

Courbes des effectifs cumulés

21 Sur un système d'axes correctement gradués, représenter la courbe des effectifs cumulés décroissants relatifs aux données de l'exercice **16.**

22 Le docteur A. Naphase a mesuré quarante élèves de Seconde et a reporté ses mesures sur un diagramme des effectifs cumulés, l'unité étant le centimètre. Combien y a-t-il d'élèves dont la taille t appartient à l'intervalle $]167;170]$?

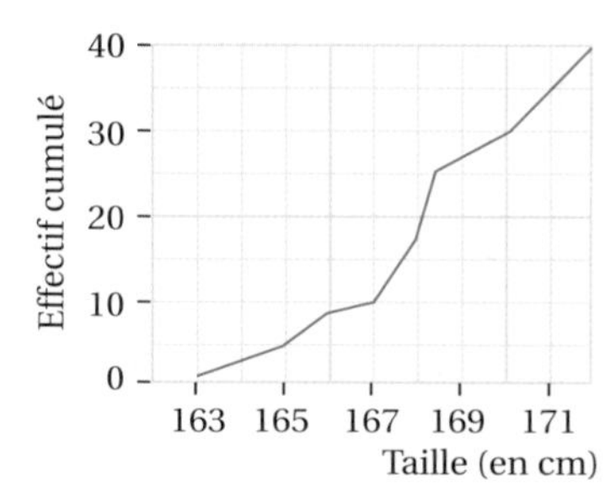

23 Le graphique ci-contre donne le polygone des effectifs cumulés décroissants relatifs aux notes obtenues par les soixante-dix élèves de deux classes de Seconde à une interrogation écrite de mathématiques. Combien y a-t-il eu d'élèves ayant obtenu des notes au moins égales à 8 et au plus égales à 12 ?

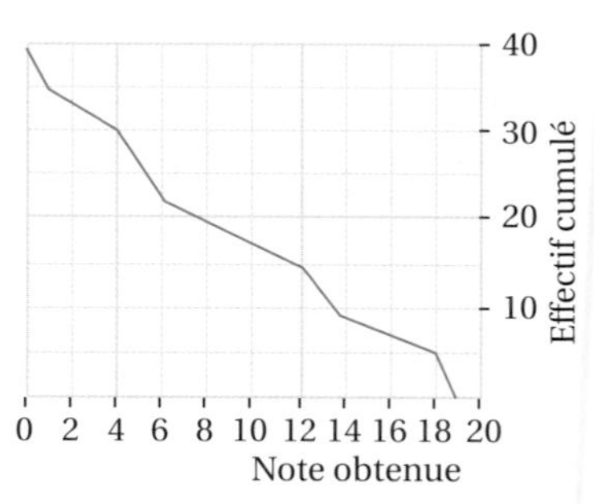

Calculs complexes

24 En se référant à l'exercice **17**, trouver le nombre moyen de défauts par pièce, le nombre médian et les quartiles.

25 Dans une entreprise, la répartition des salaires est la suivante :

Valeur (en euros)	1 100 à 1 300	1 300 à 1 500	1 500 à 2 000	2 200 à 2 600
Nombre de salariés	50	12	25	17

En utilisant les centres des classes, calculer le salaire moyen.

26 Dans une classe de quarante élèves, le professeur rend une interrogation écrite. La moyenne de la classe est de 10,6. Mais il a oublié 1 point à Camille et à Nicolas. Combien vaut la nouvelle moyenne de la classe après correction ?

27 Ce trimestre, Guillaume doit faire quatre interrogations qui comptent pour la moyenne. Il a eu 8 et 14 aux deux premières, qui ont pour coefficient 1, et il a eu 15 à la troisième qui a pour coefficient 2. Quelle doit être sa note minimale à la quatrième, de coefficient 3, pour avoir au moins 14 de moyenne ?

28 Dans une préparation, on a mélangé 75 % d'un produit A contenant 1,6 g/L de calcium et 25 % d'un produit B à 1,2 g / L. Dans une seconde préparation, on a mélangé 25 % d'un produit C à 1,7 g / L et 75 % d'un produit D à 1,3 g / L. Laquelle des deux préparations est la plus riche en calcium ?

29 Un marchand a vendu 80 lots de légumes qui pesaient en moyenne 1,5 kg. Il s'est aperçu que sa balance était mal réglée et qu'elle indiquait 100 g de moins que le poids réel. Quel est en réalité le poids moyen de ces lots ? Répondre à la même question avec 90, 100, 110 lots, puis avec un nombre quelconque de lots.

30 Dans mon lycée, il y a six classes de Seconde dont les effectifs sont respectivement de 30, 32, 32, 30, 31 et 35 élèves. La moyenne trimestrielle en mathématiques est respectivement de 10, 10, 9, 11, 12 et 11. Le proviseur veut trouver la moyenne générale des classes de Seconde en mathématiques. Quelle est-elle?

31 Dans un lot de 400 fruits, il y a deux qualités d'agrumes : 250 de la qualité A et 150 de la qualité B. Le diamètre moyen des agrumes A est 10 cm. Trouver le diamètre moyen de la qualité B sachant que le diamètre moyen de l'ensemble des fruits du lot est 12 cm.

32 Adelice a déjà passé cinq des six épreuves obligatoires de son examen. Pour l'instant, elle a une moyenne de 9,8 et il lui reste l'E.P.S. à subir. Combien doit-elle avoir au minimum pour obtenir 10 de moyenne ?

Matière	Maths	Français	Histoire	LV1	LV2	E.P.S.
Coefficient	4	4	2	2	1	2

33 Voici les effectifs de quatre collèges d'une même académie ainsi que leur taux de réussite au brevet. L'inspecteur d'académie voudrait connaître le taux de réussite de son académie. Quel est-il ?

Collège	Effectif	Taux de réussite
A	312	75 %
B	340	90 %
C	250	80 %
D	520	65 %

34 À une interrogation écrite mal réussie, le professeur veut augmenter la moyenne, égale à 5, de trois points ; elle sera ainsi égale à 8.

a. S'il décide d'augmenter chacune des notes, de combien doit être cette augmentation ?

b. S'il décide de multiplier chacune des notes par le même coefficient, quel doit-il être ?

c. Dans chacun des cas précédents, un élève peut-il, après correction, dépasser 20/20 ? Si oui, à quelle condition ?

PROBLÈMES

35 On a fait une enquête sur le nombre d'enfants de 1 200 familles ayant au moins un enfant scolarisé au lycée Maphore. Les résultats sont les suivants :

Nombre d'enfants par famille	1	2	3	4	5	6	7
Fréquence en %	17	45	20	8	3	6	1
Effectif							

a. Compléter la dernière ligne du tableau.

b. Représenter les effectifs par un diagramme circulaire (« camembert »).

c. Regrouper les données en trois classes : $[1 ; 2[$, $[2 ; 3[$, $[3 ; 7[$ et tracer l'histogramme des fréquences correspondant.

d. Représenter les courbes des effectifs cumulés croissants et décroissants.

e. Combien y a-t-il, « en moyenne », d'enfants par famille ?

f. Quelle est la médiane de la série statistique considérée ?

g. Calculer les quartiles.

36 Voici la liste des températures, en degré Celsius, relevées chaque jour d'un certain mois dans une ville.

Température	−3	−2	−1	1	2,5	4	4,5	7
Effectif	1	5	2	3	3	5	7	4

a. Pourquoi peut-on affirmer que ces températures n'ont pas été relevées au mois de décembre ? Ont-elles pu être relevées au mois de novembre ?

b. Quelle a été la température moyenne pendant ce mois ?

c. Calculer la médiane M, le premier et le troisième quartile Q_1 et Q_3 de la série.

d. Dresser le tableau des effectifs cumulés croissants.

e. Untel affirme qu'il a gelé plus d'un jour sur quatre durant le mois, Deutel qu'il a gelé pendant plus de 30 % des jours du mois. Que penser de ces affirmations ?

SE TESTER

1 Réponse b. Faux. Si on ne choisit que des valeurs négatives, la moyenne est négative.

2 Réponse b. Faux. Il suffit de choisir une série statistique constante. Alors la moyenne est égale à la médiane.

> Une série statistique constante comporte une seule valeur. Par exemple, les six élèves d'un groupe de niveau ont obtenu la note 12/20 à un test.

3 Réponse a. Vrai. Par exemple, la série à trois éléments 9, 10, 11 a pour moyenne 10.

4 Réponse b. Faux. Ce sont les aires, et non les hauteurs, qui sont proportionnelles aux effectifs.

5 Réponse a. Vrai.

S'ENTRAÎNER

6 Non. Tout dépend des effectifs de chaque lycée. Si par exemple, le premier compte 500 élèves et le second 3 000, il y a 400 garçons dans le premier et 1 200 dans le second, soit un total de 1 600 sur 3 500 ; il y a par conséquent 1 900 lycéennes.

7 Les angles des secteurs angulaires s'obtiennent par proportionnalité ; l'effectif total de la population (composée de A, B, C, D, E) étant de 100, il est immédiat que A occupera 12 % du disque, B, 21 %, C, 17 %, etc. Par conséquent, l'angle du secteur angulaire représentant A occupera 12 % de 360° c'est-à-dire 43,2°, etc., et l'on obtient le tableau ci-dessous et le diagramme circulaire ci-contre :

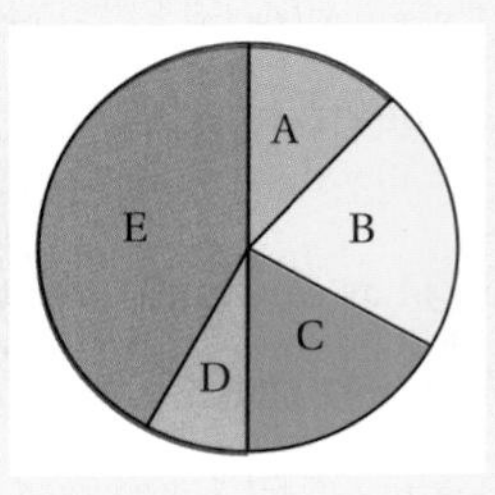

Valeur	A	B	C	D	E
Angle	43,2°	75,6°	61,2°	28,8°	151,2°

8 Pour dresser le tableau des fréquences, il suffit de copier le tableau des effectifs qui est donné dans l'énoncé de l'exercice **7** et de diviser les effectifs par 100 qui est l'effectif total. On obtient le tableau suivant :

Valeur	A	B	C	D	E
Fréquence	0,12	0,21	0,17	0,08	0,42

On peut aussi exprimer les fréquences en pourcentages.

9 Quatre élèves (34 – 30) ont la note 13, quatre autres (38 – 34) ont la note 15 et deux (40 – 38) ont la note 16. Par conséquent, il y a 10 élèves qui ont obtenu une note strictement supérieure à 12 ; ceux qui ont eu 12 sont ainsi onzièmes ex aequo. Le résultat peut être trouvé directement en effectuant la soustraction 40 – 30.

10 La réponse est 15, en lisant directement le tableau dans la colonne « 60 ». On remarque également que cinq personnes pèsent 65 kg, 12 – 5, soit 7 en pèsent 62 et 15 – 12, soit 3 en pèsent 60. On peut donc affirmer que 15 = 5 + 7 + 3 personnes pèsent au moins 60 kg (60 kg ou plus).

11 Il y a un nombre pair de valeurs (50 au total). On les range en une suite croissante, en répétant les valeurs selon leurs effectifs. La médiane est la demi-somme des termes de rang 25 et 26 (c'est-à-dire des vingt-cinquième et vingt-sixième termes), qui sont égaux tous les deux à 3. La médiane est donc égale à 3. La moyenne cherchée est égale à $\dfrac{10\times0+7\times2+13\times3+6\times5+13\times7+1\times9}{50}$, c'est-à-dire $\dfrac{183}{50}$, ou encore 3,66.

Le quart de 50 est 12,5. Le premier quartile est donc la valeur 2. Les trois quarts de 50 valent 37,5. Donc le troisième quartile est égal à 7.

12 Les moyennes sont respectivement égales à $\dfrac{53}{30}$ et $\dfrac{130}{20}$, c'est-à-dire 1,77 environ et 6,5. Pour calculer la moyenne du caractère de l'exercice **11,** on effectue $\dfrac{30\times\dfrac{53}{30}+20\times\dfrac{130}{20}}{50}$, et NON $\dfrac{\dfrac{53}{30}+\dfrac{130}{20}}{2}$.

On trouve $\dfrac{183}{50}$, c'est-à-dire 3,66.

13 On peut calculer directement comme à l'exercice **11** la moyenne du caractère donné. On peut aussi économiser les calculs, sachant que la nouvelle moyenne est égale à $3\times3{,}66-5$, c'est-à-dire 5,98.

14 Non. Cette classe est celle qui a l'effectif maximum, bien qu'ayant la plus petite hauteur. Pour interpréter un histogramme, il faut se référer à l'aire des rectangles. Ici, ces aires sont respectivement égales à 5, 8 et 6 unités.

15 L'effectif total est ici de 96 : il y a eu 96 mariages dans la commune. On procède comme à l'exercice précédent ; on obtient le tableau suivant (le total des fréquences est de 0,99 au lieu de 1 en raison des erreurs d'arrondi).

Mois	01	02	03	04	05	06	07	08	09	10	11	12
Nombre de mariages	0	3	3	10	7	20	25	9	12	4	1	2
Fréquence	0	0,03	0,03	0,10	0,07	0,21	0,26	0,09	0,13	0,04	0,01	0,02

16 Pour remplir le tableau, il suffit de prendre les pourcentages indiqués de l'effectif total, à savoir 254 élèves.

Thème	Vecteurs	Fonctions	Calculs	Droites	Équations	Espace
Nombre de réponses	79	41	13	5	69	48
Fréquence	31 %	16 %	5 %	2 %	27 %	19 %

On trouve un total de 255 en raison des arrondis.

17 On procède comme à l'exercice précédent. On trouve le tableau ci-dessous. Le total des pièces est de 642 en raison des arrondis.

Nombre de défauts	0	1	2	3	4	5
Nombre de pièces	482	77	19	32	19	13
Fréquence	75 %	12 %	3 %	5 %	3 %	2 %

18 En abscisse sont portés les mois et en ordonnée les nombres de mariages correspondants.

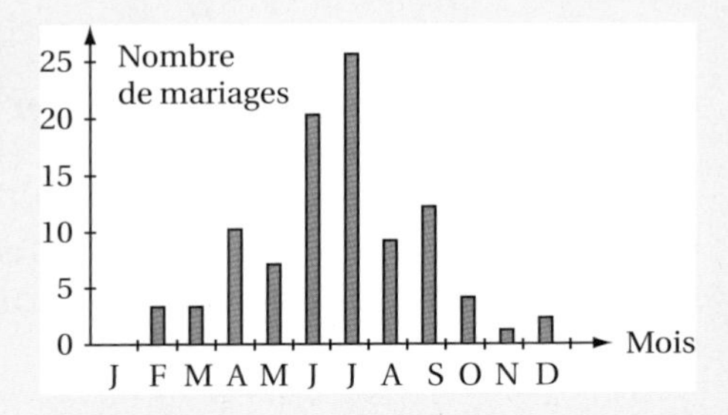

19 Pour tracer les secteurs angulaires, on a calculé les angles proportionnellement aux fréquences des défauts. C'est pourquoi on trouve (en degré) 270° (75 % de 360°) ; 43,2° (12 % de 360°) ; 10,8° ; 18° ; 10,8° et 7,2°.

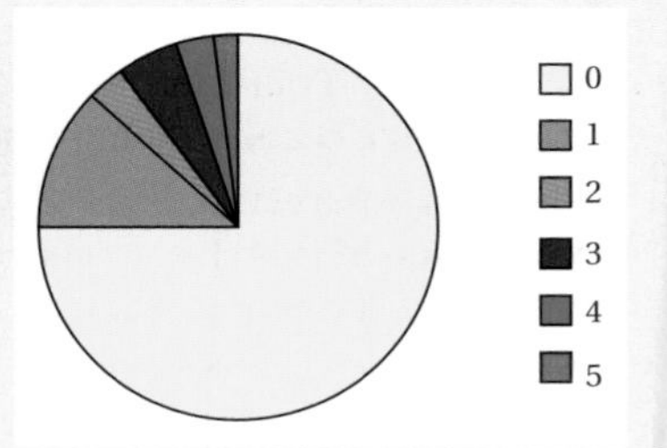

20 Les angles des secteurs angulaires A, B, C, D et E valent respectivement : 75°, 45°, 20°, 120°, 100°. C'est pourquoi les fréquences des espèces sont respectivement environ : 20,8 %, 12,5 %, 5,6 %, 33,3 %, 27,8 %. Les effectifs correspondants sont environ : 468, 281, 126, 749, 626.

21 Il faut ici dresser le tableau des effectifs décroissants.

Thème	Vecteurs	Fonctions	Calculs	Droites	Équations	Espace
Effectif cumulé décroissant	254	175	134	121	116	47

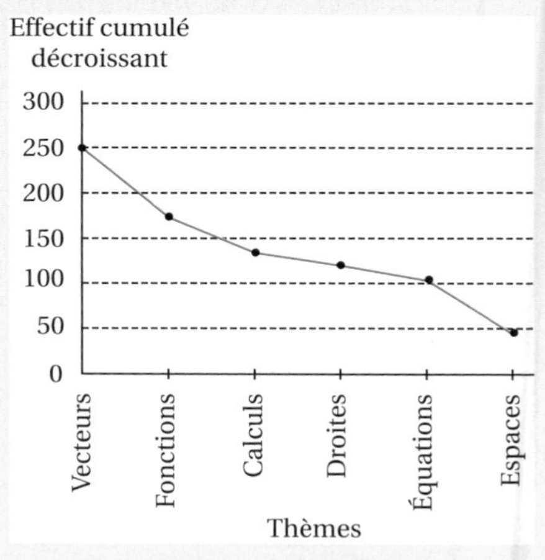

22 Il n'est pas demandé ici de considérer la taille 167, mais de prendre en compte toutes les tailles jusqu'à 170. Les élèves admissibles sont donc ceux dont les tailles sont égales à 168 ou 169 ou 170 cm. Il y en a vingt $(30-10)$.

23 Il s'agit, dans cet exercice, de trouver l'effectif total des valeurs comprises dans l'intervalle $[8;12]$. Il y en a cinq $(20-15)$.

24 Un calcul analogue à celui de l'exercice précédent donne le nombre moyen de 0,55 défaut par pièce.
La médiane, le premier et le troisième quartile sont tous égaux à 0 car il y a la moitié des effectifs au moins qui ont une valeur égale à 0 ; il y a le quart des effectifs au moins qui ont une valeur supérieure ou égale à 0 et les trois quarts au moins qui ont une valeur inférieure ou égale à 0.

25 On dresse tout d'abord un tableau dont les valeurs sont les centres des classes.

Centres des classes	1 200	1 400	1 750	2 400
Nombre de salariés	50	12	25	17

Cela permet de calculer la moyenne comme dans les exercices précédents et on trouve 1 535 euros environ.
Il y a un nombre pair de valeurs : 104 ; la médiane est donc la demi-somme des valeurs de rang $\frac{104}{2}$ et $\frac{104}{2}+1$, donc 52 et 53. Il s'agit de la valeur 1 400. Le quart de 104 est égal à 26. Le premier quartile est donc égal à la valeur 1 200. Les trois quarts de 104 valent 78. Le troisième quartile est donc égal à 1 750.

26 Le total de toutes les moyennes de tous les élèves vaut au départ 424 $(10{,}6\times 40)$. Le professeur doit ajouter 2 à ce total et trouvera ainsi 426. La nouvelle moyenne de la classe sera par conséquent de 10,65. Une autre méthode consiste à dire qu'un point d'élève vaut 0,025 point de moyenne $\left(\frac{1}{40}\right)$; comme deux élèves doivent avoir un point chacun, la moyenne de la classe augmentera de 0,05 point $(2\times 0{,}025)$.

27 On appelle x la note minimale que doit avoir Guillaume. Lorsqu'il aura fait sa quatrième interrogation écrite, sa moyenne sera de :
$\frac{8\times 1+14\times 1+15\times 2+x\times 3}{7}$, c'est-a-dire $\frac{52+3x}{7}$. La moyenne devant être au moins égale à 14, on doit résoudre l'inéquation $\frac{52+3x}{7}\geqslant 14$ qui est équivalente aux inéquations suivantes :

$52+3x\geqslant 98$; $3x\geqslant 46$; $x\geqslant \frac{46}{3}$.

Guillaume devra par conséquent avoir au moins 15,5 pour être sûr d'avoir une moyenne trimestrielle au moins égale à 14.

28 Pour la première préparation, la concentration en calcium est égale, en gramme par litre, à $0{,}75\times1{,}6+0{,}25\times1{,}2$. C'est-à-dire 1,5.

Pour la seconde préparation, cette concentration est égale à :
$0{,}25\times1{,}7+0{,}75\times1{,}3$, c'est-à-dire 1,4. La plus riche en calcium est donc la première préparation.

29 Chacun des lots pèse 100 g de moins que le poids réel. Le poids moyen est donc sous-évalué de 100 g. Il est en réalité de 1,6 kg. Cette correction est indépendante du nombre de lots du marchand.

30 Il y a en tout 190 élèves en Seconde. Pour trouver la moyenne des classes de Seconde en mathématiques, il suffit de faire le total de toutes les notes et de le diviser par 190. Comme la moyenne d'une classe s'obtient en divisant le total des notes par l'effectif de cette classe, on voit que la somme des notes des classes de Seconde est égale à : 300 (30×10) pour la première classe, 320 (32×10) pour la deuxième classe et respectivement 288, 330, 372 et 385 pour les autres classes. La somme totale des notes de toutes les classes est donc égale à 1 995. La moyenne cherchée est égale à $\frac{1995}{190}$, c'est-à-dire 10,5.

31 Soit x le diamètre moyen des agrumes B et S_B la somme de tous les diamètres des agrumes B ; $x=\frac{S_B}{150}$ donc $S_B=150x$.

De même pour les agrumes A : $S_A=250\times10=2\,500$.

Donc $12=\frac{S_A+S_B}{400}=\frac{150x+2\,500}{400}$ ce qui implique $150x=4\,800-2\,500$.

Soit $x=\frac{2\,300}{150}\approx15{,}3$. Le diamètre moyen des fruits B est égal à 15,3 cm environ.

32 Soit x la note minimum qu'Adelice doit obtenir en E.P.S. pour avoir 10 de moyenne.

La moyenne 9,8 provient de la somme de ses notes pondérées par les différents coefficients divisée par la somme des coefficients $(4+4+2+2+1)$. Cette somme pondérée est égale à $9{,}8\times13$, soit 127,4. La somme totale des coefficients est égale à 15. On doit donc avoir $10\leqslant\frac{127{,}4+2x}{15}$, c'est-à-dire $150-127{,}4\leqslant2x$, soit $x\geqslant\frac{22{,}6}{2}$.

Adelice doit obtenir au moins 11,3 en E.P.S.

33 On cherche le nombre d'élèves ayant réussi, puis on le divise par le nombre total d'élèves (1 422). Dans le collège A, 234 élèves ont réussi ($0{,}75 \times 312 = 234$) ; dans B, 306 ; dans C, 200 ; et dans D, 338. Le taux de réussite de l'académie est donc de $\dfrac{234+306+200+338}{1\,422} = \dfrac{1\,078}{1\,422} \approx 75{,}8$ %.

34 **a.** Comme le professeur augmente chacune des notes de la même valeur, celle-ci augmente ainsi la moyenne ; cette valeur est 3.

b. Soit x le coefficient par lequel le professeur multiplie chacune des notes. Ce coefficient multiplie également l'ancienne moyenne, 5, et on a donc $5x = 8$, c'est-à-dire $x = \dfrac{8}{5} = 1{,}6$.

c. Soit x la note d'un élève avant correction ; s'il est augmenté de trois points, sa note dépassera $20/20$ si et seulement si $x \geqslant 17$. Si sa note est multipliée par 1,6, il dépassera 20 si et seulement si $1{,}6x \geqslant 20$, c'est-à-dire :
$x \geqslant \dfrac{20}{1{,}6}$, soit $x \geqslant 12{,}5$.

PROBLÈMES

35 **a.** La dernière ligne du tableau s'obtient en prenant les pourcentages indiqués des 1 200 familles.

Nombre d'enfants par famille	1	2	3	4	5	6	7
Fréquence en %	17	45	20	8	3	6	1
Effectif	204	540	240	96	36	72	12

La somme des fréquences vaut 100 (100 %) et la somme des effectifs 1 200.

b. Les secteurs angulaires de la figure ci-contre s'obtiennent en multipliant les pourcentages indiqués par 360°. On trouve ainsi, successivement, en degré :

61,2	162	72	28,8	10,8	21,6	3,6

La somme des angles vaut 360°.

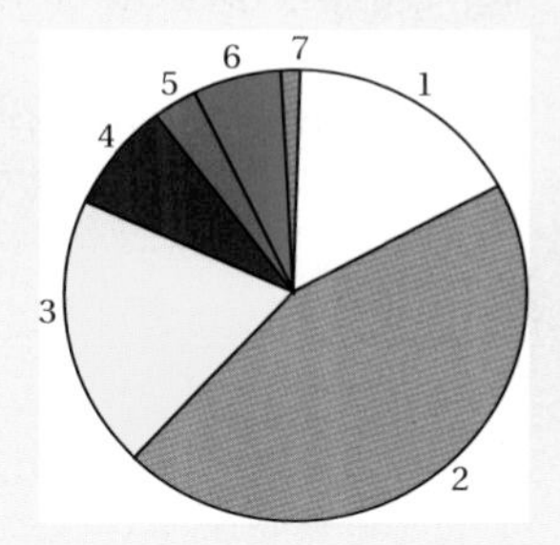

c.

Classe	[1 ; 2[	[2 ; 3[	[3 ; 7[
Amplitude	1	1	4
Fréquence en %	17	45	37
Fréquence normalisée	$\frac{17}{1} = 17$	$\frac{45}{1} = 45$	$\frac{37}{4} = 9{,}25$

On obtient l'histogramme suivant :

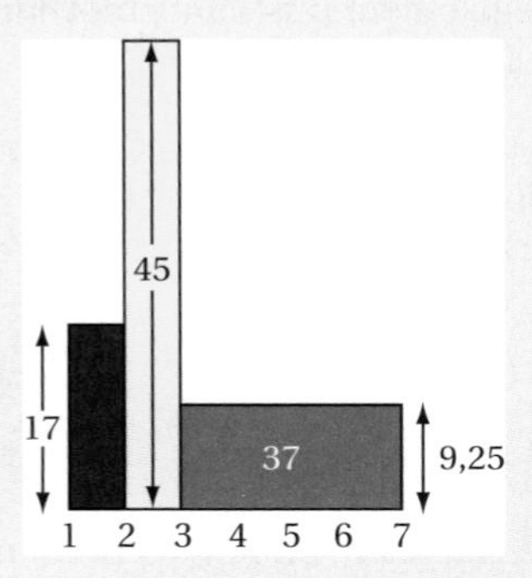

d. La courbe des effectifs cumulés croissants s'obtient en ajoutant, pas à pas, les effectifs (en les cumulant). On obtient le tableau et la courbe qui suivent. On procède de même pour la courbe des effectifs cumulés décroissants.

Nombre d'enfants par famille	1	2	3	4	5	6	7
Effectif cumulé croissant	204	744	984	1 080	1 116	1 188	1 200
Effectif cumulé décroissant	1 200	996	456	216	120	84	12

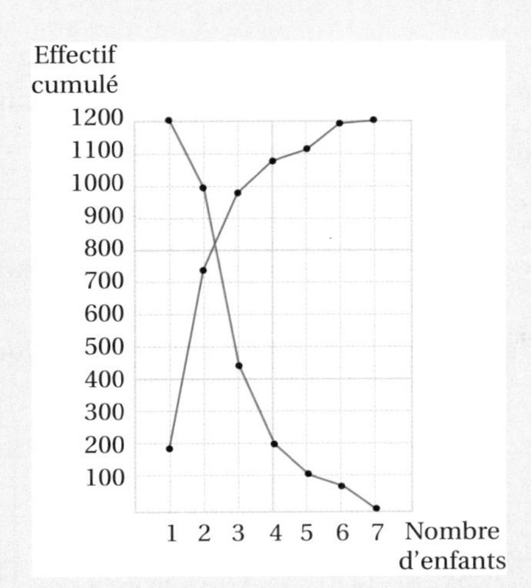

e. Il est question de trouver la moyenne de la série statistique des effectifs.

Elle vaut : $\dfrac{1\times204+2\times540+3\times240+4\times96+5\times36+6\times72+7\times12}{1\,200}$

c'est-à-dire 2,57. On peut donc dire que le nombre moyen d'enfants par famille est égal à 2,57.

f. La médiane est égale à 2 puisqu'au moins 50 % des familles ont 2 enfants ou moins et au moins 50 % des familles ont 2 enfants ou plus.

g. Le quart de 1 200 est égal à 300. Le premier quartile est donc égal à la valeur 2. Les trois quarts de 1 200 valent 900. Le troisième quartile est donc égal à 3.

36 **a.** L'effectif total est 30. Le mois de décembre comportant 31 jours, on peut alors affirmer qu'elles n'ont pas été relevées au mois de décembre. Il est possible qu'elles aient été relevées au mois de novembre.

b. La température moyenne pendant ce mois a été 2,5 °C. En effet :

$$\overline{x}=\frac{(-3)\times1+(-2)\times5+\cdots+7\times4}{30}=\frac{75}{30}=2{,}5.$$

c. Pour cette question, il peut être utile de calculer les effectifs cumulés croissants avant la question **d**.

Médiane

L'effectif total est 30 qui est pair, donc la médiane est la demi-somme des 15e et 16e températures, c'est-à-dire $\frac{4+4}{2}$. On a donc $M = 4$ °C.

Quartiles

$\frac{30}{4} = 7,5$ donc le premier quartile est la huitième température : $Q_1 = -1$ °C.

$\frac{3 \times 30}{4} = 22,5$ donc le troisième quartile est la 23e température : $Q_3 = 4,5$ °C.

d.

Température	–3	–2	–1	1	2,5	4	4,5	7
Effectif	1	5	2	3	3	5	7	4
Effectif cumulé croissant	1	6	8	11	14	19	26	30

e. Il a gelé pendant 8 jours sur le mois, c'est-à-dire environ 26,6 % des jours du mois $\left(\frac{8}{30} \times 100 \approx 26,6\right)$.

Donc il a bien gelé plus d'un jour sur quatre ou plus de 25 % des jours du mois, Untel a raison.

En revanche, il a gelé moins de 30 % des jours du mois. Deutel a tort.

www.annabac.com 

CHAPITRE

8 Probabilités

En essayant de résoudre un problème ancien, Blaise Pascal (1623–1662) introduit le hasard, et donc la notion de probabilité. Il jette ainsi les bases de la théorie des probabilités. Résoudre des problèmes liés à des situations dont le déroulement est aléatoire, c'est-à-dire dont on ne peut prédire avec certitude l'issue, tel est un des objectifs des probabilités.

1 Introduction

A Le cas des objets « normaux »

Lorsqu'on lance un dé parfaitement équilibré, on a une chance sur six d'obtenir un numéro donné, par exemple le 3, cinq chances sur six d'obtenir un numéro autre que le 4, une chance sur deux d'obtenir un numéro pair, etc.

On traduit ces propositions par :

- la probabilité d'obtenir une face donnée est égale à $\frac{1}{6}$;
- la probabilité d'obtenir un numéro autre que le 4 est égale à $\frac{5}{6}$;
- la probabilité d'obtenir un numéro pair est égale à $\frac{1}{2}$ ou à 0,5.

De même lorsqu'on jette une pièce de monnaie parfaitement équilibrée, la probabilité de sortie de « Face » et de « Pile » sont toutes les deux égales à 0,5.

La probabilité qu'un œuf frais jeté du haut de la tour de Pise atterrisse intact au sol est égale à 0 et la probabilité qu'il fasse jour demain matin est égale à 1. L'œuf n'a aucune chance (donc 0) d'atterrir intact et il fera jour demain matin à coup sûr (il y a 100 % de chances).

B Le cas des objets truqués

- Si le dé est pipé, on ne peut plus énoncer les affirmations précédentes. Il en va de même pour une pièce truquée. Cependant, si on sait que la probabilité d'obtenir « Pile » est égale à 0,55, alors la probabilité d'obtenir « Face » est égale à 0,45. En effet, si sur 100 lancers on obtient 55 « Pile », alors on obtient 45 « Face ».
- De façon analogue, dans le dé pipé, si la probabilité d'obtenir un numéro autre que 4 est égale à 0,82 alors la probabilité d'obtenir 4 est égale à 0,18 : $1-0{,}82=0{,}18$.

C L'idéal mathématique

- En mathématiques, lorsqu'on cherche un problème de probabilité, les objets sont des objets idéaux. On considérera des pièces telles que la probabilité d'obtenir « Pile » soit égale exactement à 0,5, des dés tels que la probabilité d'obtenir le 4 soit égale *exactement* à $\frac{1}{6}$, etc.
- Il n'existe pas de dé parfait ni de pièce de monnaie parfaite, ni même de pièce truquée de telle sorte que l'on connaisse la probabilité d'obtenir « Pile » ou « Face ». On pourra cependant formuler des hypothèses pour les besoins d'un exercice.

2 Probabilité

A Définition

- Lorsqu'on jette un dé truqué, chacune des faces a une certaine probabilité de sortie qui est un nombre compris entre 0 et 1. En attribuant un nombre compris entre 0 et 1 à chaque face, on définit une probabilité, pourvu que la somme des probabilités de toutes ces faces soit égale à 1.

Exemple

Le tableau suivant définit une probabilité liée au lancer d'un dé.

Face	1	2	3	4	5	6
Probabilité	0,17	0,18	0,16	0,2	0,14	0,15

La somme des probabilités de toutes les faces est en effet égale à 1.

Définition

On considère une expérience dont les résultats sont régis par le hasard. On définit une probabilité relative à cette expérience en attribuant à chaque résultat un nombre compris entre 0 et 1 et de telle sorte que la somme de tous ces nombres soit égale à 1.

VOCABULAIRE

- Une expérience dont les résultats sont régis par le hasard s'appelle une expérience aléatoire.
- Les résultats de l'expérience s'appellent aussi des issues de l'expérience.

B Le cas d'équiprobabilité

Lorsque tous les résultats d'une expérience ont la même probabilité d'exister, on dit qu'ils sont équiprobables.

- S'il y a 2 résultats équiprobables, chacun a la probabilité $\frac{1}{2}$ d'exister.
- S'il y a 3 résultats équiprobables, chacun a la probabilité $\frac{1}{3}$ d'exister.
- S'il y a 4 résultats équiprobables, chacun a la probabilité $\frac{1}{4}$ d'exister.

⋮

- S'il y a n résultats équiprobables, chacun a la probabilité $\frac{1}{n}$ d'exister.

3 Événements

A Univers, événements élémentaires

Lorsqu'on jette un dé, on peut énoncer tout résultat relatif au jet à l'aide des faces de ce dé. Les six faces définissent des événements élémentaires. Tout autre résultat s'exprime donc à l'aide des nombres entiers de 1 à 6. Ces nombres forment ce que l'on appelle l'univers des possibles. On le note Ω.

L'univers des possibles lié au jet d'un dé est donc l'ensemble $\{1, 2, 3, 4, 5, 6\}$.

Définition

Un événement lié à une expérience aléatoire est une partie de l'univers des possibles lié à cette expérience. Une partie à un seul élément de l'univers des possibles s'appelle un événement élémentaire.

On peut souvent énoncer un événement à l'aide d'une phrase.

Exemples

- On jette une pièce de monnaie. L'univers des possibles est l'ensemble $\{0,1\}$ et les événements élémentaires sont $\{0\}$ et $\{1\}$ (0 est mis pour Pile et 1 pour Face).
- Lors du jet d'un dé, l'événement $\{2,4,6\}$ peut se traduire par « le dé a amené un résultat pair ».

B Probabilité d'un événement

Lorsqu'on jette un dé parfait, la probabilité d'obtenir une face paire est égale à $\frac{1}{2}$. On peut aussi écrire : $\frac{1}{6}+\frac{1}{6}+\frac{1}{6}=\frac{3}{6}$.

Dans le cas du dé pipé du paragraphe **2A**, on trouve que la probabilité d'obtenir une face paire est égale à $0{,}18+0{,}2+0{,}15$, soit $0{,}53$.

Théorème

La probabilité d'un événement est égale à la somme des probabilités des événements élémentaires qui le composent.

Exemple : Si on appelle A l'événement « la face est paire », on écrira $p(A)=\frac{1}{2}$ à condition que le dé ne soit pas truqué.

ÉVÉNEMENTS ÉLÉMENTAIRES ÉQUIPROBABLES

Si tous les événements élémentaires sont équiprobables, la probabilité d'un événement *A* est égale au rapport :

$$\frac{\textit{nombre d'événements élémentaires dans A}}{\textit{nombre total d'événements élémentaires}}$$

4 Calculs probabilistes

A Opérations sur les événements

En probabilité, on est amené à combiner les événements. On utilise pour cela un vocabulaire et des notations particulières.

Vocabulaire

Soit A et B deux événements.

- L'**intersection** de A et de B est l'événement formé de tous les éléments communs à A et à B. On la note $A \cap B$ (lire : « A inter B »).
- La **réunion** de A et de B est l'événement formé de tous les éléments appartenant à A ou à B ou aux deux. On la note $A \cup B$ (lire : « A union B »).
- Le **contraire** de A est l'événement formé des éléments qui appartiennent à Ω mais pas à A. On le note $\overline{A}$ (lire : « A barre »).
- Dire que deux événements sont **incompatibles** signifie que $A \cap B = \varnothing$ ($\varnothing$ désigne l'ensemble ne contenant aucun élément : c'est l'ensemble vide).
- L'événement **impossible** se note $\varnothing$ (l'ensemble vide).
- Ω s'appelle l'événement certain.

Exemples

On prend $\Omega = \{1,2,3,4,5,6\}$, $A = \{1,4,6\}$ et $B =$ « le résultat est impair ». Alors :

- $A \cap B = \{1\}$, $A \cup B = \{1,3,4,5,6\}$;
- $\overline{A} = \{2,3,5\}$, $\overline{B} = \{2,4,6\} =$ « le résultat est pair »

B Formules de calcul

Théorème 1

Pour tout événement A et tout événement B d'un univers Ω :

$$p(A \cup B) + p(A \cap B) = p(A) + p(B)$$

CAS PARTICULIER IMPORTANT

Si les événements A et B sont incompatibles (et dans ce seul cas), alors : $p(A \cup B) = p(A) + p(B)$.

Théorème 2

Pour tout événement A :

$$p(A) + p(\overline{A}) = 1$$

L'événement Ω s'appelle l'événement certain : il y a 100 % de chances qu'il se produise. On a :

$$p(\Omega) = 1.$$

- L'événement $\varnothing$ s'appelle l'événement impossible : il y a 0% de chance qu'il se produise. On a :

$$p(\varnothing)=0.$$

- On a enfin :

$$p(\overline{A})=1-p(A).$$

C Mises en garde

1. Blanc ou noir, pair ou impair, pile ou face ...

- Quand on prélève une boule dans une urne composée de boules blanches (bb) et de boules noires (bn), il est tentant de dire qu'on a une chance sur deux d'obtenir une boule blanche et une chance sur deux d'obtenir une boule noire. Apparemment, c'est clair car il n'y a que deux couleurs : blanc et noir. Il y aurait donc une chance sur deux d'avoir l'une ou l'autre.
- Mais si l'on apprend maintenant qu'il y a 99 bb et 1 bn, il ne vient à l'esprit de personne d'affirmer qu'il y a une chance sur deux d'obtenir une boule blanche. On comprend donc que tout dépend du contenu de l'urne.
- De même lorsqu'on jette un dé cubique, il y a à coup sûr une chance sur deux pour obtenir un résultat pair lorsque le dé est parfait. S'il est truqué, il n'en va pas ainsi.

2. Discernement requis

- Lorsque l'on jette deux dés indiscernables, dé 1 et dé 2, et que l'on ajoute la face de chaque dé, il y a une seule façon d'obtenir 2 : le dé 1 fournit 1 et le dé 2 aussi.

On pourrait être tenté de dire qu'il y a une seule façon d'obtenir 3, car $3=2+1$. Puisque les deux dés sont indiscernables, on ne distingue pas la provenance de chaque face. Cependant, chaque dé est une entité à part entière différente de l'autre. Il y a donc deux façons de trouver 3 :

dé $1=1$ et dé $2=2$ ou dé $1=2$ et dé $2=1$.

- Pour mieux différencier les dés, on peut imaginer que l'un est blanc et l'autre noir. On peut même les peindre pour les discerner.

Dans tous les cas, il y a deux façons d'obtenir 3.

3. Exactement, au moins, au plus

Les mêmes remarques valent pour deux, trois, quatre, etc.

- L'expression « au moins un » signifie « un ou plus » et « un au minimum ».

L'expression « au plus un » signifie « zéro ou un » et aussi « un au maximum ». En probabilités, lorsqu'on veut éviter toute ambiguïté, on précise « exactement un » pour évoquer l'unité.

- Par exemple, lors du tirage de deux boules dans une urne contenant des boules blanches et des boules noires, on peut chercher la probabilité pour que le tirage comporte exactement une boule blanche.

4. Avec ou sans remise

- Lorsqu'on effectue des tirages avec remise, l'ensemble des possibles reste le même à chaque tirage. Par exemple, si on effectue quatre tirages avec remise d'une boule dans une urne, cela signifie qu'on effectue un premier tirage, on remet la boule dans l'urne, on effectue un deuxième tirage, on remet la boule dans l'urne, etc.

- Lorsqu'on effectue des tirages sans remise, l'ensemble des possibles change à chaque tirage. Par exemple, si on tire trois cartes sans remise d'un jeu de 32 cartes, cela signifie qu'on prélève une première carte du jeu. Ensuite, on prélève une deuxième carte du jeu qui n'en comporte plus que 31, etc.

5 Échantillonnage

A Position des problèmes

- **Problème 1**

Lorsqu'on fait un sondage pour connaître les opérateurs téléphoniques mobiles préférés des consommateurs, on interroge un **échantillon** de consommateurs. Il est impossible en effet d'interroger tous les consommateurs. On calcule alors une proportion p de fans de l'opérateur Violet dans l'échantillon des consommateurs sondés. Plus la taille de l'échantillon est grande et plus la proportion p donne une idée précise de la proportion des fans de l'opérateur Violet dans la population totale.

- **Problème 2**

Un fabricant de billets de tombola fabrique un lot de 50 000 billets pour une région française et déclare y avoir inclus 30 % de billets gagnants. On suppose que le lycée Ducoin en acheté 1 600. Après le tirage, les organisateurs du lycée s'aperçoivent qu'il y a eu 450 gagnants alors qu'ils s'attendaient à en avoir 480

$(0{,}3 \times 1600 = 480)$. Est-ce normal ? À partir de la proportion de billets gagnants dans la population totale, on va pouvoir calculer la proportion de billets gagnants qu'il devrait y avoir dans l'échantillon de 1 600 billets, avec toutefois une certaine marge d'erreur.

■ Pour résoudre les problèmes ci-dessus, on dispose des résultats suivants. Ils ne sont pas faciles à démontrer en Seconde. Il faut donc les admettre.

B De l'échantillon vers la population

■ On considère un échantillon d'utilisateurs de téléphone mobile, de taille n assez grande. On suppose que 35 % des individus de l'échantillon préfèrent l'opérateur TGS. Alors il y a 95 chances sur 100 pour que la proportion de fans de TGS dans la population totale soit comprise entre $0{,}35 - \frac{1}{\sqrt{n}}$ et $0{,}35 + \frac{1}{\sqrt{n}}$.

■ L'intervalle $\left[0{,}35 - \frac{1}{\sqrt{n}} ; 0{,}35 + \frac{1}{\sqrt{n}}\right]$ s'appelle un **intervalle de confiance de niveau 0,95**.

Exemple : Si la taille de l'échantillon est de 1 024, il y a 95 chances sur 100 pour que la proportion des fans de TGS dans la population totale soit comprise entre $0{,}35 - \frac{1}{\sqrt{1\,024}}$ et $0{,}35 + \frac{1}{\sqrt{1\,024}}$, soit entre 0,32 et 0,38.

■ À la place de 0,35, on peut mettre toute valeur p comprise entre 0,2 et 0,8. Il y a aura toujours 95 chances sur 100 que la proportion dans la population totale se situe dans l'intervalle $\left[p - \frac{1}{\sqrt{n}} ; p + \frac{1}{\sqrt{n}}\right]$.

■ On ne saura jamais quelle est la proportion exacte de fans de TGS dans l'ensemble de la population. Il faudrait pour cela interroger les consommateurs un par un.

C De la population vers l'échantillon

■ On considère un lot de billets de tombola qui, selon le fabricant, contient 30 % de billets gagnants répartis au hasard. Le lycée Ducoin a acheté n billets. Alors, il y a 95 chances sur 100 pour que la proportion de billets gagnants dans le lot de n billets se situe dans l'intervalle $\left[0{,}30 - \frac{1}{\sqrt{n}} ; 0{,}30 + \frac{1}{\sqrt{n}}\right]$.

- Si la proportion de billets gagnants du lycée est comprise entre $0{,}30-\frac{1}{\sqrt{n}}$ et $0{,}30+\frac{1}{\sqrt{n}}$ il y a 95 chances sur 100 que l'échantillon soit conforme avec la répartition annoncée par le fabricant.
- Si la proportion de billets gagnants du lycée n'est pas comprise entre $0{,}30-\frac{1}{\sqrt{n}}$ et $0{,}30+\frac{1}{\sqrt{n}}$, il y a 95 chances sur 100 que l'échantillon ne soit pas conforme avec la répartition annoncée par le fabricant.
- L'intervalle $\left[0{,}30-\frac{1}{\sqrt{n}}\,;0{,}30+\frac{1}{\sqrt{n}}\right]$ s'appelle **l'intervalle de fluctuation de niveau 0,95**.

Exemple

Si le lycée a acheté 1 600 billets, alors l'intervalle de fluctuation est :

$\left[0{,}30-\frac{1}{\sqrt{1600}}\,;0{,}30+\frac{1}{\sqrt{1600}}\right]$, c'est-à-dire $[0{,}275\,;0{,}325]$. Si le lycée a constaté qu'il y avait 450 gagnants, la proportion observée de billets gagnants est $\frac{450}{1600}$, soit 0,281 environ. On peut alors faire deux constatations :

- la proportion appartient à l'intervalle de fluctuation ;
- les billets gagnants sont répartis conformément à l'annonce du fabricant, dans les 1 600 billets.

En affirmant cela, la probabilité de se tromper est égale à 5 %.

GÉNÉRALISATION

À la place de 0,30, on peut mettre n'importe quelle valeur comprise entre 0,2 et 0,8. L'intervalle de fluctuation est alors $\left[p-\frac{1}{\sqrt{n}}\,;p+\frac{1}{\sqrt{n}}\right]$. Il y a toujours 95 chances sur 100 pour que la proportion dans l'échantillon soit comprise dans cet intervalle.

Algorithmique

ÉNONCÉ

1 Décrire l'action de l'algorithme suivant.

```
1    VARIABLES
2      pile EST_DU_TYPE NOMBRE
3      face EST_DU_TYPE NOMBRE
4      k EST_DU_TYPE NOMBRE
5      n EST_DU_TYPE NOMBRE
6    DEBUT_ALGORITHME
7      LIRE n
8      pile PREND_LA_VALEUR 0
9      face PREND_LA_VALEUR 0
10     POUR k ALLANT_DE 1 A n
11       DEBUT_POUR
12       SI (random()<=0.5) ALORS
13         DEBUT_SI
14         pile PREND_LA_VALEUR pile + 1
15         FIN_SI
16         SINON
17             DEBUT_SINON
18             face PREND_LA_VALEUR face + 1
19             FIN_SINON
20       FIN_POUR
21     pile PREND_LA_VALEUR pile/n
22     face PREND_LA_VALEUR face/n
23     AFFICHER "p(pile) = "
24     AFFICHER pile
25     AFFICHER "p(face) = "
26     AFFICHER face
27   FIN_ALGORITHME
```

La fonction **random()** renvoie un nombre aléatoire compris entre 0 et 1.

2 On a lancé le programme avec $n = 10\,000$ et obtenu l'affichage ci-contre. Que peut-on en déduire sur l'honnêteté d'une pièce de monnaie testée ainsi ?

```
***Algorithme lancé***
p(pile) = 0.499
p(face) = 0.501
***Algorithme terminé***
```

MÉTHODE

1 On répète n fois un test. Le contenu des variables **pile** et **face** change en fonction du résultat du test. L'affichage final comprend deux probabilités.

2 Penser à l'intervalle de fluctuation.

CORRIGÉ

1 On demande à l'utilisateur de choisir un entier nommé n. Puis on initialise les variables **pile** et **face** à 0. On exécute n fois l'opération suivante : si le nombre aléatoire **random()** est inférieur ou égal à 0,5, on ajoute 1 au contenu de la variable **pile** et sinon, on ajoute 1 au contenu de la variable nommée **face**. À la fin du processus, la variable **pile** contient le nombre de fois où le nombre **random()** a été inférieur ou égal à 0,5 au cours des n tentatives, et la variable **face** contient le nombre de fois où le nombre **random()** a été supérieur à 0,5 au cours des n tentatives.

De cette façon, on simule le nombre de **pile** et de **face** obtenus au cours de n lancers. L'affichage donne la proportion de **pile** et de **face** à l'issue des n lancers.

2 Si la pièce de monnaie est supposée honnête, l'intervalle de fluctuation est :

$$\left[0{,}5 - \frac{1}{\sqrt{10\,000}}\,;\,0{,}5 + \frac{1}{\sqrt{10\,000}}\right] = [0{,}49\,;\,0{,}51].$$

Comme les deux proportions affichées appartiennent à cet intervalle, il y a 95% de chances que la pièce testée soit honnête.

Comment calculer la probabilité d'un événement?

ÉNONCÉ

Une urne contient trois boules blanches (bb) et sept boules noires (bn) identiques.

> Attention, ne répondez pas $\frac{1}{2}$ sous prétexte que la boule tirée est soit noire soit blanche

1 On tire une boule au hasard. Quelle est la probabilité qu'elle soit noire ?

2 On tire une poignée de deux boules. Quelle est la probabilité qu'elles soient de couleurs différentes ?

MÉTHODE

1 Pas de difficulté. Les événements élémentaires sont au nombre de 10.

2 Ne retenez pas les deux raisonnements suivants, ils sont faux.

Premier raisonnement faux. Trois tirages sont possibles : moins de bb que de bn, autant de bb que de bn et plus de bb que de bn. Il y a une chance sur trois pour chacun.

Deuxième raisonnement faux. Soit le tirage est bicolore, soit le tirage est unicolore. Il y a une chance sur deux pour chacun.

CORRIGÉ

1 On peut numéroter les bb de 1 à 3 et les bn de 4 à 10. L'événement « la boule tirée est noire » est donc $\{4,5,6,7,8,9,10\}$. Cet événement est formé de 7 événements élémentaires. Sa probabilité est $\frac{7}{10}$.

On peut dire aussi qu'il y a 7 chances sur 10 pour que la boule tirée soit noire.

2 L'univers des possibles est constitué de toutes les paires de boules possibles. Il y a 9 paires contentant la b1, 8 contenant la b2 et pas la b1, 7 contenant la b3 et pas la b1 et la b2, etc., 1 contenant la b9 et aucune des précédentes. Au total, on a $9+8+7+6+5+4+3+2+1=45$ événements élémentaires.

7 événements élémentaires contiennent b1 et une boule noire : b1b4, b1b5, b1b6, ..., b1b10. De même, 7 événements élémentaires contiennent b2 et une boule noire. 7 encore contiennent b3 et une boule noire.

Au total, 21 événements élémentaires composent l'événement « les deux boules sont de couleurs différentes ». La probabilité cherchée est donc égale à $\frac{21}{45}$, soit à $\frac{7}{15}$.

Utiliser un arbre de probabilité

ÉNONCÉ

1 Dans une urne, on a placé douze boules numérotées de 1 à 12. On en prélève trois au hasard et avec remise. Quelle est la probabilité pour que deux au moins portent le même numéro ?

> Avec remise : on tire une boule, on note son numéro et on la remet dans l'urne, etc.

2 On choisit trois élèves au hasard dans une classe. Quelle est la probabilité qu'au moins deux d'entre eux fêtent leur anniversaire le même mois ? On admettra que tous les mois anniversaires sont équiprobables.

MÉTHODE

1 En faisant un arbre des possibles, on dénombre facilement les événements élémentaires. Il suffit alors de calculer le nombre d'événements élémentaires composant l'événement « les trois boules portent des numéros tous distincts » puis son contraire.

2 Est-il possible d'établir un parallèle entre cette question et la précédente ?

CORRIGÉ

1 Sur l'arbre ci-contre, on a symbolisé un tirage dont le premier numéro est 3.

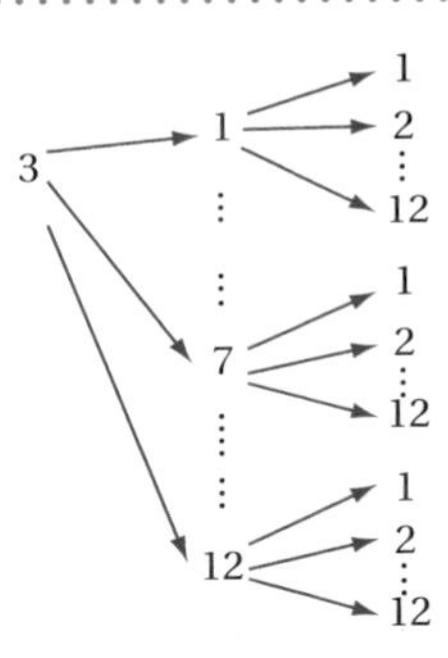

On voit qu'en tout, on a $12 \times 12 \times 12 = 1728$ événements élémentaires. Voici deux d'entre eux : $(3, 1, 12)$ et $(7, 10, 5)$

(3, 1, 12) signifie que l'on a tiré le 3 en premier, le 1 en deuxième et le 12 en troisième.

Les tirages élémentaires comportant des numéros tous distincts sont au nombre de $12 \times 11 \times 10$. En effet, 12 numéros sont possibles pour le premier tirage, plus que 11 pour le deuxième et plus que 10 pour le dernier.

ANALOGIE

On interroge le premier élève : 12 réponses sont possibles ; c'est comme si on tirait une boule au hasard dans l'urne précédente. De même pour les deux autres élèves.

La probabilité pour que deux boules portent le même numéro est celle de l'événement contraire. Elle est donc égale à $1 - \dfrac{12 \times 11 \times 10}{1728}$, soit à $\dfrac{17}{72}$.

2 Ici, le modèle est identique au précédent. La probabilité cherchée est donc égale à $\dfrac{17}{72}$.

SE TESTER QUIZ

1 Il existe des événements de probabilité égale à 0.

- ☐ a. Vrai
- ☐ b. Faux

2 Il existe des événements de probabilité égale à 1.

- ☐ a. Vrai
- ☐ b. Faux

3 Il est impossible qu'un événement et son contraire aient la même probabilité.

- ☐ a. Vrai
- ☐ b. Faux

4 Si un événement a une chance sur trois de se produire, alors son contraire a deux chances sur trois de se produire.

- ☐ a. Vrai
- ☐ b. Faux

5 L'intervalle de fluctuation de niveau 0,95 est d'autant plus petit que la taille de l'échantillon est grande.

- ☐ a. Vrai
- ☐ b. Faux

6 Dans un sondage, sur 1 600 personnes 60 % déclarent que leur couleur préférée est le bleu. Quel est l'intervalle de confiance de niveau 0,95 ?

Dans les exercices 7 à 10, on jette un dé cubique. Parmi les quatre affirmations données quelles sont celles qui sont vraies ?

7 On note A l'événement « la face visible est paire » et B « la face visible est impaire ».

- ☐ a. $A \cap B = \{1,2,3,4,5,6\}$
- ☐ b. $A = \overline{B}$
- ☐ c. $A \cup B = \{1,2,3,4,5,6\}$
- ☐ d. $A \cap B = \varnothing$

8 On note A l'événement « la face visible est multiple de 3 » et B « la face visible porte un numéro supérieur ou égal à 4 ».

- ☐ a. $A \cup B = A$
- ☐ b. $A \cap B = B$
- ☐ c. $A \cap B = \varnothing$
- ☐ d. $\overline{A} = \{2,4,5\}$

9 On note A l'événement « la face visible est paire » et $B = \{2,3,5,6\}$.

- ☐ a. $A \cap B = \{2,6\}$
- ☐ b. $A \cup B = \{2,3,4,5,6\}$
- ☐ c. $\overline{B} = \{1,4\}$
- ☐ d. $\overline{A} = B$

10 On note $A=\{1,4,6\}$ et $B=\{2,3,5,6\}$.

- ☐ a. $A\cap B$ est l'événement « la face visible est paire »
- ☐ b. $\overline{A}$ est l'événement « la face visible est impaire »
- ☐ c. $\overline{B}=\{1,4\}$
- ☐ d. $A\cup B=\{1,2,3,4,5,6\}$

S'ENTRAÎNER

Expression d'événements

Dans les exercices 11 à 13, on prélève une carte d'un jeu de 32 cartes. On note *A* l'événement « la carte tirée est noire », *B* l'événement « la carte tirée est un personnage » et *C* l'événement « la carte tirée est un pique ».

11 Faire une phrase décrivant les événements suivants :

a. $\overline{A}$ b. $\overline{B}$ c. $C\cap B$

12 Parmi les affirmations suivantes lesquelles sont vraies ?

a. L'événement élémentaire « roi de trèfle » fait partie de A.

b. L'événement élémentaire « valet de cœur » fait partie de B.

c. L'événement élémentaire « 10 de pique » fait partie de $C\cap B$.

13 Parmi les affirmations suivantes lesquelles sont vraies ?

a. L'événement élémentaire « roi de carreau » fait partie de $A\cap B$.

b. L'événement élémentaire « 7 de pique » fait partie de $A\cup C$.

c. L'événement élémentaire « dame de carreau » fait partie de $A\cap B$.

Dans les exercices 14 à 16, on considère un événement *A*. Exprimer les événements suivants à l'aide de A, $\overline{A}$, $\varnothing$ et Ω.

14 a. $A\cap\overline{A}$ b. $A\cup\overline{A}$ c. $\overline{A}\cap\Omega$

15 a. $\Omega\cap A$ b. $\Omega\cup A$ c. $\Omega\cap\varnothing$

16 a. $A\cup\varnothing$ b. $A\cap\varnothing$ c. $\Omega\cup\varnothing$

Questions de cours

Dans les exercices 17 à 22, on considère deux événements A et B.

17 Démontrer que $p(A \cup B) \leqslant p(A) + p(B)$. Quand l'égalité est-elle réalisée ?

18 On suppose A et B incompatibles. On a $p(A) = 0{,}23$ et $p(B) = 0{,}54$. Calculer $p(A \cup B)$ et $p(A \cap B)$.

19 On a $p(A) = 0{,}4$, $p(\overline{B}) = 0{,}8$ et $p(A \cap B) = 0{,}15$. Est-il possible de calculer $p(A \cup B)$? Si oui, le calculer ; sinon, dire pourquoi.

20 On a $p(\overline{A}) = 0{,}35$, $p(B) = 0{,}7$ et $p(A \cup B) = 0{,}8$. Est-il possible de calculer $p(A \cap B)$? Si oui, le calculer ; sinon, dire pourquoi.

21 Quels que soient les événements A et B, on a $p(\overline{A} \cap \overline{B}) = 1 - p(A \cap B)$. Vrai ou faux ? Justifier.

22 Quels que soient les événements A et B, on a $p(\overline{A} \cup \overline{B}) = 1 - p(A \cup B)$. Vrai ou faux ? Justifier.

Hasard, dés, urnes, cartes

23 Dans une tombola, quelques centaines de billets sont à vendre. Un billet sur 10 est gagnant. Pour être sûr de gagner, il suffit d'acheter 10 billets. Vrai ou faux ? Justifier.

Dans les exercices 24 et 25, on prend une boule au hasard dans l'urne ci-contre. Choisir les bonnes réponses en les justifiant.

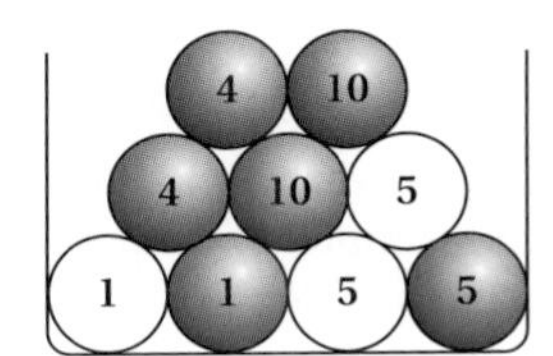

24 La probabilité d'avoir une boule blanche :

a. est égale à celle de tirer une boule grise ;

b. est inférieure à celle de tirer une boule grise ;

c. est égale à $\frac{1}{3}$; d. est égale à $\frac{3}{6}$.

25 La probabilité de tirer une boule portant un numéro pair :

a. est égale à 0,5 ; b. est égale à $\frac{1}{4}$; c. est égale à $\frac{4}{9}$;

d. est inférieure à celle de tirer une boule portant un numéro impair.

26 On écrit sur chacune des six faces d'un dé cubique les lettres du mot « boules ». On jette le dé. On a autant de chances d'avoir une voyelle qu'une consonne. Vrai ou faux ? Justifier.

27 On jette deux dés cubiques l'un blanc (b) et l'autre noir (n). Utiliser le tableau ci-contre pour déterminer les probabilités des événements :

b \ n	1	2	3	4	5	6
1	(1 ; 1)	(1 ; 2)	(1 ; 3)	(1 ; 4)	(1 ; 5)	(1 ; 6)
2	(2 ; 1)	(2 ; 2)	(2 ; 3)	(2 ; 4)	(2 ; 5)	(2 ; 6)
3	(3 ; 1)	(3 ; 2)	(3 ; 3)	(3 ; 4)	(3 ; 5)	(3 ; 6)
4	(4 ; 1)	(4 ; 2)	(4 ; 3)	(4 ; 4)	(4 ; 5)	(4 ; 6)
5	(5 ; 1)	(5 ; 2)	(5 ; 3)	(5 ; 4)	(5 ; 5)	(5 ; 6)
6	(6 ; 1)	(6 ; 2)	(6 ; 3)	(6 ; 4)	(6 ; 5)	(6 ; 6)

a. le nombre porté par le dé b est inférieur au nombre porté par le dé n ;

b. les deux dés portent des nombres distincts ;

c. la somme portée par les deux dés est égale à 7.

28 On écrit sur chacune des six faces d'un dé cubique les lettres du mot « pirate ». On jette ce dé.

a. Quelle est la probabilité d'obtenir une lettre du mot « partie » ? Du mot « patrie » ?

b. Quelle est la probabilité d'obtenir une lettre du mot « gabier » ? Du mot « touffu » ?

29 On dispose d'un dé pipé de telle sorte que : $p(1)=0{,}2$; $p(2)=0{,}15$; $p(3)=0{,}10$; $p(4)=0{,}25$.

a. Calculer les deux probabilités manquantes sachant qu'il y a deux fois plus de chances d'obtenir 6 que d'obtenir 5.

b. Quelle est la probabilité d'obtenir un nombre pair lorsqu'on lance ce dé ?

30 Un dé est pipé de telle sorte que la probabilité d'obtenir une face est proportionnelle au numéro porté par cette face. Déterminer les probabilités de chacune des faces.

31 Un sac contient dix boules numérotées comme indiqué ci-contre.

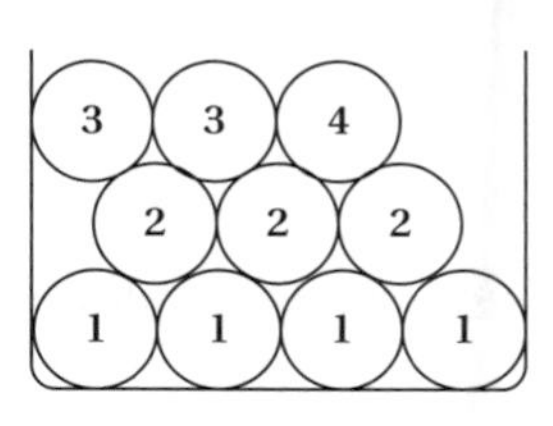

On en tire une, on note son numéro puis on la remet dans le sac. On en tire alors une seconde (tirages avec remise). Calculer les probabilités suivantes.

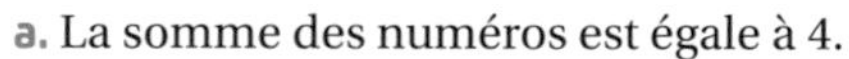

a. La somme des numéros est égale à 4.

b. Le premier numéro est strictement inférieur au second.

c. Les deux numéros sont égaux.

On pourra faire un arbre ou un tableau.

Dans les exercices 32 à 36, on dispose d'un jeu de 32 cartes et on en tire une au hasard. Calculer la probabilité des événements décrits.

32 a. La carte tirée est un dix ou un pique.

b. La carte tirée est le dix de pique.

33 La carte tirée est de couleur rouge ou comporte un roi.

34 La carte tirée est de couleur noire ou est une figure.

35 La carte tirée n'est ni un pique ni un as.

36 La carte tirée n'est pas un carreau ou est une dame.

Petits problèmes

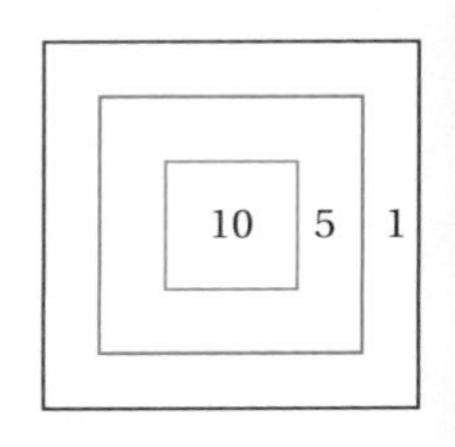

37 Un tireur tire au hasard sur la cible ci-contre, sans jamais la rater. Les carrés sont concentriques et leurs côtés ont pour mesures respectives a, $2a$ et $3a$.

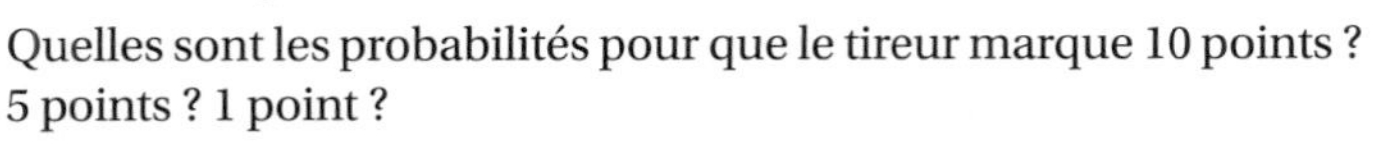

Quelles sont les probabilités pour que le tireur marque 10 points ? 5 points ? 1 point ?

38 Sur l'écran circulaire de rayon r d'un radar, on suppose que le point M représentant un avion se projette au hasard.

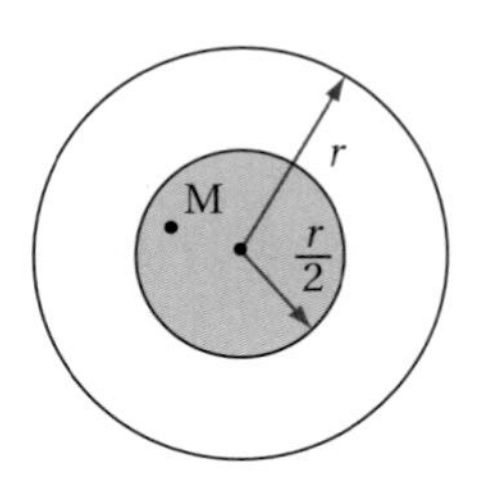

Quelle est la probabilité pour que le point M apparaisse dans la zone colorée, qui est un disque de rayon $\frac{r}{2}$?

Questions de bon sens

Dans les exercices 39 à 45, on jette une pièce de monnaie parfaitement équilibrée 100 fois de suite sur une surface parfaitement lisse.

39 Déterminer la probabilité des événements suivants.

a. Le premier jet amène **pile**.

b. Le vingtième jet amène **face**.

40 a. Il y a une chance sur deux pour qu'il y ait autant de **pile** que de **face**. Vrai ou faux ? Justifier.

b. Les deux événements « il y a plus de **face** que de **pile** » et « il y a moins de **pile** que de **face** » sont égaux. Vrai ou faux ? Justifier.

41 L'événement « il y a eu au moins une fois **pile** » et « il y a eu au plus une fois **pile** » sont des événements contraires. Vrai ou faux ? Justifier.

42 L'événement « **face** est apparu plus de 48 fois » a pour contraire « **pile** est apparu plus de 51 fois ». Vrai ou faux ? Justifier.

43 Soit A l'événement « **pile** est apparu exactement 10 fois » et B l'événement « **face** est apparu exactement 90 fois ». Alors $p(A)+p(B)=1$. Vrai ou faux ? Justifier.

44 Une urne contient 40 boules blanches (bb) et 60 boules noires (bn). On effectue des tirages sans remise d'une boule.

> **LORS D'UN TIRAGE SANS REMISE**
> On tire une boule, on note sa couleur, on ne la remet pas dans l'urne ; on en tire une seconde, on note sa couleur, on ne la remet pas dans l'urne, etc.

a. Quelle est la probabilité que la dernière boule tirée soit noire ?

b. Quelle est la probabilité que la dernière boule tirée soit blanche ?

45 Dix amies font un tirage à la courte paille pour savoir qui va pouvoir rencontrer le beau Brad. Il s'agit de choisir à tour de rôle une paille parmi dix, dont neuf sont de même dimension et la dixième est plus courte que les neuf autres. Chaque amie conserve la paille qu'elle a tirée sans réagir et sans la faire voir aux autres. Quelle place faut-il choisir pour avoir le plus de chances de gagner ?

Échantillonnage

46 a. Dans la forêt Beugue, la proportion de moustiques dangereux est estimée à 25 %. Calculer l'intervalle de fluctuation de niveau 0,95 avec un échantillon de 1 681 moustiques prélevés dans la forêt.

b. Interpréter.

47 a. Dans un échantillon de 2 601 fleurs d'une même espèce, il y a 32 % de fleurs rouges. Quel est l'intervalle de confiance de niveau 95 % relatif à cet échantillon ?

b. Interpréter.

48 M. Limport fait de l'import-export de fruits et légumes. Il a reçu 10 000 cageots. Il n'a pas vérifié les 10 000 bien sûr, mais sur un échantillon de 361 cageots, il a constaté que 80 étaient avariés. Le contrat signé avec le producteur stipule qu'il peut rejeter la livraison si plus du quart de la production est défectueux. A-t-il intérêt à rejeter la livraison ?

49 On veut évaluer la proportion d'électeurs ayant l'intention de voter pour le candidat Niète. On voudrait interroger suffisamment de personnes pour avoir un intervalle de confiance de niveau 0,95 de longueur inférieure à 0,05. Combien faut-il interroger de personnes au minimum ?

50 Selon les statistiques locales, les vraies blondes représentent 42 % de la population de HairLand. On observe 961 habitantes de HairLand et on y compte 354 blondes. Cet échantillon est-il, à 95 %, conforme à la répartition annoncée ?

PROBLÈMES

51 Dans le niveau de Seconde du lycée, il y a 52 % de garçons. En LV1, les élèves étudient soit l'anglais (A), soit l'allemand (D). 60 % des filles étudient l'allemand en LV1 et 45 % des garçons étudient aussi l'allemand en LV1. On choisit au hasard un élève de Seconde.

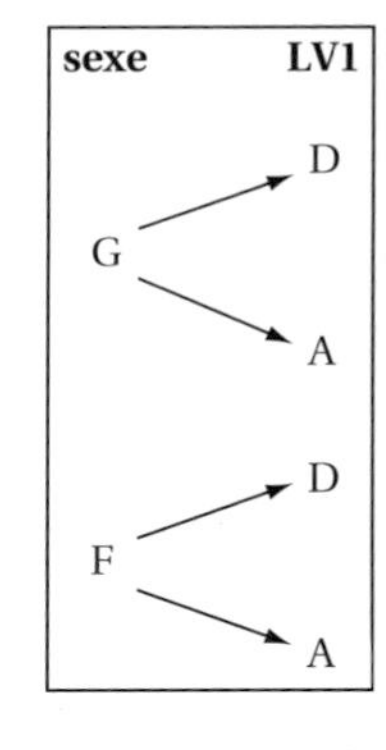

1. En utilisant l'arbre ci-contre, calculer les probabilités des événements suivants.

a. L'élève choisi est une fille étudiant l'allemand en LV1.

b. L'élève choisi n'étudie pas l'anglais en LV1.

2. En utilisant le tableau ci-contre (à compléter), répondre aux deux questions précédentes.

		Sexe		
		G	F	Total
LV1	D			
	A			
	Total			100 %

52 On dispose d'un cadran avec une flèche pouvant tourner et d'une urne. On effectue deux épreuves : on fait tourner la flèche de plusieurs tours de sorte que son extrémité se trouvera soit sur la zone blanche soit sur la zone grise. Puis on prélève au hasard une boule dans l'urne.

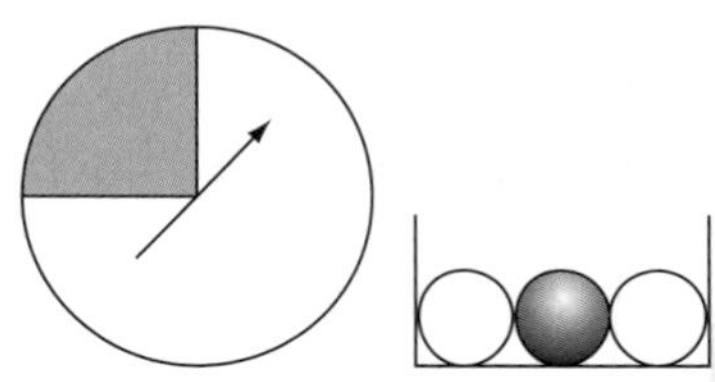

a. Quelle est la probabilité que l'extrémité de l'aiguille se trouve sur la zone blanche et que la boule tirée soit grise ?

b. Quelle est la probabilité que la zone où se trouve l'extrémité de la flèche et la boule tirée soient de couleurs différentes ?

c. Quelle est la probabilité que la zone où se trouve l'extrémité de la flèche et la boule tirée soient de la même couleur ?

53 Dans une urne, il y a des jetons ronds (JR), des jetons carrés (JC) et des jetons ovales (JO). 54 % des jetons sont noirs (JN) et les autres sont blancs (JB).

Le tableau ci-contre donne certaines des proportions des jetons des différents types. On voit qu'il y a 17 % de jetons à la fois ronds et noirs et 34% de jetons carrés.

	JR	JC	JO	Total
JN	17%		25%	54%
JB			10%	
Total		34%		100%

1. Compléter le tableau.

2. On tire un jeton de l'urne.

a. Quelle est la probabilité qu'il ne soit pas rond ?

b. Quelle est la probabilité qu'il soit blanc et pas ovale ?

3. On tire un jeton, on note sa forme et sa couleur puis on le remet dans l'urne. On effectue un nouveau tirage.

a. Quelle est la probabilité de tirer deux jetons ronds ?

b. Quelle est la probabilité de tirer deux jetons de même forme ?

c. Quelle est la probabilité de tirer deux jetons de couleurs différentes ?

SE TESTER

1 **Réponse a.** Vrai. Par exemple, l'événement « demain tous les océans seront vides d'eau ».

2 **Réponse a.** Vrai. Par exemple, « demain il fera jour ».

3 **Réponse b.** Faux. Par exemple, dans le cas du jet d'une pièce de monnaie parfaitement équilibrée, la probabilité de « pile » est égale à la probabilité de « face », les deux valant 0,5.

4 **Réponse a.** Vrai. Car si A est un événement, $p(\bar{A})=1-p(A)$.

5 **Réponse a.** Vrai. Car si n augmente, $\frac{1}{\sqrt{n}}$ diminue. Or la longueur de l'intervalle de fluctuation de niveau 0,95 est égale à $\frac{2}{\sqrt{n}}$ (faire la différence entre les deux bornes), quantité qui devient de plus en plus petite quand n augmente.

6 L'intervalle de confiance de niveau 0,95 est $\left[0{,}6-\frac{1}{\sqrt{1600}}\,;0{,}6+\frac{1}{\sqrt{1600}}\right]$ donc $[0{,}575\,;0{,}625]$.

7 On sait que $A=\{2,4,6\}$ et $B=\{1,3,5\}$. Les affirmations **b, c** et **d** sont donc vraies.

Rappelez-vous que
$\cap$ signifie « et » et
$\cup$ signifie « ou ».

8 On sait que $A=\{3, 6\}$ et $B=\{4, 5, 6\}$. On a $A\cup B=\{3, 4, 5, 6\}$, $A\cap B=\{6\}$ et $\bar{A}=\{1, 2, 4, 5\}$.
Aucune affirmation n'est vraie.

9 On sait que $A=\{2, 4, 6\}$. Les affirmations **a, b** et **c** sont donc vraies.

10 On a $A\cap B=\{6\}$, $\bar{A}=\{2, 3, 5\}$, $\bar{B}=\{1,4\}$. Les affirmations **c** et **d** sont donc vraies.

S'ENTRAÎNER

11 **a.** $\bar{A}$ signifie que la carte tirée est rouge.

b. $\bar{B}$ signifie que la carte tirée n'est pas un personnage.

c. $C\cap B$ signifie que la carte tirée est un personnage de pique, donc le roi, la dame ou le valet de pique.

12 a. Vrai (le roi de trèfle est une carte noire).
b. Vrai (le valet de cœur est un personnage).
c. Faux (le 10 de pique n'est pas un personnage).

13 a. Faux (le roi de carreau n'est pas un personnage noir).
b. Vrai (le 7 de pique est noir).
c. Faux (la dame de carreau n'est pas un personnage noir).

14 a. $A \cap \bar{A} = \varnothing$ b. $A \cup \bar{A} = \Omega$ c. $\bar{A} \cap \Omega = \bar{A}$

15 a. $\Omega \cap A = A$ b. $\Omega \cup A = \Omega$ c. $\Omega \cap \varnothing = \varnothing$

16 a. $A \cup \varnothing = A$ b. $A \cap \varnothing = \varnothing$ c. $\Omega \cup \varnothing = \Omega$

17 On sait que $p(A \cup B) = p(A) + p(B) - p(A \cap B)$ et que $p(A \cap B) \geqslant 0$.
On en déduit que $p(A \cup B) \leqslant p(A) + p(B)$. L'égalité a lieu quand $p(A \cap B) = 0$, donc quand $A \cap B = \varnothing$.

18 Puisque A et B sont incompatibles :
$p(A \cup B) = p(A) + p(B) = 0{,}77$.

On sait ici que $p(A \cap B) = p(\varnothing) = 0$.

19 $p(A \cup B) = p(A) + p(B) - p(A \cap B)$.
Or $p(B) = 1 - p(\bar{B}) = 0{,}2$. Donc $p(A \cup B) = 0{,}4 + 0{,}2 - 0{,}15 = 0{,}45$.

20 $p(A \cap B) = p(A) + p(B) - p(A \cup B)$.
Or $p(A) = 1 - p(\bar{A}) = 0{,}65$. Donc $p(A \cap B) = 0{,}65 + 0{,}7 - 0{,}8 = 0{,}55$.

21 Faux. Dans le cas d'un dé cubique, si on choisit $A = \{6\}$ et $B = \{5\}$ alors $\bar{A} = \{1,2,3,4,5\}$ et $\bar{B} = \{1,2,3,4,6\}$. Donc $\bar{A} \cap \bar{B} = \{1,2,3,4\}$ et $A \cap B = \varnothing$.
Par conséquent : $p(\bar{A} \cap \bar{B}) = \frac{4}{6}$ et $1 - p(A \cap B) = 1$.

22 Faux. Dans le cas d'un dé cubique, si on choisit $A = \{6\}$ et $B = \{5\}$ alors $\bar{A} = \{1,2,3,4,5\}$ et $\bar{B} = \{1,2,3,4,6\}$. Donc $\bar{A} \cup \bar{B} = \{1,2,3,4,5,6\}$ et $A \cup B = \{5,6\}$.
Par conséquent : $p(\bar{A} \cup \bar{B}) = 1$ et $1 - p(A \cup B) = 1 - \frac{2}{6} = \frac{4}{6}$.

23 Faux. Il est possible que les 10 billets achetés soient tous perdants.

24 **Réponses b et c.** En effet, la probabilité de tirer une boule blanche est égale à $\frac{3}{9} = \frac{1}{3}$ et celle de tirer une boule grise est égale à $\frac{6}{9} = \frac{2}{3}$.

25 **Réponses c et d.** En effet, la probabilité de tirer une boule portant un numéro pair est égale à $\frac{4}{9}$ et celle de tirer une boule portant un numéro impair est égale à $\frac{5}{9}$.

Il y a quatre boules paires et cinq impaires.

26 Vrai, car il y a autant de voyelles que de consonnes sur les six faces. Les deux probabilités sont donc égales à $\frac{1}{2}$.

27 **a.** Les événements élémentaires constituant l'événement « le nombre porté par le dé b est inférieur au nombre porté par le dé n » sont les couples $(x\,;y)$ avec $x < y$. Il y en a 15. La probabilité cherchée est donc égale à $\frac{15}{36}$, soit $\frac{5}{12}$.

b. L'événement contraire de « les deux dés portent des nombres distincts » (on le note A) est « les deux dés portent les mêmes numéros » (c'est $\overline{A}$). Puisque $p(\overline{A}) = \frac{6}{36} = \frac{1}{6}$, on en déduit que $p(A) = \frac{5}{6}$.

$p(A) = 1 - p(\overline{A})$.

c. Il y a six couples dont le total est égal à 7. La probabilité cherchée est donc égale à $\frac{6}{36} = \frac{1}{6}$.

28 **a.** Les probabilités cherchées sont toutes les deux égales à 1 car les mots « partie » et « patrie » sont des anagrammes du mot « pirate ».

b. Les mots « gabier » et « pirate » ont 4 lettres en commun. La probabilité cherchée est donc celle d'obtenir un « a », un « e », un « i » ou un « r ». Elle est égale à $\frac{4}{6}$, soit $\frac{2}{3}$. Le mot « touffu » n'ayant pas de lettre commune avec « pirate », la probabilité de trouver une lettre de ce mot est égale à 0.

29 **a.** On sait que la somme des probabilités des événements élémentaires est égale à 1. Donc $0{,}2 + 0{,}15 + 0{,}10 + 0{,}25 + p(5) + p(6) = 1$.
Ce qui donne $p(5) + p(6) = 0{,}3$. Or $p(6) = 2p(5)$, donc $3p(5) = 0{,}3$.
Ce qui donne $p(5) = 0{,}1$. On en déduit que $p(6) = 0{,}2$.

b. La probabilité d'obtenir un nombre pair est égale à $p(2) + p(4) + p(6)$, donc à $0{,}6$.

30 Si on note n le nombre porté par une face et k le coefficient de proportionnalité, on a $p(n) = kn$.

Or la somme des probabilités des événements élémentaires est égale à 1. Donc $k1 + k2 + \cdots + k6 = 1$ ce qui équivaut à $k(1 + 2 + \cdots + 6) = 1$.

Puisque $1 + 2 + \cdots + 6 = 21$, on trouve $k = \dfrac{1}{21}$. En résumé :

Face	1	2	3	4	5	6
Probabilité	$\frac{1}{21}$	$\frac{2}{21}$	$\frac{3}{21}$	$\frac{4}{21}$	$\frac{5}{21}$	$\frac{6}{21}$

31 **a.** Dans le tableau ci-contre, on a répertorié tous les tirages dont la somme est égale à 4. La probabilité cherchée est donc égale à $\dfrac{25}{100} = 0{,}25$.

	1	1	1	1	2	2	2	3	3	4
1	2	2	2	2	3	3	3	4	4	5
1	2	2	2	2	3	3	3	4	4	5
1	2	2	2	2	3	3	3	4	4	5
1	2	2	2	2	3	3	3	4	4	5
2	3	3	3	3	4	4	4	5	5	6
2	3	3	3	3	4	4	4	5	5	6
2	3	3	3	3	4	4	4	5	5	6
3	4	4	4	4	5	5	5	6	6	7
3	4	4	4	4	5	5	5	6	6	7
4	5	5	5	5	6	6	6	7	7	8

b. Dans le tableau ci-dessous, on a colorié en bleu tous les résultats où le premier nombre est strictement inférieur au second. La probabilité cherchée est donc égale à $\dfrac{35}{100} = 0{,}35$.

Il y a 35 tirages favorables.

	1	1	1	1	2	2	2	3	3	4
1	(1 ; 1)	(1 ; 1)	(1 ; 1)	(1 ; 1)	(1 ; 2)	(1 ; 2)	(1 ; 2)	(1 ; 3)	(1 ; 3)	(1 ; 4)
1	(1 ; 1)	(1 ; 1)	(1 ; 1)	(1 ; 1)	(1 ; 2)	(1 ; 2)	(1 ; 2)	(1 ; 3)	(1 ; 3)	(1 ; 4)
1	(1 ; 1)	(1 ; 1)	(1 ; 1)	(1 ; 1)	(1 ; 2)	(1 ; 2)	(1 ; 2)	(1 ; 3)	(1 ; 3)	(1 ; 4)
1	(1 ; 1)	(1 ; 1)	(1 ; 1)	(1 ; 1)	(1 ; 2)	(1 ; 2)	(1 ; 2)	(1 ; 3)	(1 ; 3)	(1 ; 4)
2	(2 ; 1)	(2 ; 1)	(2 ; 1)	(2 ; 1)	(2 ; 2)	(2 ; 2)	(2 ; 2)	(2 ; 3)	(2 ; 3)	(2 ; 4)
2	(2 ; 1)	(2 ; 1)	(2 ; 1)	(2 ; 1)	(2 ; 2)	(2 ; 2)	(2 ; 2)	(2 ; 3)	(2 ; 3)	(2 ; 4)
2	(2 ; 1)	(2 ; 1)	(2 ; 1)	(2 ; 1)	(2 ; 2)	(2 ; 2)	(2 ; 2)	(2 ; 3)	(2 ; 3)	(2 ; 4)
3	(3 ; 1)	(3 ; 1)	(3 ; 1)	(3 ; 1)	(3 ; 2)	(3 ; 2)	(3 ; 2)	(3 ; 3)	(3 ; 3)	(3 ; 4)
3	(3 ; 1)	(3 ; 1)	(3 ; 1)	(3 ; 1)	(3 ; 2)	(3 ; 2)	(3 ; 2)	(3 ; 3)	(3 ; 3)	(3 ; 4)
4	(4 ; 1)	(4 ; 1)	(4 ; 1)	(4 ; 1)	(4 ; 2)	(4 ; 2)	(4 ; 2)	(4 ; 3)	(4 ; 3)	(4 ; 4)

c. Dans le tableau précédent, on a colorié en orange tous les résultats où les deux nombres sont égaux. La probabilité cherchée est donc égale à $\frac{30}{100} = 0{,}3$.

32 **a.** Soit D l'événement « la carte tirée est un dix » et P l'événement « la carte tirée est un pique ». On cherche $p(D \cup P)$.

On trouve : $p(D \cup P) = p(D) + p(P) - p(P \cap D) = \frac{4}{32} + \frac{8}{32} - \frac{1}{32}$. En effet, il y a 4 dix, 8 piques et un seul dix de pique. Finalement :

$p(D \cup P) = \frac{11}{32}$.

> Le seul élément de $D \cap P$ est le dix de pique.

b. On cherche $p(D \cap P)$ et on trouve $\frac{1}{32}$.

33 Soit R_1 l'événement « la carte tirée est de couleur rouge » et R_2 l'événement « la carte tirée est un roi ». On cherche $p(R_1 \cup R_2)$.

On trouve : $p(R_1 \cup R_2) = p(R_1) + p(R_2) - p(R_1 \cap R_2) = \frac{16}{32} + \frac{4}{32} - \frac{2}{32}$.

En effet, il y a 16 cartes de couleur rouge (carreau et cœur), 4 rois dont 2 rois rouges. Finalement : $p(R_1 \cup R_2) = \frac{18}{32} = \frac{9}{16}$.

34 Soit N l'événement « la carte tirée est de couleur noire » et F l'événement « la carte tirée est une figure ». On cherche $p(N \cup F)$.

On trouve : $p(N \cup F) = p(N) + p(F) - p(N \cap F) = \frac{16}{32} + \frac{12}{32} - \frac{6}{32}$.

En effet, il y a 16 cartes de couleur noire (pique et trèfle), 12 figures et 6 figures noires. Finalement : $p(N \cup F) = \frac{22}{32} = \frac{11}{16}$.

35 21 cartes ne sont ni des piques ni des as. En effet, il y a les huit piques et les trois as (tous sauf celui de pique). La probabilité cherchée est donc égale à $\frac{21}{32}$.

36 Soit T l'événement « la carte tirée est un carreau » et D l'événement « la carte tirée est une dame ». On cherche $p(\overline{T} \cup D)$.

On trouve : $p(\overline{T} \cup D) = p(\overline{T}) + p(D) - p(\overline{T} \cap D) = \frac{24}{32} + \frac{4}{32} - \frac{3}{32}$.

En effet, il y a 24 cartes qui ne sont pas des carreaux, 4 dames et 3 dames qui ne sont pas des dames de carreau. Finalement : $p\left(\overline{T} \cup D\right) = \frac{25}{32}$.

37 La probabilité d'atteindre une zone est égale à l'aire de la zone divisée par l'aire totale du grand carré. Cette dernière est égale à $(3a)^2 = 9a^2$.

Le tableau ci-dessous donne les aires des zones et les probabilités cherchées.

Zone	1	5	10
Aire	$(3a)^2 - (2a)^2 = 5a^2$	$(2a)^2 - a^2 = 3a^2$	a^2
Probabilité	$\frac{5a^2}{9a^2} = \frac{5}{9}$	$\frac{3a^2}{9a^2} = \frac{1}{3}$	$\frac{a^2}{9a^2} = \frac{1}{9}$

38 La probabilité que M soit dans la zone bleue est égale à l'aire de la zone bleue divisée par l'aire totale du disque qui est égale à πr^2.

On trouve donc $\frac{\pi\left(\frac{r}{2}\right)^2}{\pi r^2} = \frac{1}{4}$. Il y a donc une chance sur quatre pour que l'avion apparaisse dans la zone bleue.

39 **a.** Il y a une chance sur deux pour que le premier jet amène **pile**, donc la probabilité cherchée est égale à $\frac{1}{2}$.

b. Il y a également une chance sur deux pour que le vingtième jet (et tout autre) amène **face**, donc la probabilité cherchée est égale à $\frac{1}{2}$.

40 **a.** Faux, car l'événement « il y a autant de **pile** que de **face** » signifie qu'il y a eu 50 **pile** et 50 **face**. Bien d'autres événements peuvent se formuler de la même façon : « il y a 10 **pile** et 90 **face** », « 25 **pile** et 75 **face** », etc.

b. Vrai. Les deux formulations ont le même sens.

41 Faux. Le contraire de l'événement « il y a eu au moins une fois **pile** » est « il n'y a pas eu de **pile** ».

Dire qu'il y a eu au plus une fois **pile** signifie qu'il y a eu 0 **pile** ou un **pile**.

42 Vrai. L'événement « **face** est apparu plus de 48 fois » signifie que **face** est apparu au moins 49 fois. Son contraire est « **face** est apparu moins de 49 fois », c'est-à-dire 48 fois au maximum. Dès lors, **pile** est apparu 52 fois au minimum, donc plus de 51 fois.

43 Faux. En effet, les deux événements sont incompatibles. Donc $p(A \cup B) = p(A) + p(B)$. Cependant, $A \cup B \neq \Omega$. Donc $p(A \cup B) \neq 1$.

44 **a.** La probabilité cherchée est égale à $\frac{60}{100} = 0,6$. En effet, on suppose que les bb sont numérotées de 1 à 40 et les bn de 41 à 100. Faire un tirage sans remise revient à choisir un nombre dans une liste de 100 nombres tous distincts disposés au hasard. Il y a par exemple une chance sur 100 pour que le nombre 38 soit en 69e position, le nombre 54 en 100e position, etc. De même, il y a une chance sur 100 que n'importe quelle bn soit en 100e position. Comme il y a 60 bn, le résultat annoncé en découle.

b. Le même raisonnement montre que la probabilité cherchée est $\frac{40}{100} = 0,4$.

45 Chaque amie a une chance sur dix de tirer la courte paille. En effet, tout se passe comme si on faisait un tirage sans remise. Numéroter les pailles revient à choisir un nombre dans une liste de 10 nombres tous distincts disposés au hasard. Il y a par exemple une chance sur 10 que le nombre 7 soit en 6e position. Il en va de même pour tous les autres nombres et toutes les autres positions.

Aucune place n'est privilégiée.

46 **a.** L'intervalle de fluctuation de niveau 0,95 avec un échantillon de 1681 moustiques prélevés dans la forêt est :

$$\left[0,25 - \frac{1}{\sqrt{1681}} ; 0,25 + \frac{1}{\sqrt{1681}}\right] = \left[0,25 - \frac{1}{41} ; 0,25 + \frac{1}{41}\right].$$

$\sqrt{1681} = 41$

b. Si on capture un échantillon de 1 681 moustiques, on est presque sûr (à 95 %) d'avoir une proportion de moustiques dangereux comprise entre 22,7 % et 27,4 %. On en aura donc entre 381 et 460.

47 **a.** L'intervalle de confiance de niveau 95 % relatif à cet échantillon est :

$$\left[0,32 - \frac{1}{\sqrt{2\,601}} ; 0,32 + \frac{1}{\sqrt{2\,601}}\right] = \left[0,32 - \frac{1}{51} ; 0,32 + \frac{1}{51}\right].$$

b. Il y a 95 chances sur 100 pour que la proportion de fleurs rouges dans l'espèce soit comprise entre 30 % et 34 %.

48 La proportion de cageots avariés dans l'échantillon est égale à $\frac{80}{361}$.

Il y a 95 chances sur 100 pour que la proportion de cageots avariés parmi les 10 000 cageots livrés soit comprise dans l'intervalle :

$$\left[\frac{80}{361}-\frac{1}{\sqrt{361}}\,;\,\frac{80}{361}+\frac{1}{\sqrt{361}}\right]=\left[\frac{80}{361}-\frac{1}{19}\,;\,\frac{80}{361}+\frac{1}{19}\right].$$

Il est donc vraisemblable (à 95 %) que la proportion de cageots avariés dans la livraison soit comprise entre 16,9 % et 27,4 %. La proportion constatée est dans l'intervalle de confiance. M. Limport n'a donc pas intérêt à rejeter la livraison.

49 La longueur de l'intervalle de confiance est égale à $\frac{2}{\sqrt{n}}$ car :

$$p+\frac{1}{\sqrt{n}}-\left(p-\frac{1}{\sqrt{n}}\right)=\frac{2}{\sqrt{n}}.$$

On veut trouver n pour que $\frac{2}{\sqrt{n}}\leqslant 0{,}05$, c'est-à-dire $\sqrt{n}\geqslant\frac{2}{0{,}05}=40$. Il faut donc choisir n tel que $n\geqslant 1600$, soit interroger au minimum 1 600 personnes.

50 L'intervalle de fluctuation relatif à l'échantillon de 961 habitantes de HairLand est :

$$\left[0{,}42-\frac{1}{\sqrt{961}}\,;0{,}42+\frac{1}{\sqrt{961}}\right]=\left[0{,}42-\frac{1}{31}\,;0{,}42+\frac{1}{31}\right].$$

Il y a 95 chances sur 100 pour que la proportion de blondes dans l'échantillon oscille entre 38,7 % et 45,2 %. Il devrait donc y avoir presque sûrement entre 372 et 434 blondes. Cet échantillon n'est presque sûrement pas conforme à la répartition annoncée.

PROBLÈMES

51 1. **a.** On sait qu'il y a 48 % de filles. La probabilité cherchée est donc égale à : $0{,}48\times 0{,}6$, donc 0,288.

b. Un élève qui n'étudie pas l'anglais en LV1 étudie forcément l'allemand en LV1. Il est soit un garçon, soit une fille.

La probabilité de choisir un garçon étudiant l'allemand est égale à $0{,}52 \times 0{,}45$, donc à 0,234. La probabilité pour que l'élève choisi n'étudie pas l'anglais est égale à $0{,}288 + 0{,}234$, donc à 0,522.

2. Pour remplir le tableau, on a d'abord placé 0,52, soit 52 %, qui est la proportion de garçons dans le lycée.

Ensuite, on a calculé la proportion de garçons étudiant l'allemand en LV1 (1), puis la proportion de filles (2), puis la proportion de filles étudiant l'allemand (3) et enfin la proportion d'élèves pratiquant l'allemand en LV1 (4).

La ligne de l'anglais se complète alors par simples soustractions.

		Sexe		
		G	F	Total
LV1	D	23,4 (1)	28,8 (3)	52,2 (4)
	A	28,6	19,2	47,8
	Total	52	48 (2)	100 %

52 a. Il y a trois chances sur quatre pour que l'extrémité de l'aiguille se situe dans la zone blanche. Il y a une chance sur trois pour que la boule tirée soit grise. La probabilité cherchée est donc égale à $\frac{3}{4} \times \frac{1}{3}$, donc à $\frac{1}{4}$.

b. Soit A l'événement « l'extrémité de l'aiguille se trouve sur la zone blanche et la boule tirée est grise » et B l'événement « l'extrémité de l'aiguille se trouve sur la zone grise et la boule tirée est blanche ». On cherche $p(A \cup B)$. On trouve $p(A)+p(B)$ car les deux événements sont incompatibles. En raisonnant comme dans la question précédente, on trouve : $p(B) = \frac{1}{4} \times \frac{2}{3} = \frac{1}{6}$.

Ainsi $p(A \cup B) = \frac{1}{4} + \frac{1}{6} = \frac{3}{12} + \frac{2}{12} = \frac{5}{12}$.

c. L'événement « la zone où se trouve l'extrémité de la flèche et la boule tirée sont de la même couleur » est le contraire de l'événement $A \cup B$. Sa probabilité est donc égale à $1 - p(A \cup B)$, c'est-à-dire à $\frac{7}{12}$.

53 **1.** L'ordre de remplissage du tableau est indiqué. On a commencé par trouver 12 % car : $54-(17+25)=12$. Et ainsi de suite.

	JR	JC	JO	
JN	17 %	12 % (1)	25 %	54 %
JB	14 % (4)	22 % (2)	10 %	46 % (3)
Total	31 % (5)	34 %	35 % (6)	100 %

2. a. On cherche $p(\text{JC} \cup \text{JO})$ car si un jeton n'est pas rond, il est carré ou ovale. On trouve $p(\text{JC})+p(\text{JO})$ car les deux événements JC et JO sont incompatibles, donc 69 %.

b. On cherche $p\left(\text{JB} \cap \overline{\text{JO}}\right)$. Il suffit de regarder la proportion de jetons qui sont blancs et carrés ou blancs et ronds. On trouve $14\,\% + 22\,\%$, soit 36 %.

3. a. La probabilité cherchée est égale à $0{,}31 \times 0{,}31$, donc à 0,096 1.

b. De même, la probabilité de tirer deux jetons carrés est : $0{,}34 \times 0{,}34 = 0{,}115\,6$.

La probabilité de tirer deux jetons ovales est : $0{,}35 \times 0{,}35 = 0{,}122\,5$.

La probabilité pour que les deux jetons soient de la même forme est donc :

$0{,}096\,1 + 0{,}115\,6 + 0{,}122\,5 = 0{,}334\,2$, soit 33,42 %.

c. On cherche d'abord, par analogie avec la question précédente, la probabilité de tirer deux jetons de la même couleur. On trouve :

$0{,}54 \times 0{,}54 + 0{,}46 \times 0{,}46 = 0{,}503\,2$.

La probabilité cherchée est donc :

$1 - 0{,}503\,2 = 0{,}496\,8$, soit 49,68 %.

www.annabac.com

CHAPITRE

9 Vecteurs

Le mot « vecteur » entre dans les programmes de l'enseignement secondaire en 1925 et il y figure toujours. Pour simplifier, un vecteur est un segment orienté. En classe de Seconde, on apprend à additionner des vecteurs, à les multiplier par un nombre, à les représenter et à en calculer les coordonnées.

1 Translations et vecteurs

- Une translation est un procédé qui déplace un point en un autre point selon une règle imposée par deux points fixes.
- Si on appelle A et B ces deux points fixes, la translation de A vers B transforme un point M en un point M' de telle sorte que les segments $[AM']$ et $[BM]$ aient le même milieu. M' s'appelle le translaté de M.

Sur la figure, on a placé les points M, N, P et Q ainsi que leurs translatés par la translation de A vers B.

La translation de A vers B est différente de la translation de B vers A.

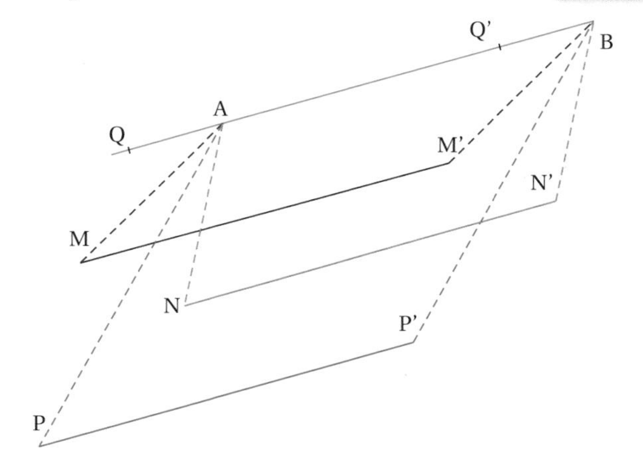

2 Vecteurs

A Définition

Un vecteur est un déplacement du plan. Il est caractérisé par trois facteurs :

- sa direction (par exemple, horizontale ou verticale) ;
- son sens (par exemple, de gauche à droite ou de bas en haut) ;
- sa longueur (par exemple, 5 carreaux ou 4,2 cm).

Remarque

Lorsqu'on trace une droite, on peut la parcourir de deux façons : de gauche à droite ou de droite à gauche (si elle est verticale : de bas en haut ou de haut en bas). Si on place deux point distincts A et B sur la droite, on définit deux vecteurs de sens contraires : $\overrightarrow{AB}$ et $\overrightarrow{BA}$.

VOCABULAIRE

La signification du mot **direction** en mathématiques est différente de sa signification dans le langage courant. En mathématiques, une direction est définie par une droite $\mathscr{D}$. Toutes les droites parallèles à $\mathscr{D}$ ont la même direction que $\mathscr{D}$. Elles ont toutes la même direction.

B Égalité de vecteurs

Si on pose $\vec{u} = \overrightarrow{AB}$ et $\vec{v} = \overrightarrow{CD}$, on dit que $\vec{u}$ et $\vec{v}$ sont égaux $(\vec{u} = \vec{v})$ lorsque les trois conditions suivantes sont réalisées :

- les droites (AB) et (CD) sont parallèles ;
- on se dirige de A vers B et de C vers D dans le même sens ;
- les longueurs AB et CD sont égales.

Lorsque les points A, B, C, D ne sont pas alignés, $\vec{u} = \vec{v}$ si, et seulement si, le quadrilatère ABDC est un parallélogramme. (Bien noter l'ordre des lettres : ABDC.) Dans ces conditions, on a aussi : $\overrightarrow{AC} = \overrightarrow{BD}$. On en déduit le théorème suivant :

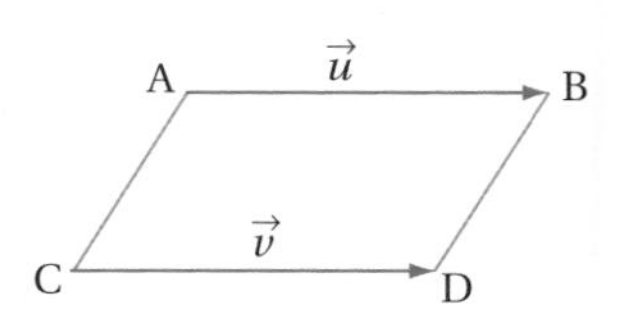

Théorème

Deux vecteurs sont égaux si et seulement si ils définissent la même translation.

3 Opérations sur les vecteurs

A Somme vectorielle

Soit A, B, C trois points non alignés ; si on pose $\vec{u} = \overrightarrow{AB}$ et $\vec{v} = \overrightarrow{AC}$, on appelle somme vectorielle $\vec{u} + \vec{v}$ le vecteur $\vec{w}$ tel que $\vec{w} = \overrightarrow{AD}$ où ABDC est un **parallélogramme**.

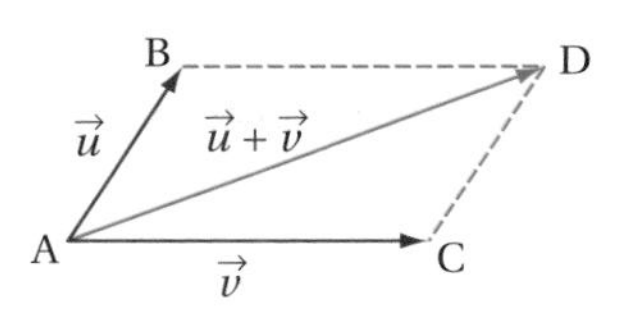

REPRÉSENTATION D'UN VECTEUR

On peut représenter un vecteur $\vec{u}$ d'une infinité de façons. La seule condition à respecter est que les représentants aient la même direction, le même sens et la même longueur. Pour construire la somme vectorielle de deux vecteurs, on choisit les représentants les plus pertinents [voir la fiche méthode].

B Relation de Chasles

La relation de Chasles peut se concevoir comme un raccourci. On part d'un point de départ D pour aboutir à un point d'arrivée A ; la relation permet de prendre des chemins détournés. Ainsi :

$\overrightarrow{DA} = \overrightarrow{DC} + \overrightarrow{CB} + \overrightarrow{BA}$. On pourrait rajouter bien d'autres points intermédiaires, pourvu qu'ils soient utiles.

L'arrivée d'un vecteur est égale au départ du suivant.

C Opposé ; soustraction

- Si on pose $\vec{u} = \overrightarrow{AB}$, on note $-\vec{u}$ l'opposé de $\vec{u}$ et on a ainsi : $-\vec{u} = -\overrightarrow{AB} = \overrightarrow{BA}$; ce qui différencie un vecteur de son opposé est donc le sens.
- De plus, si les vecteurs $\overrightarrow{AB}$ et $\overrightarrow{AB'}$ sont opposés, alors les points B et B′ sont symétriques par rapport à A. On définit alors la soustraction : $\vec{v} - \vec{u} = \vec{v} + (-\vec{u})$.

Ou encore : $\overrightarrow{AC} - \overrightarrow{AB} = \overrightarrow{AC} + \overrightarrow{BA} = \overrightarrow{BA} + \overrightarrow{AC} = \overrightarrow{BC}$.

D Multiplication d'un vecteur par un réel

- Étant donné un vecteur $\vec{u}$ non nul et un réel k non nul, on obtient un vecteur égal au vecteur $k\vec{u}$ en suivant la méthode :

- tracer une droite $(\mathscr{D})$ de même direction que $\vec{u}$;
- placer sur $(\mathscr{D})$ un point A ;
- tracer sur $(\mathscr{D})$ le vecteur $\overrightarrow{AB'}$ de même sens que $\vec{u}$

et de longueur $|k|u$ où u est la longueur du vecteur $\vec{u}$.

Sur la figure ci-contre : $\vec{u} = \overrightarrow{AB}$ et $\overrightarrow{AB'} = k\vec{u} = k\,\overrightarrow{AB}$.

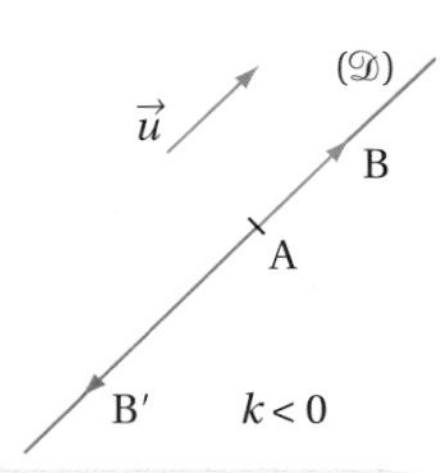

EMPLACEMENTS DE B'

Le point B' a divers emplacements selon les valeurs de k :

- à gauche de A si $k < 0$;
- à l'intérieur de [AB] si $0 \leqslant k \leqslant 1$;
- à droite de B si $k > 1$.

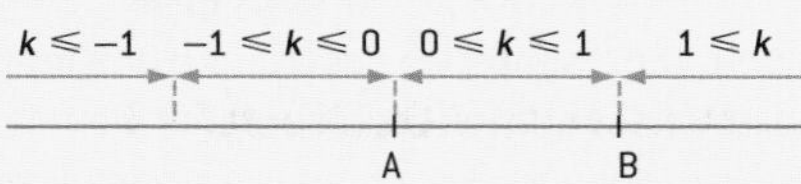

- D'autre part, on a la relation $\overrightarrow{AB} + \overrightarrow{AC} = 2\overrightarrow{AI}$ où I est le milieu de [BC].

On sait en effet que la somme $\overrightarrow{AC} + \overrightarrow{AB}$ est portée par la diagonale [AS] du parallélogramme. Or AS = 2AI, d'où le résultat.

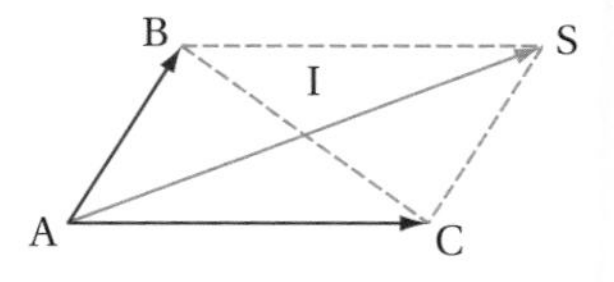

E Exploiter le milieu

- Sur la figure ci-contre, les points A′, B′, C′ sont les milieux respectifs des segments [BC], [AC], [AB].
- Après avoir effectué des opérations mettant en jeu les vecteurs $\overrightarrow{AB}$, $\overrightarrow{AC}$ et $\overrightarrow{CB}$, on peut utiliser les égalités vectorielles :

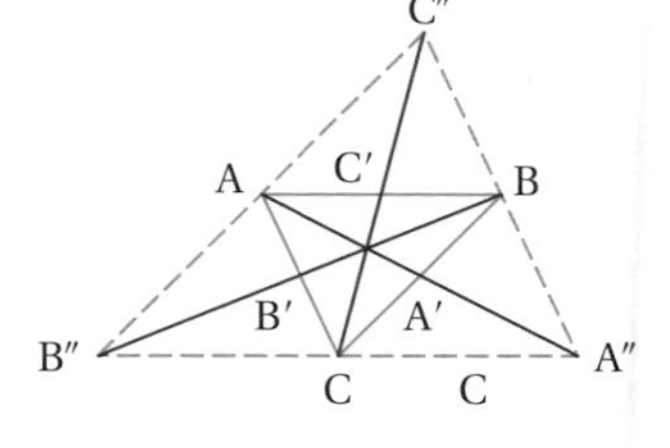

$\overrightarrow{AB} + \overrightarrow{AC} = 2\overrightarrow{AA'} = \overrightarrow{AA''}$;

$\overrightarrow{CA} + \overrightarrow{CB} = 2\overrightarrow{CC'} = \overrightarrow{CC''}$;

$\overrightarrow{BA} + \overrightarrow{BC} = 2\overrightarrow{BB'} = \overrightarrow{BB''}$.

- On peut aussi considérer les parallélogrammes ACBC″, BACA″, CBAB″, et utiliser les relations vectorielles en découlant.

F Règles de calcul

Dans les égalités suivantes, $\vec{u}$ et $\vec{v}$ sont des vecteurs quelconques et h et k sont des réels quelconques.

$k(h\vec{u})=(kh)\vec{u}$; par exemple, $2(x\vec{u})=2x\vec{u}$.

$k(\vec{u}+\vec{v})=k\vec{u}+k\vec{v}$; par exemple, $6(\vec{u}+\vec{v})=6\vec{u}+6\vec{v}$.

$(h+k)\vec{u}=h\vec{u}+k\vec{u}$; par exemple, $(x-5)\vec{u}=x\vec{u}-5\vec{u}$.

De plus, si $k\vec{u}=\vec{0}$, alors on a soit $k=0$, soit $\vec{u}=\vec{0}$.

4 Vecteurs colinéaires

A Colinéarité

- Soit $\vec{u}$ et $\vec{v}$ deux vecteurs non nuls ; dire que $\vec{u}$ est colinéaire à $\vec{v}$ signifie qu'il existe un réel k vérifiant l'égalité $\vec{v}=k\vec{u}$. On en déduit que si $\vec{u}$ est colinéaire à $\vec{v}$, alors $\vec{v}$ est colinéaire à $\vec{u}$ puisque l'on peut écrire $\vec{u}=\frac{1}{k}\vec{v}$.
On dit aussi que les vecteurs $\vec{u}$ et $\vec{v}$ sont colinéaires.
Par extension, on dit que le vecteur nul est colinéaire à tous les vecteurs du plan.
- Dire que les vecteurs $\overrightarrow{AB}$ et $\overrightarrow{CD}$ sont colinéaires signifie que les droites (AB) et (CD) sont parallèles.
- Dire que $\overrightarrow{AB}$ et $\overrightarrow{AC}$ sont colinéaires signifie que les points A, B et C sont alignés.

B Alignement

- Lorsqu'il existe une relation du type $\overrightarrow{AB}=k\overrightarrow{CD}$ entre les points A, B, C et D, il ne faut pas en déduire qu'ils sont alignés. Il est tout à fait possible que les droites (AB) et (CD) soient parallèles.
- Pour conclure à l'alignement grâce à la colinéarité, il est nécessaire que les vecteurs colinéaires aient **un point commun**. C'est donc une relation du type $\overrightarrow{AB}=k\overrightarrow{AC}$ qu'il faudra obtenir pour prouver que les points A, B et C sont alignés.

Construire un vecteur somme dont l'origine est donnée

ÉNONCÉ

Étant donnés les vecteurs $\overrightarrow{AB}$ et $\overrightarrow{CD}$ et un point O, construire le point S tel que $\overrightarrow{OS} = \overrightarrow{AB} + \overrightarrow{CD}$.

MÉTHODE

On étudie deux cas et on construit E tel que $\overrightarrow{OE} = \overrightarrow{AB}$ et S tel que $\overrightarrow{ES} = \overrightarrow{CD}$.

1er cas : $\overrightarrow{AB}$ et $\overrightarrow{CD}$ n'ont pas la même direction.

2e cas : $\overrightarrow{AB}$ et $\overrightarrow{CD}$ ont la même direction.

CORRIGÉ

- **1er cas**

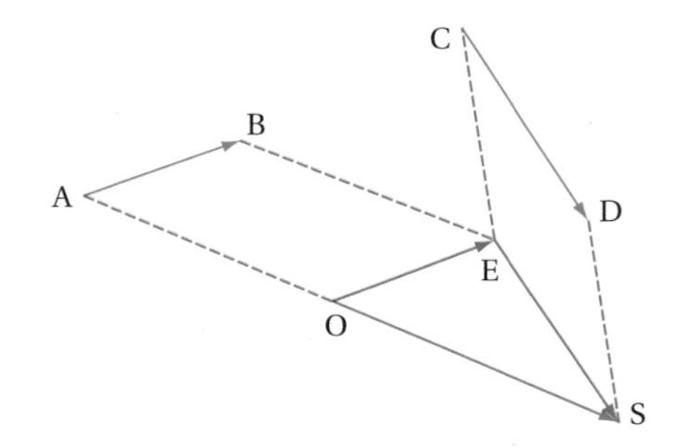

- **2e cas**

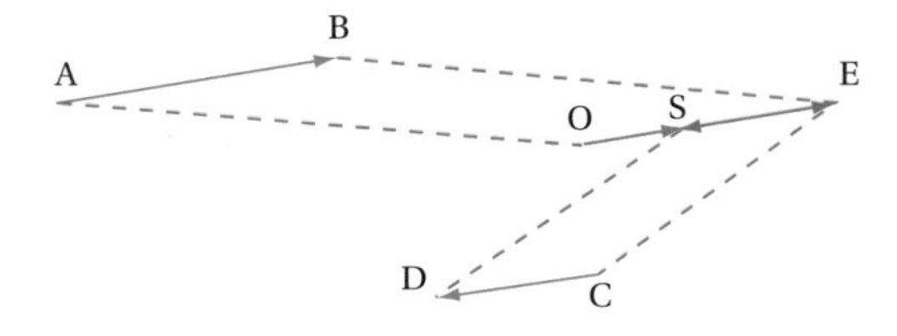

Dans les deux cas, OABE et ECDS sont des parallélogrammes.

Par la relation de Chasles : $\overrightarrow{OS} = \overrightarrow{OE} + \overrightarrow{ES}$. Donc $\overrightarrow{OS} = \overrightarrow{AB} + \overrightarrow{CD}$.

Manipuler le milieu

ÉNONCÉ

On trace un triangle ABC et on place un point M n'importe où sauf sur les sommets du triangle. On trace les symétriques I, J et K de M par rapport aux milieux respectifs des côtés [BC],[CA] et [AB] (ces milieux ne sont pas marqués sur la figure). On trace enfin les cercles de diamètres [AI],[BJ] et [CK].

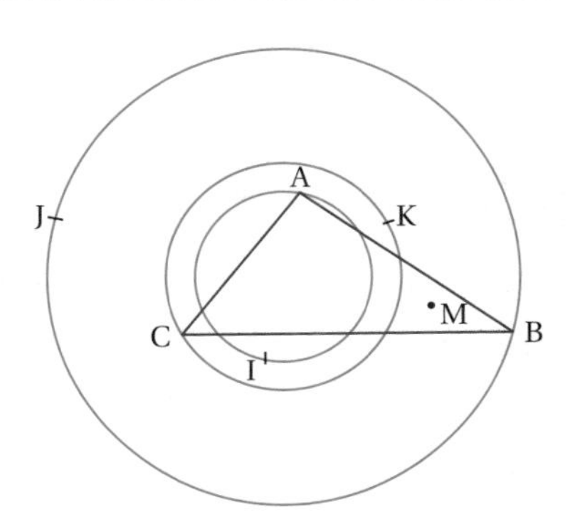

Démontrer que les trois cercles sont concentriques, c'est-à-dire qu'ils ont le même centre.

MÉTHODE

On pourra démontrer d'abord que l'on a $\overrightarrow{MA} = \overrightarrow{CJ}$ et $\overrightarrow{MA} = \overrightarrow{BK}$ et trouver deux autres égalités pertinentes.

CORRIGÉ

Puisque [MJ] et [CA] ont le même milieu, MAJC est un parallélogramme ; donc $\overrightarrow{MA} = \overrightarrow{CJ}$. Puisque [MK] et [AB] ont le même milieu, MBKA est un parallélogramme; donc $\overrightarrow{MA} = \overrightarrow{BK}$. Par conséquent, $\overrightarrow{CJ} = \overrightarrow{BK}$. Cela prouve que [CJ] et [BK] ont le même milieu et que les cercles de diamètres [CK] et [BJ] sont concentriques. On appelle O ce milieu.

> Le centre commun est le point O.

De même, puisque [MI] et [BC] ont le même milieu, $\overrightarrow{MB} = \overrightarrow{CI}$; puisque [MK] et [AB] ont le même milieu, $\overrightarrow{MB} = \overrightarrow{AK}$. On en déduit que $\overrightarrow{CI} = \overrightarrow{AK}$. Cela prouve que les cercles de diamètres [CK] et [AI] sont concentriques, leur centre étant le point O.

Les segments [CK], [BJ] et [AI] ayant le même milieu O, les cercles de diamètres [AI], [BJ] et [CK] sont concentriques.

SE TESTER QUIZ

1 Soit A et B deux points distincts. Les vecteurs $\overrightarrow{AB}$ et $\overrightarrow{BA}$ ont la même direction.

☐ **a.** Vrai ☐ **b.** Faux

2 L'égalité $\overrightarrow{AB} = \overrightarrow{CD}$ signifie que ABCD est un parallélogramme.

☐ **a.** Vrai ☐ **b.** Faux

Dans les questions 3 à 5, on considère un parallélogramme ABCD.

3 Les vecteurs $\overrightarrow{AD}$ et $\overrightarrow{BC}$ sont de même sens.

☐ **a.** Vrai ☐ **b.** Faux

4 Les vecteurs $\overrightarrow{AC}$ et $\overrightarrow{BD}$ ont des sens opposés.

☐ **a.** Vrai ☐ **b.** Faux

5 Les vecteurs $\overrightarrow{AD}$ et $\overrightarrow{CB}$ ont la même direction.

☐ **a.** Vrai ☐ **b.** Faux

6 Sur la figure, il n'y a qu'un seul vecteur bleu égal à $\vec{u}$.

☐ **a.** Vrai ☐ **b.** Faux

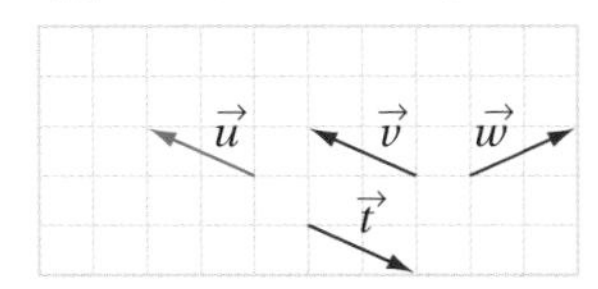

S'ENTRAÎNER

Milieux et parallélogrammes

7 Compléter les égalités suivantes en introduisant au besoin de nouveaux points, sachant que le quadrilatère ABCD est un parallélogramme (I est le milieu de [BC]).

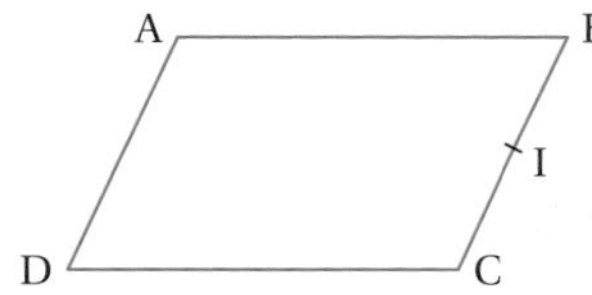

a. $\overrightarrow{AB} + \overrightarrow{AD} = \ldots$ **b.** $\overrightarrow{AC} + \overrightarrow{AB} = \ldots$ **c.** $\overrightarrow{BA} + \ldots = \overrightarrow{BD}$

8 Soit un parallélogramme ABCD de centre O.

a. Quel est le point S tel que $\overrightarrow{DO}+\overrightarrow{AO}=\overrightarrow{DS}$?

b. Quel est le point R tel que $\overrightarrow{AB}+\overrightarrow{OD}=\overrightarrow{AR}$?

9 Dans un parallélogramme ABCD de centre O :

a. quel est le point F tel que $2\overrightarrow{OA}+\overrightarrow{AD}=\overrightarrow{CF}$?

b. quel est le point G tel que $\overrightarrow{OG}=\overrightarrow{OA}+\overrightarrow{OB}+\overrightarrow{OC}$?

10 Les affirmations suivantes sont-elles vraies ou fausses ? Expliquer.

a. « Si $\overrightarrow{AI}=\overrightarrow{IB}$, alors I est le milieu de $[AB]$. »

b. « Si I est le milieu de $[AB]$, alors $\overrightarrow{AI}=\overrightarrow{BI}$. »

c. « Si $IA=IB$, alors $\overrightarrow{IA}=\overrightarrow{IB}$. »

d. « Si $\overrightarrow{IA}=\overrightarrow{BI}$, alors $IA=IB$. »

e. « Si I est le milieu de $[AB]$, alors $\overrightarrow{AI}+\overrightarrow{IB}=\vec{0}$. »

f. « Si $\overrightarrow{AI}+\overrightarrow{IB}=\vec{0}$, alors I est le milieu de $[AB]$. »

Relation de Chasles

11 Compléter les égalités suivantes.

a. $\overrightarrow{MJ}+\overrightarrow{JD}=\overrightarrow{....}$ b. $\overrightarrow{HO}+\overrightarrow{OH}=\overrightarrow{....}$ c. $\overrightarrow{CB}+\overrightarrow{JC}=\overrightarrow{....}$

12 Compléter les égalités suivantes.

a. $\overrightarrow{G...}+\overrightarrow{U...}=\overrightarrow{GA}$ b. $\overrightarrow{...W}+\overrightarrow{W...}=\overrightarrow{DS}$ c. $\overrightarrow{...Y}+\overrightarrow{...O}=\overrightarrow{IO}$

13 Compléter les égalités suivantes.

a. $\overrightarrow{MP}+\overrightarrow{....}=\overrightarrow{MZ}$ b. $\overrightarrow{....}+\overrightarrow{OE}=\overrightarrow{KE}$ c. $\overrightarrow{....}+\overrightarrow{LN}=\overrightarrow{LP}$

14 Compléter les égalités suivantes.

a. $\overrightarrow{AB}+\overrightarrow{BC}+\overrightarrow{CA}=\overrightarrow{....}$ b. $\overrightarrow{AB}+\overrightarrow{BC}+\overrightarrow{CD}=\overrightarrow{....}$

Vecteurs en liberté

15 On donne quatre points distincts deux à deux : A, B, C, D. Indiquer les égalités qui sont justes quelles que soient les positions des quatre points.

a. $\overrightarrow{BA}+\overrightarrow{BD}=\overrightarrow{AD}$ b. $\overrightarrow{AB}-\overrightarrow{BC}=\overrightarrow{AC}$ c. $\overrightarrow{AB}+\overrightarrow{CA}=\overrightarrow{CB}$

16 Dans chacun des cas suivants, placer le point K pour que $\overrightarrow{OM} + \overrightarrow{OT} = \overrightarrow{OK}$.

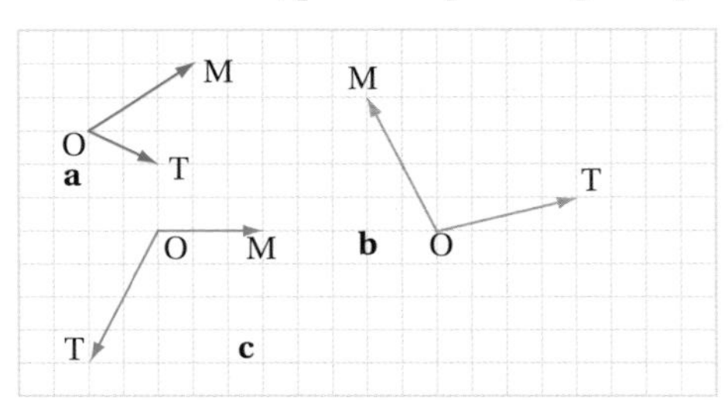

17 Dans chacun des cas suivants :

a. tracer un vecteur d'origine B qui soit égal à $\overrightarrow{OC}$;

b. placer le point A pour que $\overrightarrow{OA} = \overrightarrow{OB} + \overrightarrow{OC}$.

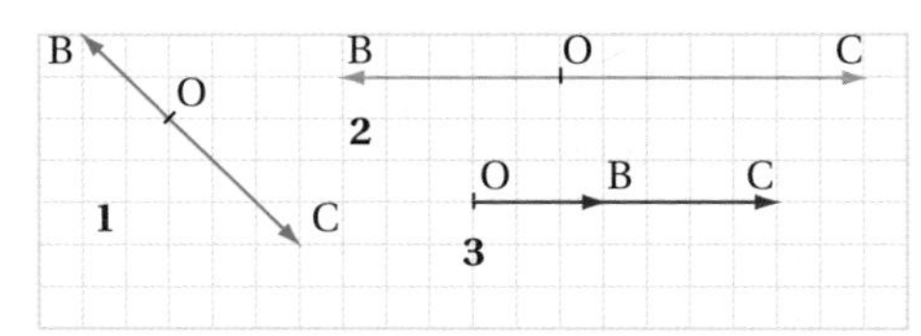

18 a. Quels sont les vecteurs égaux à $\overrightarrow{HK}$?

b. Trouver tous les vecteurs égaux à $\overrightarrow{ST}$.

c. Y a-t-il des vecteurs égaux à $\overrightarrow{UI}$?

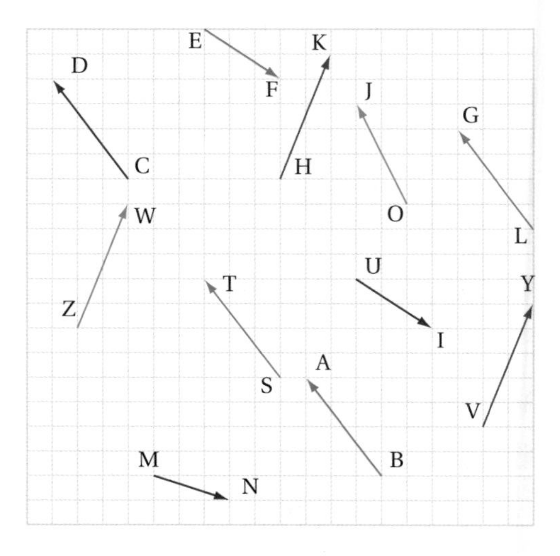

19 Soit M, A et B trois points non alignés. Où est situé le point I tel que $\overrightarrow{MA}+\overrightarrow{MB}=2\overrightarrow{MI}$?

20 Soit A, B, C, D et E cinq points tels que $\overrightarrow{AE}=\overrightarrow{EC}$ et $\overrightarrow{BE}=\overrightarrow{ED}$. Que peut-on dire du quadrilatère ABDC ? Justifier.

21 On considère un hexagone régulier ABCDEF de centre O.

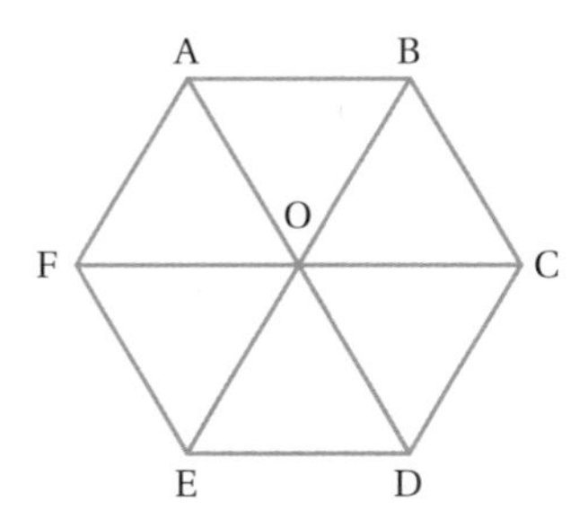

Calculer les sommes suivantes :

a. $\overrightarrow{OD}+\overrightarrow{OB}$ b. $\overrightarrow{AO}+\overrightarrow{OE}$ c. $\overrightarrow{AD}+\overrightarrow{DO}+\overrightarrow{OF}$

d. $\overrightarrow{CB}+\overrightarrow{CD}$ e. $\overrightarrow{OA}+\overrightarrow{OB}+\overrightarrow{OC}+\overrightarrow{OD}+\overrightarrow{OE}+\overrightarrow{OF}$

22 On considère un carré ABCD de centre O et I, J, K et L les milieux des côtés [AB], [BC], [CD] et [DA]. Dans le tableau ci-dessous, donner la ou les bonnes réponses en justifiant les choix.

La longueur LI est égale à la longueur :	KJ	IJ	OB	OK
Le vecteur $\overrightarrow{LI}$ est égal au vecteur :	$\overrightarrow{IJ}$	$\overrightarrow{KL}$	$\overrightarrow{OB}$	$\overrightarrow{JK}$
Le vecteur $\overrightarrow{DK}+\overrightarrow{DL}$ est égal au vecteur :	$\overrightarrow{DO}$	$\overrightarrow{LI}$	$\overrightarrow{OB}$	$\overrightarrow{DA}$
La longueur BI + BJ est égale à la longueur :	BD	IK	DO	AB

23 Deux vecteurs colinéaires ont-ils nécessairement la même direction ?

24 Deux vecteurs colinéaires ont-ils nécessairement le même sens ?

25 Soit A, B, C trois points distincts du plan. Que peut-on dire à leur sujet si les vecteurs $\overrightarrow{AB}$ et $\overrightarrow{AC}$ sont colinéaires ?

Translations

SUITE DE TRANSLATIONS

Dans la suite, dire que l'on effectue la translation de vecteur $\vec{u}$ suivie de la translation de vecteur $\vec{v}$ signifie que l'on effectue la translation de vecteur $\vec{u} + \vec{v}$.

26 On considère les translations t de vecteur $\overrightarrow{XB}$ et u de vecteur $\overrightarrow{AX}$. Soit v la translation obtenue en effectuant u suivie de t. Quelle est l'image de A par v ?

27 Par la translation de vecteur $\overrightarrow{CD}$ suivie de la translation de vecteur $\vec{u}$, le point C a pour image E. Donner un vecteur égal à $\vec{u}$.

28 On effectue la translation de vecteur $\vec{u}$ suivie de la translation de vecteur $\overrightarrow{DC}$. Le point A a alors pour image C. Donner un vecteur égal à $\vec{u}$.

29 Par la translation de vecteur $\vec{v}$ suivie de la translation de vecteur $\overrightarrow{AC}$, le point D a pour image C. Donner un vecteur égal à $\vec{v}$.

30 Soit ABCD un parallélogramme de centre O et I, J, K et L les milieux respectifs des côtés $[BC]$, $[CD]$, $[AD]$, $[BA]$.

On effectue la translation de vecteur $\overrightarrow{IJ}$ suivie de la translation de vecteur $\overrightarrow{LK}$.

Quelle est l'image de B par la transformation obtenue ?

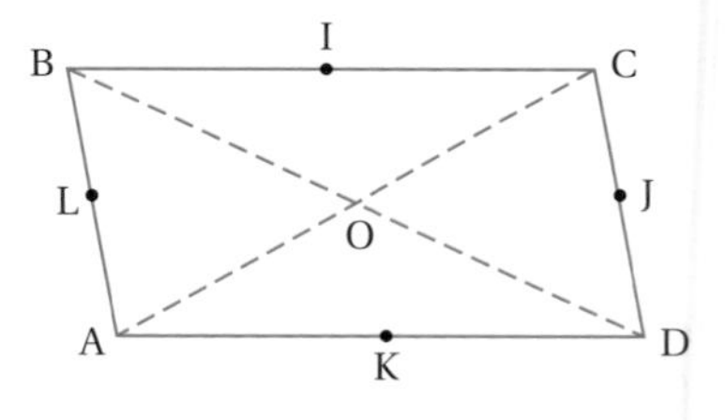

Dans les exercices 31 et 32, on donne un triangle ABC et I, J et K les milieux respectifs des côtés $[AB]$, $[AC]$ et $[BC]$.

31 **a.** Quelle est l'image du triangle BKI par la translation de vecteur $\overrightarrow{KJ}$? Justifier.

b. Quelle est la translation qui déplace le triangle KJC en IKB ? Justifier.

32 Compléter :

L'image de	par la translation de vecteur	est
I	$\overrightarrow{BK}$	....
....	$\overrightarrow{IJ}$	K
J	....	C
....	$2\,\overrightarrow{KJ}$	A

33 Les frères Térieur se disputent à propos de la figure ci-dessous.

Alain : J'ai construit la ligne bleue en transformant la ligne rouge par une translation.

Alex : Ce n'est pas possible ! La largeur qui les sépare n'est pas constante !

Qui a raison ? Alain Térieur ou Alex Térieur ?

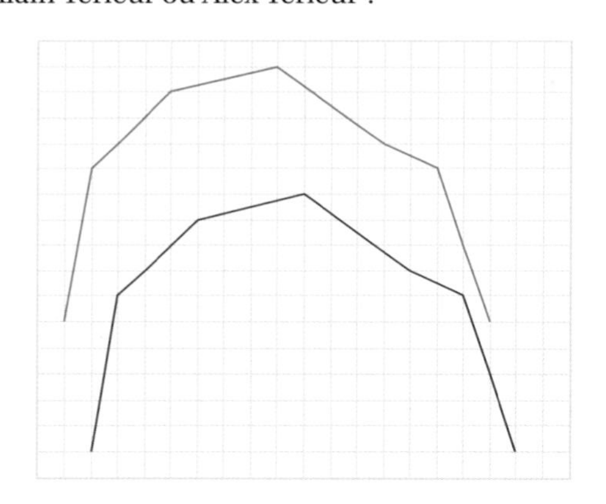

PROBLÈME

34 Une rivière sépare deux villages A et B. Le pont la traversant s'est effondré. On veut en construire un autre de telle sorte que le trajet allant de la mairie du village A à la mairie du village B soit le plus court possible.

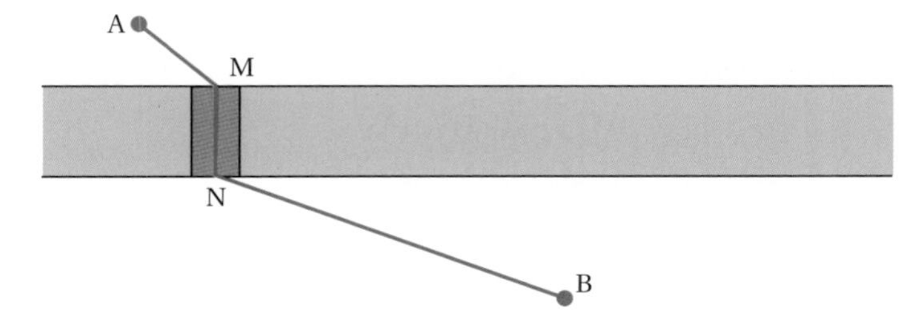

Où placer le pont pour que cette distance soit minimale ?

Certains disent qu'il suffit de considérer le translaté de B par la translation de vecteur $\overrightarrow{NM}$ pour avoir des chances de trouver ....

SE TESTER

1 **Réponse a.** Vrai. En revanche, ils sont de sens contraires.

2 **Réponse b.** Faux. Il faudrait écrire $\overrightarrow{AB}=\overrightarrow{DC}$.

3 **Réponse a.** Vrai. En effet : $\overrightarrow{AD}=\overrightarrow{BC}$.

4 **Réponse b.** Faux. Ils ne sont pas de même direction.

5 **Réponse a.** Vrai. Les droites (AD) et (BC) sont parallèles.

6 **Réponse a.** Vrai. On a $\vec{v}=\vec{u}$.

Bien prendre en compte l'ordre dans lequel sont énoncés les sommets du parallélogramme.

S'ENTRAÎNER

7 **a.** $\overrightarrow{AB}+\overrightarrow{AD}=\overrightarrow{AC}$ **b.** $\overrightarrow{AC}+\overrightarrow{AB}=2\overrightarrow{AI}=\overrightarrow{AJ}$ **c.** $\overrightarrow{BA}+\overrightarrow{BC}=\overrightarrow{BD}$.

Les égalités s'obtiennent en utilisant la définition de la somme des vecteurs : I est le milieu du segment [BC]. Le point J est le symétrique du point D par la symétrie centrale de centre C.

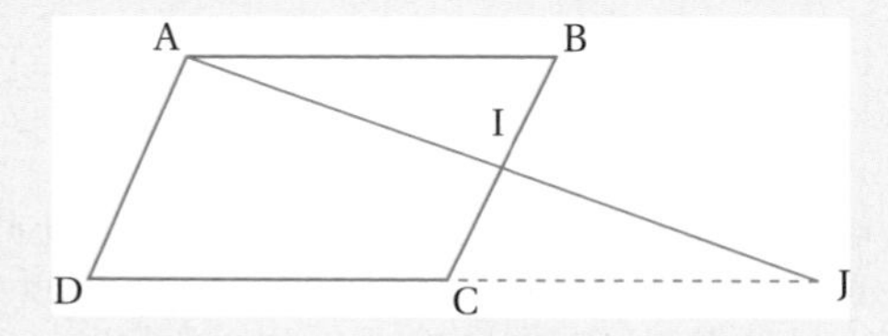

J est aussi le symétrique de A par la symétrie centrale de centre I.

8 **a.** $S=C$ car $\overrightarrow{DO}+\overrightarrow{AO}=\overrightarrow{DO}+\overrightarrow{OC}=\overrightarrow{DC}$.

b. $R=O$ car $\overrightarrow{AB}+\overrightarrow{OD}=\overrightarrow{AB}+\overrightarrow{BO}=\overrightarrow{AO}$.

9 **a.** On a $F=D$ car $2\overrightarrow{OA}+\overrightarrow{AD}=\overrightarrow{CA}+\overrightarrow{AD}=\overrightarrow{CD}$.

b. On a $G=B$ car $\overrightarrow{OA}+\overrightarrow{OC}=\vec{0}$, donc $\overrightarrow{OG}=\overrightarrow{OB}$.

10 **a.** Vrai. Il suffit de faire une figure.

b. Faux. Si I est le milieu de [AB], alors $\overrightarrow{AI}=\overrightarrow{IB}$.

c. Faux. Si $IA=IB$, I est alors sur la médiatrice de [AB].

d. Vrai. Deux vecteurs égaux ont la même longueur.

e. Faux. $\overrightarrow{AI}+\overrightarrow{IB}=\overrightarrow{AB}$ (relation de Chasles).

f. Faux. Si $\overrightarrow{AI}+\overrightarrow{IB}=\vec{0}$, alors $\overrightarrow{AB}=\vec{0}$ car $\overrightarrow{AI}+\overrightarrow{IB}=\overrightarrow{AB}$.

La médiatrice d'un segment [AB] est l'ensemble des points qui sont équidistants de A et de B.

11 a. $\overrightarrow{MJ}+\overrightarrow{JD}=\overrightarrow{MD}$ b. $\overrightarrow{HO}+\overrightarrow{OH}=\vec{0}$ c. $\overrightarrow{CB}+\overrightarrow{JC}=\overrightarrow{JC}+\overrightarrow{CB}=\overrightarrow{JB}$

12 a. $\overrightarrow{GU}+\overrightarrow{UA}=\overrightarrow{GA}$ b. $\overrightarrow{DW}+\overrightarrow{WS}=\overrightarrow{DS}$ c. $\overrightarrow{IY}+\overrightarrow{YO}=\overrightarrow{IO}$

13 a. $\overrightarrow{MP}+\overrightarrow{PZ}=\overrightarrow{MZ}$ b. $\overrightarrow{KO}+\overrightarrow{OE}=\overrightarrow{KE}$

c. $\overrightarrow{NP}+\overrightarrow{LN}=\overrightarrow{LP}$ car $\overrightarrow{NP}+\overrightarrow{LN}=\overrightarrow{LN}+\overrightarrow{NP}=\overrightarrow{LP}$

14 a. $\overrightarrow{AB}+\overrightarrow{BC}+\overrightarrow{CA}=\vec{0}$ b. $\overrightarrow{AB}+\overrightarrow{BC}+\overrightarrow{CD}=\overrightarrow{AD}$

15 a. Comme $\overrightarrow{BD}=\overrightarrow{BA}+\overrightarrow{AD}$, $\overrightarrow{BA}+\overrightarrow{BD}=2\overrightarrow{BA}+\overrightarrow{AD}$. L'égalité est fausse puisque $\overrightarrow{BA}\neq\vec{0}$.

b. Comme $\overrightarrow{AB}=\overrightarrow{AC}+\overrightarrow{CB}$, $\overrightarrow{AB}-\overrightarrow{BC}=\overrightarrow{AB}+\overrightarrow{CB}=\overrightarrow{AC}+2\overrightarrow{CB}$. L'égalité est fausse puisque $\overrightarrow{CB}\neq\vec{0}$.

c. $\overrightarrow{AB}+\overrightarrow{CA}=\overrightarrow{CA}+\overrightarrow{AB}=\overrightarrow{CB}$. L'égalité est vraie. Elle résulte de la relation de Chasles.

16

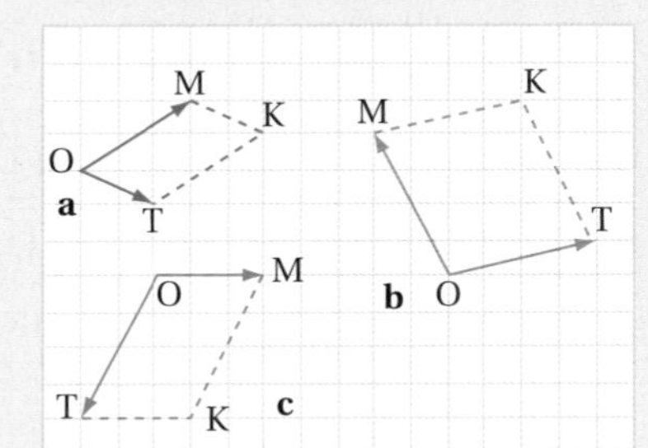

On cherche à construire le parallélogramme OTKM, d'après la définition d'une somme vectorielle.

17 a. et b.

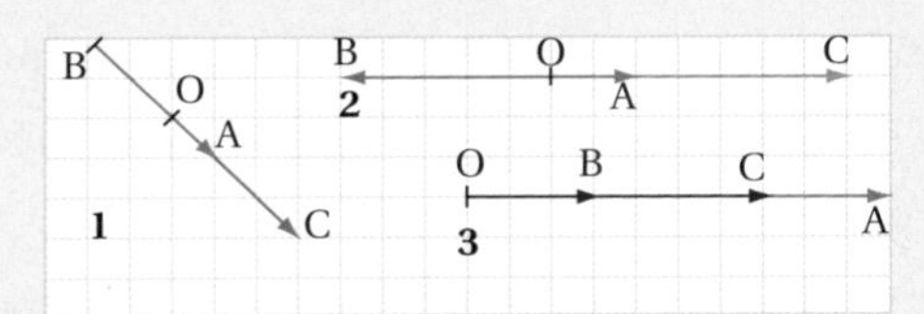

18 a. $\overrightarrow{HK}=\overrightarrow{ZW}=\overrightarrow{VY}$ b. $\overrightarrow{ST}=\overrightarrow{BA}=\overrightarrow{CD}$ c. $\overrightarrow{UI}=\overrightarrow{EF}$

EXEMPLE

Pour aller de H à K, il suffit de partir de l'origine (H) de se déplacer horizontalement de deux carreaux sur la droite puis de cinq carreaux vers le haut. On atteint K. Les mêmes déplacements s'appliquent pour aller de Z à W et de V à Y.

19 Par définition de la somme vectorielle, I est le milieu de $[AB]$.

20 E est le milieu de $[AC]$ et de $[BD]$, donc ABCD est un parallélogramme, car ses diagonales ont le même milieu.

21 a. $\overrightarrow{OD}+\overrightarrow{OB}=\overrightarrow{OC}$ car ODCB est un parallélogramme.

b. $\overrightarrow{AO}+\overrightarrow{OE}=\overrightarrow{AE}$, c'est la relation de Chasles.

c. $\overrightarrow{AD}+\overrightarrow{DO}+\overrightarrow{OF}=\overrightarrow{AF}$, c'est la relation de Chasles.

d. $\overrightarrow{CB}+\overrightarrow{CD}=\overrightarrow{CO}$ car CBOD est un parallélogramme.

e. $\overrightarrow{OA}+\overrightarrow{OB}+\overrightarrow{OC}+\overrightarrow{OD}+\overrightarrow{OE}+\overrightarrow{OF}=\vec{0}$ car $\overrightarrow{OA}+\overrightarrow{OD}=\vec{0}$, $\overrightarrow{OB}+\overrightarrow{OE}=\vec{0}$ et $\overrightarrow{OC}+\overrightarrow{OF}=\vec{0}$.

22 Les bonnes réponses sont en gras.

La longueur LI est égale à la longueur :	**KJ**	**IJ**	**OB**	OK
Le vecteur $\overrightarrow{LI}$ est égal au vecteur :	$\overrightarrow{IJ}$	$\overrightarrow{KL}$	**$\overrightarrow{OB}$**	$\overrightarrow{JK}$
Le vecteur $\overrightarrow{DK}+\overrightarrow{DL}$ est égal au vecteur :	**$\overrightarrow{DO}$**	**$\overrightarrow{LI}$**	**$\overrightarrow{OB}$**	$\overrightarrow{DA}$
La longueur $BI+BJ$ est égale à la longueur :	BD	**IK**	DO	**AB**

Pour les deux premières lignes, il suffit de faire une figure.
Pour la troisième ligne : $\overrightarrow{DK}+\overrightarrow{DL}=\overrightarrow{DO}$ car DKOL est un parallélogramme.

23 Oui. Par définition, deux vecteurs colinéaires ont la même direction.

24 Non. Deux vecteurs colinéaires peuvent avoir des sens opposés. C'est le cas de $\vec{u}$ et $-\vec{u}$ où $\vec{u}\neq\vec{0}$.

25 Dire que les vecteurs $\overrightarrow{AB}$ et $\overrightarrow{AC}$ sont colinéaires signifie que les droites (AB) et (AC) sont parallèles. En outre, elles ont un point en commun : c'est A. Elles sont donc confondues et les points A, B et C sont alignés.

26 B est l'image de A par v car A est translaté en X par u et X en B par t.

27 $\vec{u}=\overrightarrow{DE}$ car C est translaté en D puis D en E.

28 $\vec{u}=\overrightarrow{AD}$ car alors A est translaté en D et D en C.

29 $\vec{v} = \overrightarrow{DA}$ car alors D est translaté en A et A en C.

30 B a pour image D car $\overrightarrow{IJ} + \overrightarrow{LK} = \overrightarrow{BD}$. En effet :

$\overrightarrow{IJ} = \overrightarrow{LK} = \frac{1}{2}\overrightarrow{BD}$.

La dernière égalité vectorielle traduit le théorème des milieux.

31 **a.** L'image de BKI est AIJ car B, K et I ont pour images respectives I, J et A puisque : $\overrightarrow{BI} = \overrightarrow{KJ} = \overrightarrow{IA}$.

b. La translation de vecteur $\overrightarrow{JI}$ déplace KJC en IKB car $\overrightarrow{JI} = \overrightarrow{KB} = \overrightarrow{CK}$.

32

L'image de	par la translation de vecteur	est
I	$\overrightarrow{BK}$	**J**
B	$\overrightarrow{IJ}$	K
J	$\overrightarrow{\mathbf{IK}}$	C
B	$2\,\overrightarrow{KJ}$	A

Faites une figure pour compléter le tableau.

33 C'est Alain qui a raison : les quatre vecteurs représentés définissent la translation.

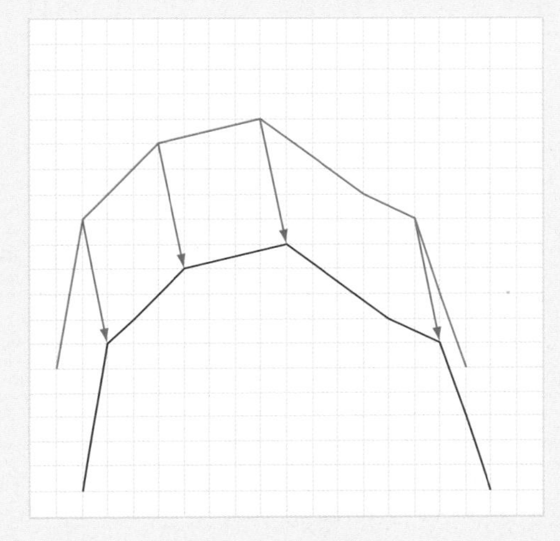

PROBLÈME

34 Pour tous points M et N, le vecteur $\overrightarrow{NM}$ est constant.

Soit B' le translaté de B par la translation de vecteur $\overrightarrow{NM}$.

$AM + MN + NB = AM + MN + MB' = AM + BB' + MB'$

Donc $AM + MN + NB$ est minimum si et seulement si $AM + MB'$ est minimum, c'est-à-dire A, M et B' alignés.

On doit placer M à l'intersection de (AB') et de la berge supérieure de la rivière.

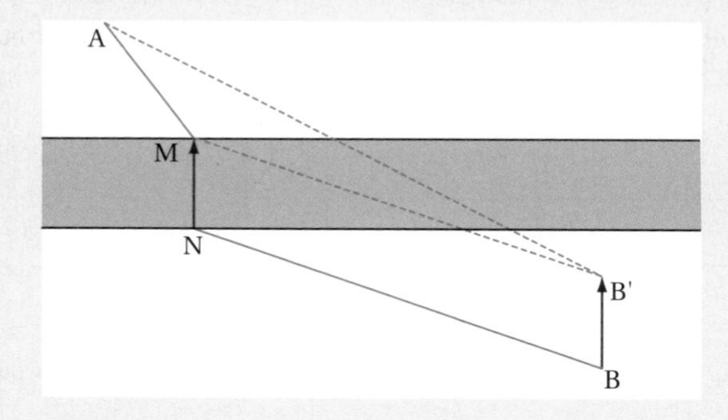

La largeur $MN = BB'$ est constante et ne peut être minimisée.

www.annabac.com 

CHAPITRE

10 Repérage

Pour connaître la position d'un point dans le plan, on utilise des coordonnées cartésiennes. Le mot « cartésien » (en hommage à René Descartes) qualifie aussi des repères. Dans un repère cartésien, on peut calculer des coordonnées de vecteurs et, si le repère est orthonormé, on peut calculer des distances.

1 Repères

A Définitions

- On appelle repère du plan tout triplet formé par un point et deux vecteurs non colinéaires.
- Quand les deux vecteurs sont orthogonaux, on dit que le repère est orthogonal ; c'est le cas pour le repère $(O ; \vec{i}, \vec{j})$ ci-contre (à gauche). La donnée de trois points O, I et J non alignés permet aussi de définir un repère (O ; I, J) (ci-contre, à droite).

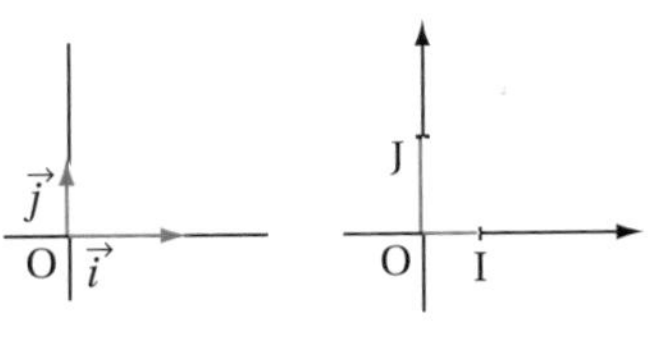

- Quand, de plus, les deux vecteurs sont de longueur 1, on dit que le repère est orthonormal ou orthonormé ; c'est le cas pour le repère $(O ; \vec{i}, \vec{j})$ ci-contre.

$\vec{j}$ O $\vec{i}$

- Dans les autres cas, on parle en général de repère cartésien.

B Coordonnées d'un point dans un repère

Soit $(O ; \vec{i}, \vec{j})$ un repère du plan. Pour tout point M de coordonnées $(x ; y)$ dans ce repère, on peut écrire :

$$\overrightarrow{OM} = x\vec{i} + y\vec{j}$$

x est l'abscisse de M et y l'ordonnée de M dans ce repère.

Exemple : Si ABDC est un parallélogramme de centre I et si on considère le repère $\left(A ; \overrightarrow{AB}, \overrightarrow{AC}\right)$, on peut écrire les coordonnées des points :

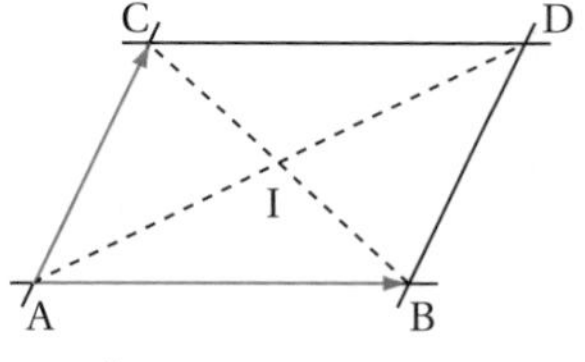

$$A(0 ; 0), B(1 ; 0), C(0 ; 1), D(1 ; 1), I\left(\frac{1}{2} ; \frac{1}{2}\right).$$

En effet : $\overrightarrow{AB} = 1\overrightarrow{AB} + 0\overrightarrow{AC}$, $\overrightarrow{AD} = 1\overrightarrow{AB} + 1\overrightarrow{AC}$, $\overrightarrow{AI} = \frac{1}{2}\overrightarrow{AB} + \frac{1}{2}\overrightarrow{AC}$, etc.

RAPPELS

- Dans un même repère, deux vecteurs sont égaux si et seulement si ils ont les mêmes coordonnées.
- Dans un même repère, deux vecteurs non nuls sont colinéaires si et seulement si leurs coordonnées sont proportionnelles. Ainsi $\vec{u}(x ; y)$ et $\vec{u}'(x' ; y')$ sont colinéaires si et seulement si il existe $k \in \mathbb{R}$ tel que $x' = kx$ et $y' = ky$.

2 Applications

A Coordonnées d'un vecteur $\overrightarrow{AB}$

Soit $(O ; \vec{i}, \vec{j})$ un repère et $A(x_A ; y_A)$ et $B(x_B ; y_B)$ deux points. Alors :

$\overrightarrow{OA} = x_A\vec{i} + y_A\vec{j}$ et $\overrightarrow{OB} = x_B\vec{i} + y_B\vec{j}$.

Donc $\overrightarrow{AB} = \overrightarrow{AO} + \overrightarrow{OB} = \overrightarrow{OB} - \overrightarrow{OA} = (x_B - x_A)\vec{i} + (y_B - y_A)\vec{j}$.

Il en résulte que les coordonnées de $\overrightarrow{AB}$ sont :

$$(x_B - x_A ; y_B - y_A)$$

B Coordonnées du milieu d'un segment

Soit deux points $A(x_A ; y_A)$ et $B(x_B ; y_B)$. Les coordonnées x_M et y_M du milieu M du segment [AB] sont données par les formules :

$$x_M = \frac{x_A + x_B}{2} \quad \text{et} \quad y_M = \frac{y_A + y_B}{2}$$

Exemple : Soit $A(2\,;1)$ et $B(5\,;3)$. $M(x_M\,;y_M)$ est le milieu du segment $[AB]$.

Alors : $x_M = \frac{2+5}{2} = \frac{7}{2}$ et $y_M = \frac{1+3}{2} = 2$.

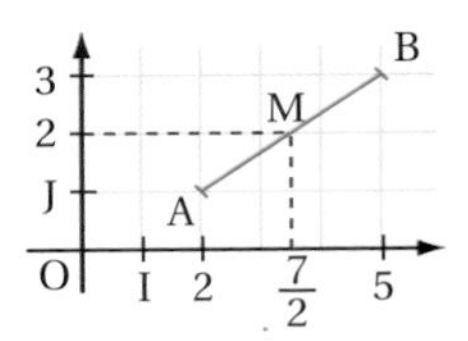

RAPPEL
L'abscisse du milieu M est la moyenne des abscisses de A et de B. De même pour l'ordonnée de M.

C Distance de deux points dans un repère orthonormé

■ Dans un repère orthonormé, soit $A(x_A\,;y_A)$ et $B(x_B\,;y_B)$.
La distance AB est donnée par la formule :

$$AB = \sqrt{(x_B - x_A)^2 + (y_B - y_A)^2}$$

Cette formule est valable uniquement dans un repère orthonormé.

Exemple
On considère les points suivants : $A(-1\,;1)$ et $B(3\,;-2)$.
$AB = \sqrt{[3-(-1)]^2 + (-2-1)^2} = \sqrt{4^2 + (-3)^2} = \sqrt{16+9} = \sqrt{25} = 5.$

■ On peut avoir une idée de la démonstration de la formule dans le cas particulier de la figure ci-contre.

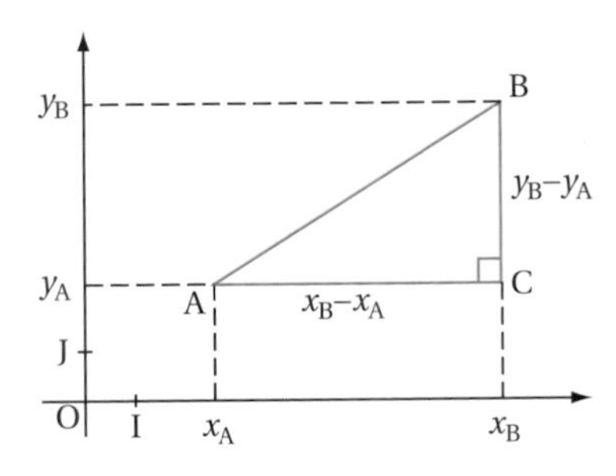

On a $AC = x_C - x_A = x_B - x_A$
et $BC = y_B - y_C = y_B - y_A$.

En appliquant le théorème de Pythagore au triangle ABC, on obtient la formule de la distance car :
$AB^2 = AC^2 + BC^2 = (x_B - x_A)^2 + (y_B - y_A)^2$.

POSITION DES POINTS
- La distance AC est égale à $x_C - x_A$ car cette quantité est positive. De même pour BC.
- La dernière formule reste valable quelle que soit la disposition des points A, B et C puisque : $(x_B - x_A)^2 = (x_A - x_B)^2$ et $(y_B - y_A)^2 = (y_A - y_B)^2$.

Lecture graphique des coordonnées d'un vecteur

ÉNONCÉ

Dans un repère $(O\,;\vec{i},\vec{j})$, on donne les points $A(2\,;5)$ et $B(5\,;1)$.
Lire graphiquement les coordonnées du vecteur $\overrightarrow{AB}$.

MÉTHODE

Soit *a et b* les coordonnées de $\overrightarrow{AB}$.

Il suffit de se rappeler que l'on peut écrire $\overrightarrow{AB} = a\vec{i} + b\vec{j}$. Partant de A, on se dirige vers B en effectuant un trajet horizontal puis vertical, ou l'inverse, vertical puis horizontal.

CORRIGÉ

Sur la figure, on voit que $\overrightarrow{AB} = \vec{u} + \vec{v}$ et $\vec{u} = 3\vec{i}$ et $\vec{v} = -4\vec{j}$.

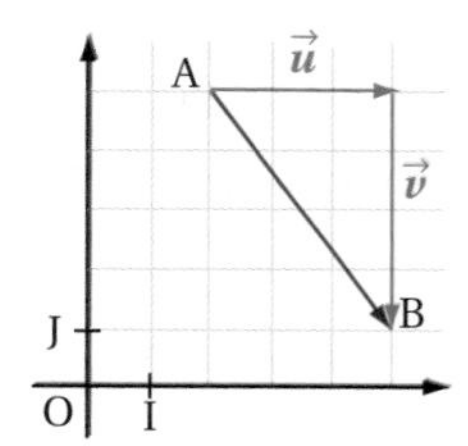

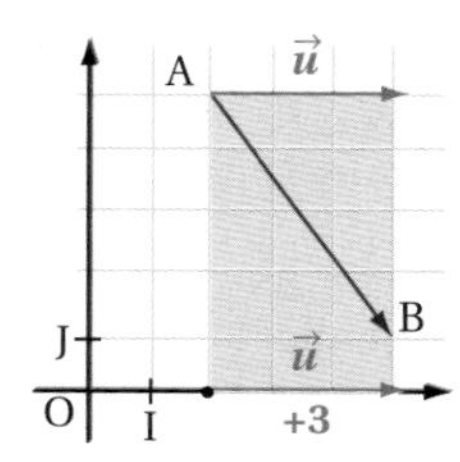

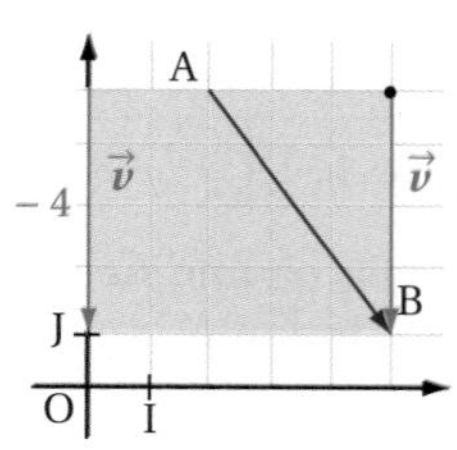

On en déduit que les coordonnées de $\overrightarrow{AB}$ sont 3 et -4.
On aurait aussi pu écrire $\overrightarrow{AB} = \vec{v} + \vec{u}$ et commencer par $\vec{v}$.

Démontrer que des points sont alignés

ÉNONCÉ

Dans un repère $(O;\vec{i},\vec{j})$, on considère les points $A(7;1)$, $B(-1;-3)$ et $C(-5;-5)$. Ces points sont-ils alignés ?

MÉTHODE

On peut utiliser deux méthodes. La première, valable dans tout repère, consiste à savoir si les vecteurs $\overrightarrow{AB}$ et $\overrightarrow{AC}$ ont la même direction. La seconde est valable uniquement dans un repère orthonormé et consiste à calculer les distances AB, BC et CA. Si la plus grande des trois est égale à la somme des deux autres alors les points sont alignés (on a vu cette technique au collège à propos de l'inégalité triangulaire).

CORRIGÉ

Dans un repère quelconque

Le repère $(O;\vec{i},\vec{j})$ est quelconque. On calcule les coordonnées de $\overrightarrow{AB}$ et $\overrightarrow{AC}$. On trouve $\overrightarrow{AB}\left(-1-7;-3-1\right)$, donc $\overrightarrow{AB}$ a pour coordonnées $\left(-8;-4\right)$. De même, $\overrightarrow{AC}$ a pour coordonnées $\left(-12;-6\right)$.

Puisque $\frac{-8}{-12}=\frac{-4}{-6}$, on en déduit que les vecteurs $\overrightarrow{AB}$ et $\overrightarrow{AC}$ sont colinéaires car leurs coordonnées sont proportionnelles. Les points A, B et C sont donc alignés.

Dans un repère orthonormé

On suppose que le repère $(O;\vec{i},\vec{j})$ est orthonormé.

Alors $AB^2=(-8)^2+(-4)^2=80$, $AC^2=(-12)^2+(-6)^2=180$

et $BC^2=(-4)^2+(-2)^2=20$.

On en déduit : $AB=\sqrt{80}=4\sqrt{5}$, $AC=\sqrt{180}=6\sqrt{5}$ et $BC=\sqrt{20}=2\sqrt{5}$.

Puisque $AC=AB+BC$, les points A, B et C sont alignés.

Algorithmique

ÉNONCÉ

Décrire succinctement le fonctionnement de l'algorithme suivant.

```
1    VARIABLES
2      xa EST_DU_TYPE NOMBRE
3      xb EST_DU_TYPE NOMBRE
4      ya EST_DU_TYPE NOMBRE
5      yb EST_DU_TYPE NOMBRE
6      xm EST_DU_TYPE NOMBRE
7      ym EST_DU_TYPE NOMBRE
8    DEBUT_ALGORITHME
9      LIRE xa
10     LIRE ya
11     LIRE xb
12     LIRE yb
13     xm PREND_LA_VALEUR (xa+xb)/2
14     ym PREND_LA_VALEUR (ya+yb)/2
15     AFFICHER "Abscisse du milieu : "
16     AFFICHER xm
17     AFFICHER "Ordonnée du milieu : "
18     AFFICHER ym
19   FIN_ALGORITHME
```

MÉTHODE

Penser aux coordonnées du milieu.

CORRIGÉ

L'algorithme demande à l'utilisateur de saisir les coordonnées de deux points ; ces points sont A et B. Puis il calcule les coordonnées du milieu M du segment $[AB]$. Il affiche pour finir la valeur de l'abscisse et la valeur de l'ordonnée de M.

SE TESTER QUIZ

1 Dans un repère $(O ; \vec{i}, \vec{j})$, les longueurs des vecteurs $\vec{i}$ et $\vec{j}$ sont nécessairement égales.

☐ a. Vrai ☐ b. Faux

2 Dans les repères $(A ; \overrightarrow{AB}, \overrightarrow{AC})$ et $(A ; \overrightarrow{AC}, \overrightarrow{AB})$, un même point M a en général des coordonnées différentes.

☐ a. Vrai ☐ b. Faux

3 Les coordonnées x_M et y_M du milieu d'un segment $[AB]$ sont respectivement $\frac{x_A + x_B}{2}$ et $\frac{y_A + y_B}{2}$.

☐ a. Vrai ☐ b. Faux

4 Si les coordonnées de deux vecteurs sont proportionnelles alors ces vecteurs sont colinéaires.

☐ a. Vrai ☐ b. Faux

5 Les coordonnées des vecteurs $\overrightarrow{AB}$ et $\overrightarrow{BA}$ sont opposées.

☐ a. Vrai ☐ b. Faux

S'ENTRAÎNER

Distance

6 On donne les points $A(2 ; 5)$ et $B(3 ; 4)$. Calculer la distance AB.

7 On donne les points $C(-3 ; 1)$ et $D(2 ; -4)$. Calculer la distance CD.

8 On donne $\overrightarrow{AB}(3 ; 4)$. Calculer la distance AB.

Coordonnées de vecteurs

9 Calculer les coordonnées du vecteur dans chacun des cas suivants.

a. $A(4 ; 3)$ et $B(7 ; 5)$ b. $A(2 ; -1)$ et $B(0 ; 6)$ c. $A(-5 ; 2)$ et $B(7 ; -4)$.

10 Sur la figure, lire les coordonnées des vecteurs $\overrightarrow{AB}$, $\overrightarrow{BD}$, $\overrightarrow{CA}$, $\overrightarrow{DC}$, $\overrightarrow{AD}$ et $\overrightarrow{CB}$.

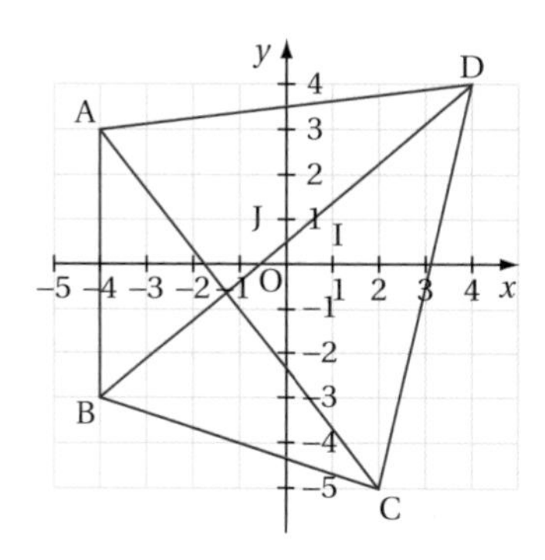

11 On donne $\vec{u}(2\,;-3), \vec{v}(-5\,;-2)$ et $\vec{w}(-4\,;3)$. Comment construire les vecteurs égaux à $\vec{u}$, $\vec{v}$ et $\vec{w}$ ayant pour origine l'origine O du repère ?

12 **a.** On donne $A(-1\,;2)$ et $\overrightarrow{AB}(2\,;3)$. Calculer les coordonnées de B.

b. On donne $B(4\,;-1)$ et $\overrightarrow{AB}(-5\,;2)$. Calculer les coordonnées de A.

13 On donne $E\left(\frac{3}{2}\,;-2\right)$, $F(7\,;0)$, $G\left(-3\,;-\frac{5}{2}\right)$ et $H\left(\frac{5}{2}\,;-\frac{1}{2}\right)$.

Montrer que les vecteurs $\overrightarrow{EF}$ et $\overrightarrow{GH}$ sont égaux.

Points particuliers

14 **a.** On donne $A(2\,;4)$ et $B(8\,;6)$. Calculer les coordonnées du milieu M du segment [AB].

b. On donne $A(-1\,;6)$ et $B(5\,;-3)$. Calculer les coordonnées du milieu M du segment [AB].

15 On donne $A(-7\,;-5)$ et $B(1\,;-3)$. Déterminer les coordonnées du centre C du cercle de diamètre [AB].

Le point C est le milieu du segment [AB].

16 On donne $A(6\,;-2)$ et $M(3\,;4)$. Calculer les coordonnées du point B tel que M soit le milieu du segment [AB].

17 **a.** On donne trois points $A(4\ ;2), B(-2\ ;-4)$ et $C(1\ ;-1)$. Montrer que l'un de ces points est le milieu du segment ayant pour extrémités les deux autres points.

b. On donne $D(4;1), E(3;7)$ et $F(5;-5)$ Montrer que l'un de ces points est le milieu du segment ayant pour extrémités les deux autres points.

18 On considère les points $A(0;2)$, $B(1;4)$ et $C(2;-2)$. Calculer les coordonnées du point M défini par $\overrightarrow{AM} = 3\overrightarrow{AB} - 2\overrightarrow{AC}$.

Calculer d'abord les coordonnées du vecteur $3\overrightarrow{AB} - 2\overrightarrow{AC}$.

19 On considère les points $A(-3;1)$, $B(1;4)$ et $C(2;-1)$. Trouver les coordonnées du point D pour que le quadrilatère ABCD soit un parallélogramme.

20 En utilisant uniquement les carreaux du quadrillage ci-contre, trouver les coordonnées des vecteur indiqués (attention aux unités).

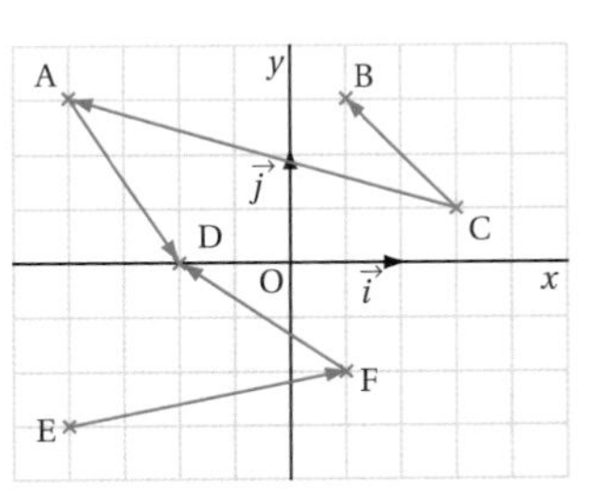

Coordonnées de points particuliers

Dans les exercices 21 à 25, trouver les coordonnées $(x ; y)$ du point M défini par les diverses conditions.

21 Les points A, B, C ont pour coordonnées respectives $(0;-3), (-2;1), (3;-5)$ et $\overrightarrow{AM} = \overrightarrow{AB} + \overrightarrow{AC}$.

22 Les points A et B ont pour coordonnées respectives $\left(-\frac{3}{5};4\right)$ et $\left(-2;\frac{7}{4}\right)$, M est le milieu du segment $[AB]$.

23 Les coordonnées du point A sont $\left(-5;\frac{9}{7}\right)$ et $\overrightarrow{MA} = 4\vec{i} - \frac{3}{7}\vec{j}$.

24 Les points A, B, C ont pour coordonnées respectives $(2;-1), (3;5), \left(-\frac{5}{3};1\right)$. M est le point tel que le quadrilatère ABCM soit un parallélogramme.

25 Les points A, B, C sont ceux de l'exercice précédent et M est le centre de gravité du triangle ABC.

Le centre de gravité M d'un triangle ABC se caractérise par l'égalité vectorielle $\overrightarrow{MA} + \overrightarrow{MB} + \overrightarrow{MC} = \vec{0}$.

Mélanges

26 Avec les indications de la figure, démontrer que le triangle ABC est isocèle en A.

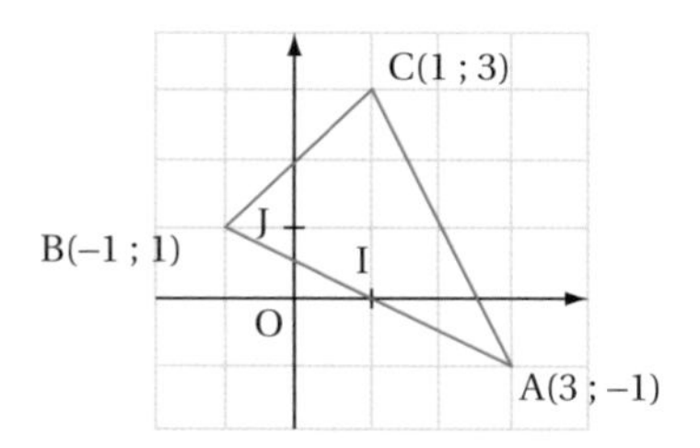

27 On donne les points $D(-2\,;2)$, $E(-3\,;-1)$ et $F(0\,;-2)$.

a. Démontrer que le triangle DEF est isocèle en E.

b. Démontrer que le triangle DEF est rectangle.

28 On donne les points $A(1\,;1)$, $B(2\,;-2)$ et $C(-1\,;-1)$. Démontrer que le triangle ABC est isocèle.

29 On considère les points $A(1\,;3)$, $B(3\,;-1)$ et $C(6\,;3)$. Montrer que la droite (OC) est la médiatrice du segment $[AB]$.

30 On donne les points $A(-2\,;-1)$ et $B(1\,;2)$.

a. Vérifier que $OA = OB$.

b. Déterminer les coordonnées du point C tel que AOBC soit un losange.

> Un losange est un parallélogramme dont deux côtés consécutifs ont la même longueur.

31 On donne les points $A(3\,;0)$, $B(0\,;2)$, $C(-3\,;0)$ et $D(0\,;-2)$. Quelle est la nature du quadrilatère ABCD ?

32 Soit $\mathscr{C}$ le cercle de centre $A(-6\,;2)$ et de rayon 5. Montrer que le point $B(-3\,;-2)$ appartient à $\mathscr{C}$.

33 On donne les points $A(-2\,;0)$, $B\left(1\,;\sqrt{3}\right)$ et $C\left(1\,;-\sqrt{3}\right)$.

Montrer que le triangle ABC est équilatéral.

34 On donne $A(-3\,;4)$, $B(1\,;3)$ et $C(9\,;1)$. Démontrer que les points A, B et C sont alignés.

Voir la méthode « Démontrer que des points sont alignés ».

35 On donne $A(-3\,;-3)$, $B(-2\,;1)$ et $C(6\,;-1)$.

Démontrer que les deux droites (AB) et (BC) sont perpendiculaires.

36 On part de D. Lire les coordonnées des vecteurs $\vec{a}, \vec{b}, \vec{c}$, etc., pour arriver en D en faisant le tour de l'étoile.

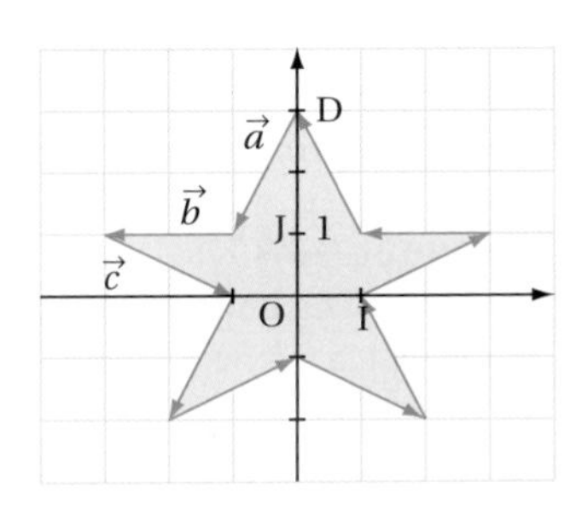

37 On part de D pour aller à A tout en restant dans le chemin en utilisant le nombre minimum d'étapes. À chaque étape, le trajet est rectiligne. Décrire la route à l'aide de vecteurs ayant des coordonnées entières.

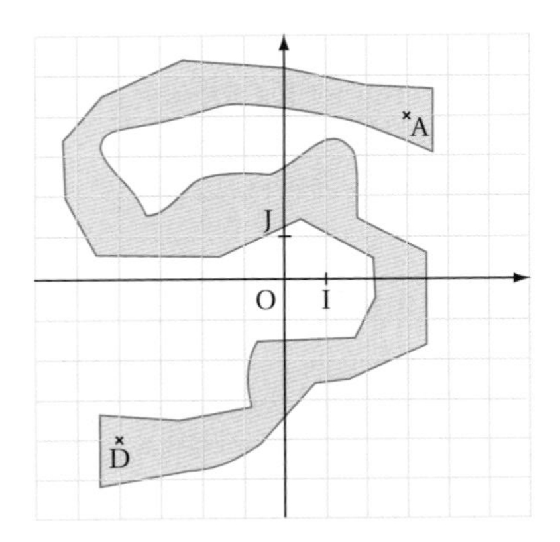

38 **a.** Démontrer que le triangle OAB est rectangle.

b. Calculer l'aire de ce triangle.

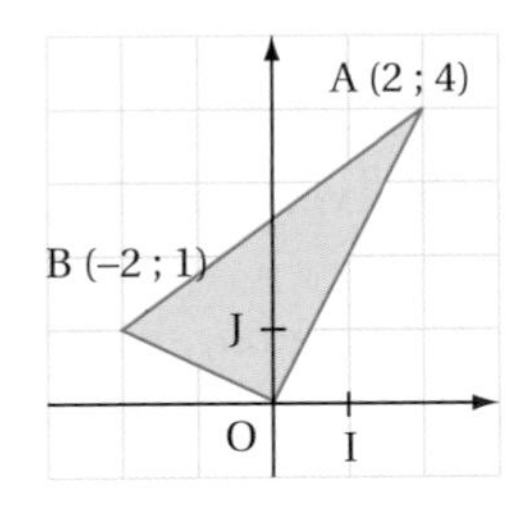

39 On considère les points $A(1\,;5)$, $B(4\,;1)$, $C(0\,;-2)$ et $D(-3\,;2)$.
Faire une figure et démontrer que ABCD est un carré.

> **MÉTHODE**
> On pourra démontrer que ABCD est un parallélogramme dont deux côtés consécutifs ont la même longueur et dont les diagonales ont la même longueur.

40 On donne $A(-4\,;1)$, $M(-1\,;3)$ et $B(3\,;-3)$.

a. Faire une figure et déterminer la nature du triangle AMB.

b. Calculer les coordonnées du centre C du cercle circonscrit au triangle ABM.

41 On donne $A(-6\,;2)$, $B(-2;4)$ et $C(4\,;-2)$.

a. Faire une figure.

b. Par lecture graphique, déterminer les coordonnées des milieux respectifs C′, A′ et B′ des côtés [AB], [BC] et [CA].

c. Vérifier que les quadrilatères AC′A′B′, BA′B′C′ et CB′C′A′ sont des parallélogrammes.

Repères non orthonormaux

42 Soit le parallélogramme ABCD et I, J, K, L les milieux respectifs des segments [AB], [BC], [CD], [DA]. Faire une figure. Quelles sont les coordonnées des points marqués dans le repère $\left(A\,;\,\overrightarrow{AB},\,\overrightarrow{AC}\right)$?

43 Reprendre la figure précédente et répondre à la question avec le repère $\left(B\,;\,\overrightarrow{BD},\overrightarrow{BC}\right)$.

44 **a.** Soit les points A, B, C de coordonnées respectives $(2\,;3)$, $(-1\,;2)$ et $(1\,;-4)$. À tout point M de coordonnées $(x\,;y)$, on associe le vecteur dépendant de M et noté $\overrightarrow{u_M}$ égal à $2\overrightarrow{MA}-3\overrightarrow{MB}+5\overrightarrow{MC}$.
Exprimer les coordonnées des vecteurs $\overrightarrow{MA}$, $\overrightarrow{MB}$, $\overrightarrow{MC}$ en fonction de x et de y.

b. Exprimer les coordonnées du vecteur $\overrightarrow{u_M}$ à l'aide de x et de y.

c. Démontrer qu'il existe un unique point M tel que $\overrightarrow{u_M}=\vec{0}$. On note G ce point.

d. Démontrer que pour tout point M, $\overrightarrow{u_M}=4\overrightarrow{MG}$.

PROBLÈMES

45 **a.** Montrer que le quadrilatère AOBC est un losange. On lira graphiquement les coordonnées des vecteurs utiles.

b. Déterminer graphiquement les coordonnées du centre de ce losange.

c. Calculer l'aire de ce losange.

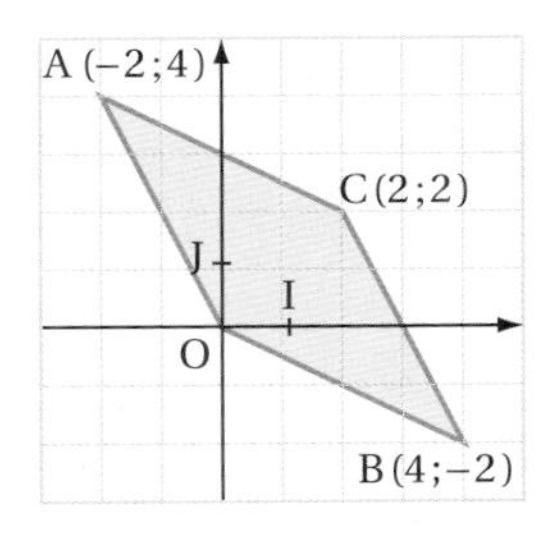

AIRE D'UN LOSANGE

L'aire d'un losange dont les diagonales ont pour longueurs d et D est $\frac{d \times D}{2}$.

46 On donne les points $A(-4\,;1), B(6\,;3)$ et $C\left(1-\sqrt{3}\,;5\sqrt{3}+2\right)$.

a. Placer les points A, B et C (pour ce dernier, prendre des valeurs arrondies).

b. Calculer les distances AB, BC et CA. Que peut-on en déduire ?

c. Déterminer graphiquement les coordonnées du milieu H de $[AB]$.

d. Calculer la valeur exacte de la hauteur du triangle ABC.

47 Soit $\left(O\,;\vec{i},\vec{j}\right)$ un repère orthonormé du plan. Soit les points A, B, C, D, E de coordonnées respectives $\left(-3\,;\frac{2}{3}\right),\left(-2\,;\frac{11}{3}\right),(0\,;3),(1\,;6),(-2\,;-3)$.

1. a. Quelle est la nature du quadrilatère ABDC ? Justifier la réponse.

b. Trouver les coordonnées du point F pour que le quadrilatère ABFE soit un parallélogramme.

2. a. Calculer les coordonnées des milieux des segments $[BF]$ et $[AC]$.

b. Quelle est la nature du quadrilatère ABCF ?

3. a. Que peut-on dire des points E, F, C, D ? Justifier.

b. Trouver le nombre x tel que $\overrightarrow{CF} = x\overrightarrow{ED}$.

4. a. Tracer le symétrique par rapport à O du trapèze ABDE.

b. Quelles sont les coordonnées des sommets du symétrique ? Justifier.

5. Parmi les réponses aux questions précédentes (autres que les constructions de figure), quelle est celle qui change lorsque les vecteurs $\vec{i}$ et $\vec{j}$ ne sont pas orthogonaux ?

48 On considère les points A, B, C de coordonnées respectives $(1;2),(3;4)$ et $(5;-1)$ dans un repère $(O;\vec{i},\vec{j})$.

1. a. Exprimer les vecteurs $\overrightarrow{AB}$ et $\overrightarrow{AC}$ dans le repère $(O;\vec{i},\vec{j})$.

b. Démontrer que les vecteurs $\overrightarrow{AB}$ et $\overrightarrow{AC}$ ne sont pas colinéaires.

2. a. Exprimer $\vec{i}$ et $\vec{j}$ en fonction de $\overrightarrow{AB}$ et de $\overrightarrow{AC}$.

b. Calculer les coordonnées de O dans le repère $(A;\overrightarrow{AB},\overrightarrow{AC})$.

Trouvez deux réels x et y tels que $\overrightarrow{AO}=x\overrightarrow{AB}+y\overrightarrow{AC}$.

3. Soit M un point du plan de coordonnées $(x;y)$ dans le repère $(O;\vec{i},\vec{j})$. En écrivant $\overrightarrow{AM}=\overrightarrow{AO}+\overrightarrow{OM}$, déterminer les coordonnées x' et y' de M dans le repère $(A;\overrightarrow{AB},\overrightarrow{AC})$ en fonction de x et y.

Algorithmique

49 Résumer succinctement l'action de l'algorithme suivant.

```
1    VARIABLES
2       xa EST_DU_TYPE NOMBRE
3       xb EST_DU_TYPE NOMBRE
4       ya EST_DU_TYPE NOMBRE
5       yb EST_DU_TYPE NOMBRE
6       x EST_DU_TYPE NOMBRE
7       y EST_DU_TYPE NOMBRE
8    DEBUT_ALGORITHME
9       LIRE xa
10      LIRE ya
11      LIRE xb
12      LIRE yb
13      x PREND_LA_VALEUR   xb – xa
14      y PREND_LA_VALEUR   yb – ya
15      AFFICHER "Abscisse du vecteur AB : "
16      AFFICHER x
17      AFFICHER "Ordonnée du vecteur AB : "
18      AFFICHER y
19   FIN_ALGORITHME
```

SE TESTER

1 **Réponse b.** Faux. On peut choisir les longueurs que l'on veut pour $\vec{i}$ et $\vec{j}$.

2 **Réponse a.** Vrai. Les abscisses et ordonnées de M sont échangées.

3 **Réponse a.** Vrai. Par définition.

4 **Réponse a.** Vrai. Par définition

5 **Réponse a.** Vrai. En effet $\overrightarrow{BA} = -\overrightarrow{AB}$.

S'ENTRAÎNER

6 $AB^2 = (3-2)^2 + (4-5)^2 = 2$, donc $AB = \sqrt{2}$.

7 $CD^2 = (2+3)^2 + (-4-1)^2 = 50$, donc $CD = \sqrt{50} = 5\sqrt{2}$.

8 On sait que les coordonnées de $\overrightarrow{AB}$ sont $(x_B - x_A ; y_B - y_A)$, donc $AB^2 = 3^2 + 4^2 = 25$, soit $AB = 5$.

9 On note x et y les coordonnées de $\overrightarrow{AB}$. Alors $x = x_B - x_A$ et $y = y_B - y_A$.
a. $x = 3$ et $y = 2$ **b.** $x = -2$ et $y = 7$ **c.** $x = 12$ et $y = -6$

10 $\overrightarrow{AB}(0\,;-6)$; $\overrightarrow{BD}(8\,;7)$; $\overrightarrow{CA}(-6\,;8)$; $\overrightarrow{DC}(-2\,;-9)$; $\overrightarrow{AD}(8\,;1)$; $\overrightarrow{CB}(-6\,;2)$.

11 Il suffit de placer les points $A(2\,;-3)$, $B(-5\,;-2)$ et $C(-4\,;3)$. Alors $\vec{u} = \overrightarrow{OA}$, $\vec{v} = \overrightarrow{OB}$ et $\vec{w} = \overrightarrow{OC}$.

12 **a.** B a pour coordonnées $(1\,;5)$ car $x_B - x_A = 2$ et $y_B - y_A = 3$, donc $x_B + 1 = 2$ et $y_B - 2 = 3$.
b. A a pour coordonnées $(9\,;-3)$ car $x_B - x_A = -5$ et $y_B - y_A = 2$, donc $4 - x_A = -5$ et $-1 - y_A = 2$.

13 Les coordonnées de $\overrightarrow{EF}$ sont $\left(7 - \frac{3}{2}\,; 0 - (-2)\right)$, soit $\left(\frac{11}{2}\,; 2\right)$. Celles de $\overrightarrow{GH}$ sont $\left(\frac{5}{2} - (-3)\,; -\frac{1}{2} - \left(-\frac{5}{2}\right)\right)$, soit $\left(\frac{11}{2}\,; 2\right)$.
Les deux vecteurs sont donc égaux car ils ont les mêmes coordonnées.

14 **a.** $x_M = \dfrac{2+8}{2} = 5$ et $y_M = \dfrac{4+6}{2} = 5.$

b. $x_M = \dfrac{-1+5}{2} = 2$ et $y_M = \dfrac{6+(-3)}{2} = \dfrac{3}{2}.$

15 Le point C est le milieu du diamètre $[AB]$.

Donc $x_C = \dfrac{-7+1}{2} = -3$ et $y_C = \dfrac{-5+(-3)}{2} = -4.$

16 On doit avoir $x_M = \dfrac{x_A + x_B}{2}$ et $y_M = \dfrac{y_A + y_B}{2}$, donc $3 = \dfrac{6+x_B}{2}$ et $4 = \dfrac{-2+y_B}{2}$.

On trouve : $6 + x_B = 6$, donc $x_B = 0$; $8 = -2 + y_B$, donc $y_B = 10$.

17 **a.** C est le milieu de $[AB]$ car $\dfrac{x_A + x_B}{2} = 1 = x_C$ et $\dfrac{y_A + y_B}{2} = -1 = y_C$.

b. D est le milieu de $[EF]$ car $\dfrac{x_E + x_F}{2} = 4 = x_D$ et $\dfrac{y_E + y_F}{2} = 1 = y_D$.

18 Le vecteur $3\overrightarrow{AB} - 2\overrightarrow{AC}$ a pour abscisse $3(1-0) - 2(2-0) = -1$.
Il a pour ordonnée $3(4-2) - 2(-2-2) = 14$.

On appelle x et y les coordonnées de M. Le vecteur $\overrightarrow{AM}$ a pour abscisse $x - 0$ et pour ordonnée $y - 2$.

L'égalité vectorielle proposée équivaut donc à :

$$\begin{cases} x = -1 \\ y - 2 = 14 \end{cases}, \text{ soit } \begin{cases} x = -1 \\ y = 16 \end{cases}.$$

Le point M a donc pour coordonnées $(-1\,;16)$.

19 Dire que ABCD est un parallélogramme signifie que $\overrightarrow{AB} = \overrightarrow{DC}$. On note $(x;y)$ les coordonnées de D. Les coordonnées de $\overrightarrow{AB}$ sont $(4;3)$ et celles de $\overrightarrow{DC}(2-x;-1-y)$.

L'égalité équivaut à :

$$\begin{cases} 4 = 2 - x \\ 3 = -1 - y \end{cases}, \text{ donc } \begin{cases} x = -2 \\ y = -4 \end{cases}.$$

20 Pour aller de E à F, on effectue un déplacement horizontal de $\frac{5}{2}$ unités vers la droite et, à l'issue de celui-ci, un déplacement vertical vers le haut de $\frac{1}{2}$ unité ; en conséquence, les coordonnées de $\overrightarrow{EF}$ sont $\left(\frac{5}{2};\frac{1}{2}\right)$.

On obtient les coordonnées des autres vecteurs de la même manière :

$\overrightarrow{FD}\left(-\frac{3}{2};1\right)$; $\overrightarrow{AD}\left(1;-\frac{3}{2}\right)$; $\overrightarrow{CA}\left(-\frac{7}{2};1\right)$; $\overrightarrow{CB}(-1;1)$.

21 Les coordonnées de $\overrightarrow{AB}$ sont $(-2-0;1-(-3))$, soit $(-2;4)$. Les coordonnées de $\overrightarrow{AC}$ sont $(3-0;-5-(-3))$, soit $(3;-2)$. On traduit à l'aide des coordonnées l'égalité proposée. On trouve :

$\begin{cases} x=-2+3 \\ y+3=4+(-2) \end{cases}$. Ce qui conduit à $x=1$ et $y=-1$.

22 Comme $x=\frac{x_A+x_B}{2}$ et $y=\frac{y_A+y_B}{2}$, alors $x=-\frac{13}{10}$ et $y=\frac{23}{8}$.

23 Les coordonnées de $4\vec{i}-\frac{3}{7}\vec{j}$ sont $\left(4;-\frac{3}{7}\right)$. Celles de $\overrightarrow{MA}$ sont $\left(-5-x;\frac{9}{7}-y\right)$. Donc : $\begin{cases} -5-x=4 \\ \frac{9}{7}-y=-\frac{3}{7} \end{cases}$. D'où $x=-9$ et $y=\frac{12}{7}$.

24 La condition « ABCM est un parallélogramme » est équivalente à l'égalité entre vecteurs : $\overrightarrow{AB}=\overrightarrow{MC}$.

Les coordonnées de $\overrightarrow{AB}$ sont $(1;6)$ et celles de $\overrightarrow{MC}$ sont $\left(-\frac{5}{3}-x;1-y\right)$.

Il s'ensuit $\begin{cases} 1=-\frac{5}{3}-x \\ 6=1-y \end{cases}$. D'où $x=-\frac{8}{3}$ et $y=-5$.

25 Le point M est le point tel que $\overrightarrow{AM}+\overrightarrow{BM}+\overrightarrow{CM}=\vec{0}$.

On traduit cette égalité à l'aide de coordonnées. On obtient :

$\begin{cases} (x-2)+(x-3)+\left(x+\frac{5}{3}\right)=0 \\ (y+1)+(y-5)+(y-1)=0 \end{cases}$ soit $\begin{cases} 3x-\frac{10}{3}=0 \\ 3y-5=0 \end{cases}$ d'où $\begin{cases} x=\frac{10}{9} \\ y=\frac{5}{3} \end{cases}$.

26 $AB=\sqrt{(-1-3)^2+(1-(-1))^2}=\sqrt{20}$. $AC=\sqrt{(1-3)^2+(3-(-1))^2}=\sqrt{20}$,

donc $AB=AC$. On en déduit que ABC est isocèle en A.

27 **a.** $DE=\sqrt{(-3-(-2))^2+(-1-2)^2}=\sqrt{10}$. $FE=\sqrt{(-3-0)^2+(-1-(-2))^2}=\sqrt{10}$,

donc $DE=EF$.

On en déduit que le triangle DEF est isocèle en E.

b. $DF^2=(0-(-2))^2+(-2-2)^2=20$. Donc $DF^2=DE^2+EF^2$. D'après le théorème de Pythagore, on en déduit que le triangle DEF est rectangle en E.

28 $AB=\sqrt{(2-1)^2+(-2-1)^2}=\sqrt{10}$. $BC=\sqrt{(-1-2)^2+(-1-(-2))^2}=\sqrt{10}$.

$AB=BC$, donc ABC est isocèle en B.

29 On montre que O et C appartiennent à la médiatrice de [AB].
$OA=\sqrt{(1-0)^2+(3-0)^2}=\sqrt{10}$. $OB=\sqrt{(3-0)^2+(-1-0)^2}=\sqrt{10}$.
$OA=OB$, donc O appartient à la médiatrice de $[AB]$.

$CA=\sqrt{(1-6)^2+(3-3)^2}=\sqrt{25}=5$.

$CB=\sqrt{(3-6)^2+(-1-3)^2}=\sqrt{25}=5$.

$CA=CB$, donc C appartient à la médiatrice de $[AB]$;
par conséquent, (OC) est la médiatrice de $[AB]$.

La médiatrice d'un segment [AB] est l'ensemble des points équidistants de A et de

30 **a.** $OA=\sqrt{(-2-0)^2+(-1-0)^2}=\sqrt{5}$. $OB=\sqrt{(1-0)^2+(2-0)^2}=\sqrt{5}$.

Donc $OA=OB$.

b. Il suffit que $[OC]$ et $[AB]$ aient le même milieu. Ainsi AOBC sera un parallélogramme. Ayant deux côtés consécutifs de même longueur, ce sera un losange. Le milieu de $[AB]$ a pour coordonnées $\frac{x_A+x_B}{2}=\frac{-2+1}{2}=-\frac{1}{2}$ et $\frac{y_A+y_B}{2}=\frac{-1+2}{2}=\frac{1}{2}$. Le milieu de $[OC]$ a pour coordonnées $\frac{x_C}{2}$ et $\frac{y_C}{2}$. Pour que le milieu soit le même, on doit avoir :

$\frac{x_C}{2}=-\frac{1}{2}$ et $\frac{y_C}{2}=\frac{1}{2}$. Donc C a pour coordonnées $(-1\,;1)$.

31 Le milieu de $[AC]$ a pour coordonnées $\left(\frac{x_A + x_C}{2} ; \frac{y_A + y_C}{2}\right)$ donc $(0 ; 0)$.
C'est le point O.

Le milieu de $[BD]$ a pour coordonnées $\left(\frac{x_B + x_D}{2} ; \frac{y_B + y_D}{2}\right)$ donc $(0 ; 0)$.
C'est le point O.

La droite (AC) est l'axe des ordonnées et la droite (BD) est l'axe des abscisses. Les deux diagonales sont donc perpendiculaires.

Un parallélogramme dont les diagonales sont perpendiculaires est un losange.

Ainsi, les diagonales de ABCD ont le même milieu O et sont perpendiculaires. Donc ABCD est un losange.

32 $AB = \sqrt{(-3-(-6))^2 + (-2-2)^2} = \sqrt{25} = 5.$

Donc $AB = 5$; 5 étant le rayon de $\mathscr{C}$, $B \in \mathscr{C}$.

33 $AB = \sqrt{(1-(-2))^2 + (\sqrt{3}-0)^2} = \sqrt{12} = 2\sqrt{3}.$

$CB = \sqrt{(1-1)^2 + (\sqrt{3}-(-\sqrt{3}))^2} = \sqrt{12} = 2\sqrt{3}.$

$CA = \sqrt{(-2-1)^2 + (0-(-\sqrt{3}))^2} = \sqrt{12} = 2\sqrt{3}.$

Un triangle est équilatéral si et seulement si ses côtés sont de même longueur.

$AB = CB = CA$, donc ABC est équilatéral.

34 $AB = \sqrt{(1-(-3))^2 + (3-4)^2} = \sqrt{17}$;

$BC = \sqrt{(9-1)^2 + (1-3)^2} = \sqrt{68} = 2\sqrt{17}$;

$AC = \sqrt{(9-(-3))^2 + (1-4)^2} = \sqrt{153} = 3\sqrt{17}.$

Donc $AB + BC = AC$, ce qui prouve que B appartient au segment $[AC]$ et donc que les trois points sont alignés.

35 $AB^2 = (-2-(-3))^2 + (1-(-3))^2 = 17$;
$CB^2 = (-2-6)^2 + (1-(-1))^2 = 68$;
$CA^2 = (-3-6)^2 + (-3-(-1))^2 = 85.$
On en déduit que $CA^2 = AB^2 + CB^2$, donc ABC est rectangle en B et par suite, (AB) est perpendiculaire à (BC).

36 $\vec{a}(-1\,;-2)$; $\vec{b}(-2\,;0)$; $\vec{c}(2\,;-1)$; $\vec{d}(-1\,;-2)$; $\vec{e}(2\,;1)$; $\vec{f}(2\,;-1)$; $\vec{g}(-1\,;2)$; $\vec{h}(2\,;1)$; $\vec{i}(-2\,;0)$; $\vec{j}(-1\,;2)$.

37 Les coordonnées des vecteurs sont les suivantes :

$$(2\,;0)(5\,;3)(-2\,;4)\begin{Bmatrix}(-4\,;-2)(-2\,;2)\\(-5\,;-2)(-1\,;2)\end{Bmatrix}(2\,;2)(6\,;-1)$$

Il y a deux parcours possibles. Sur la figure, on a tracé le premier.

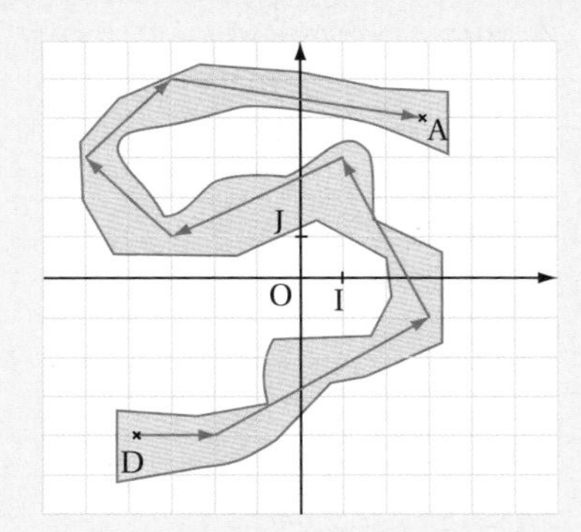

38 **a.** $OA^2=(2-0)^2+(4-0)^2=20$;
$OB^2=(-2-0)^2+(1-0)^2=5$; $AB^2=(-2-2)^2+(1-4)^2=25$.
Donc $AB^2=OA^2+OB^2$. On en déduit que OAB est rectangle en O.

b. $\text{Aire(OAB)}=\dfrac{OA\times OB}{2}=\dfrac{\sqrt{20}\times\sqrt{5}}{2}=\dfrac{2\sqrt{5}\times\sqrt{5}}{2}=5.$

39 Par lecture graphique : $\overrightarrow{AB}(3\,;-4)$ et $\overrightarrow{DC}(3\,;-4)$. On a $\overrightarrow{AB}=\overrightarrow{DC}$, donc ABCD est un parallélogramme.

$AB=\sqrt{3^2+(-4)^2}=\sqrt{25}=5$;

$BC=\sqrt{(0-4)^2+(-2-1)^2}=\sqrt{25}=5$;

$AC=\sqrt{(0-1)^2+(-2-5)^2}=\sqrt{50}=5\sqrt{2}$;

$BD=\sqrt{(-3-4)^2+(2-1)^2}=\sqrt{50}=5\sqrt{2}.$

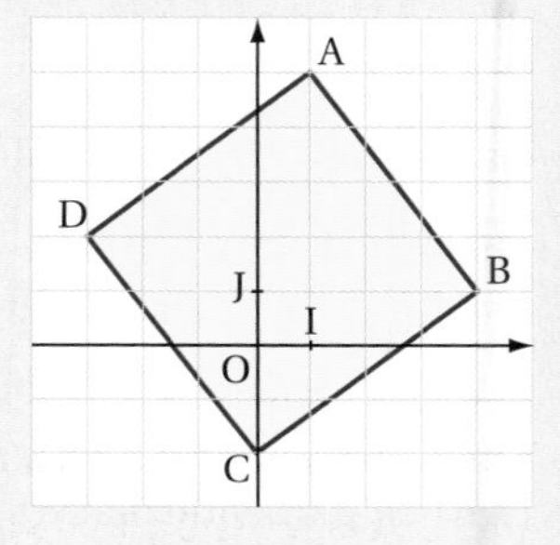

AB = BC = 5, donc ABCD est un losange puisque le parallélogramme a deux côtés consécutifs de même longueur.

AC = BD = $5\sqrt{2}$, donc ABCD est un carré puisque les diagonales du losange ont la même longueur.

40 **a.**

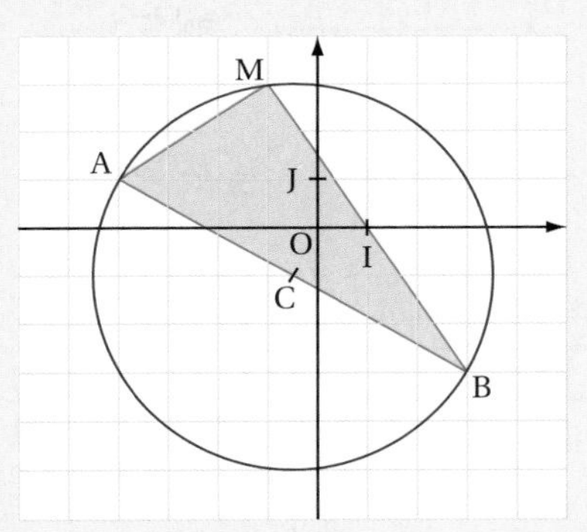

$AM^2 = (-1-(-4))^2 + (3-1)^2 = 13$;

$BM^2 = (-1-3)^2 + (3-(-3))^2 = 52$;

$AB^2 = (3-(-4))^2 + (-3-1)^2 = 65$.

$AB^2 = AM^2 + BM^2$, donc AMB est rectangle en M.

b. C est le milieu de [AB], donc les coordonnées de C sont :

$\left(\dfrac{x_A + x_B}{2} ; \dfrac{y_A + y_B}{2}\right)$ c'est-à-dire $\left(-\dfrac{1}{2} ; -1\right)$.

Le centre du cercle circonscrit à un triangle rectangle est le milieu de l'hypoténuse.

41 **a.**

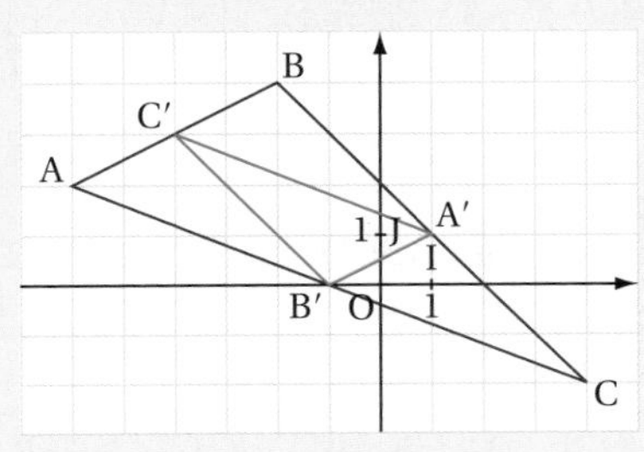

b. Par lecture graphique, on trouve : $A'(1 ; 1)$, $B'(-1 ; 0)$ et $C'(-4 ; 3)$.

c. $\overrightarrow{AC'}(2 ; 1)$ et $\overrightarrow{B'A'}(2 ; 1)$, donc $\overrightarrow{AC'} = \overrightarrow{B'A'}$. AC′A′B′ est un parallélogramme.

$\overrightarrow{BA'}(3 ; -3)$ et $\overrightarrow{C'B'}(3 ; -3)$, donc $\overrightarrow{BA'} = \overrightarrow{C'B'}$. BA′B′C′ est un parallélogramme.

$\overrightarrow{CB'}(-5 ; 2)$ et $\overrightarrow{A'C'}(-5 ; 2)$, donc $\overrightarrow{CB'} = \overrightarrow{A'C'}$. CB′C′A′ est un parallélogramme.

42 Pour tout point M marqué sur la figure, on veut trouver deux réels x et y vérifiant $\overrightarrow{AM} = x\overrightarrow{AB} + y\overrightarrow{AC}$. Les droites $(D'D)$, $(L'L)$, (AC) et (IJ) sont parallèles.

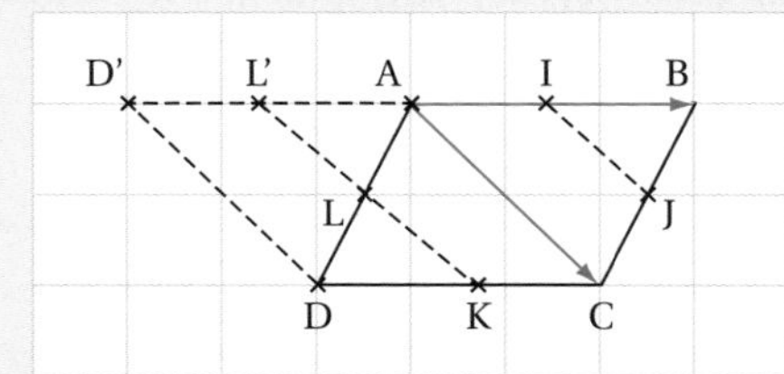

Le tableau résume les résultats.

Points	A	B	C	D	I	J	K	L
Abscisses	0	1	0	−1	$\frac{1}{2}$	$\frac{1}{2}$	$-\frac{1}{2}$	$-\frac{1}{2}$
Ordonnées	0	0	1	1	0	$\frac{1}{2}$	1	$\frac{1}{2}$

L'idée est de se diriger de A vers le point M en suivant les directions des vecteurs $\overrightarrow{AB}$ et $\overrightarrow{AC}$.

Ainsi $\overrightarrow{AD} = \overrightarrow{AD'} + \overrightarrow{D'D} = -\overrightarrow{AB} + \overrightarrow{AC}$, donc $x_D = -1$ et $y_D = 1$.

De même $\overrightarrow{AL} = \overrightarrow{AL'} + \overrightarrow{L'L} = -\frac{1}{2}\overrightarrow{AB} + \frac{1}{2}\overrightarrow{AC}$,

donc $x_L = -\frac{1}{2}$ et $y_L = \frac{1}{2}$.

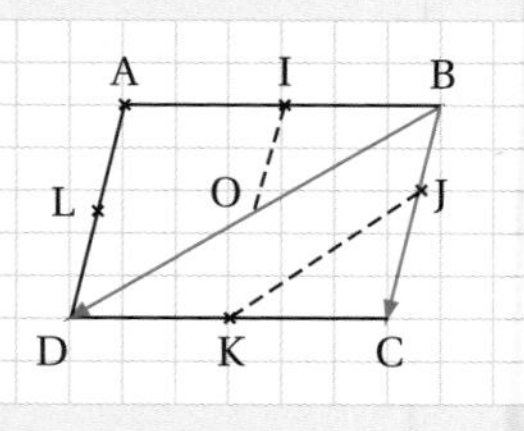

43 Le principe est le même qu'à l'exercice précédent : il s'agit de trouver deux réels x et y vérifiant $\overrightarrow{BM} = x\overrightarrow{BD} + y\overrightarrow{BC}$. Les droites (IO) et (AD) sont parallèles ainsi que (KJ) et (BD).

Points	A	B	C	D	I	J	K	L
Abscisses	1	0	0	1	$\frac{1}{2}$	0	$\frac{1}{2}$	1
Ordonnées	−1	0	1	0	$-\frac{1}{2}$	$\frac{1}{2}$	$\frac{1}{2}$	$-\frac{1}{2}$

Par exemple : $\overrightarrow{BA} = \overrightarrow{BD} + \overrightarrow{DA} = \overrightarrow{BD} - \overrightarrow{BC}$ et $\overrightarrow{BI} = \overrightarrow{BO} + \overrightarrow{OI} = \frac{1}{2}\overrightarrow{BD} - \frac{1}{2}\overrightarrow{BC}$.

44 **a.** Le tableau ci-dessous donne les coordonnées demandées.

Vecteurs	$\overrightarrow{MA}$	$\overrightarrow{MB}$	$\overrightarrow{MC}$
Abscisses	$2-x$	$-1-x$	$1-x$
Ordonnées	$3-y$	$2-y$	$-4-y$

b. Les coordonnées du vecteur $\overrightarrow{u_M}$ s'obtiennent alors, d'après l'égalité $\overrightarrow{u_M} = 2\overrightarrow{MA} - 3\overrightarrow{MB} + 5\overrightarrow{MC}$. Son abscisse est $12-4x$ et son ordonnée $-20-4y$.

c. L'égalité $\overrightarrow{u_M} = \vec{0}$ est équivalente au système $\begin{cases} 12-4x=0 \\ -20-4y=0 \end{cases}$. On obtient $x=3$ et $y=-5$. Il existe donc bien un unique point G satisfaisant à l'égalité demandée et ses coordonnées sont $(3\ ;-5)$.

d. Le vecteur $4\overrightarrow{MG}$ a pour coordonnées $(12-4x\ ;-20-4y)$; ce sont précisément les coordonnées du vecteur $\overrightarrow{u_M}$ et, par conséquent, on a bien l'égalité : $\overrightarrow{u_M} = 4\overrightarrow{MG}$.

PROBLÈMES

45 **a.** $\overrightarrow{AO}(2\ ;-4)$ et $\overrightarrow{CB}(2\ ;-4)$, donc $\overrightarrow{AO} = \overrightarrow{CB}$. AOBC est un parallélogramme.

De plus :

$OA = \sqrt{2^2 + (-4)^2} = \sqrt{20}$;

$OB = \sqrt{(4-0)^2 + (-2-0)^2} = \sqrt{20}$.

OA = OB, donc AOBC est un losange.

b. Le centre du losange a comme coordonnées $(1\ ;1)$.

c. $OC = \sqrt{(2-0)^2 + (2-0)^2} = \sqrt{8} = 2\sqrt{2}$;

$AB = \sqrt{(4-(-2))^2 + (-2-4)^2} = \sqrt{72} = 6\sqrt{2}$.

Donc $\text{Aire}_{AOBC} = \dfrac{OC \times AB}{2} = \dfrac{2\sqrt{2} \times 6\sqrt{2}}{2} = 12$.

46 **a.**

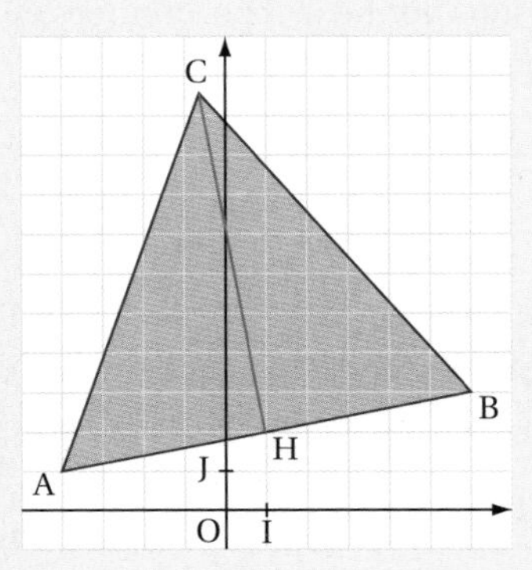

b. $AB=\sqrt{(6-(-4))^2+(3-1)^2}=\sqrt{104}$;

$BC=\sqrt{\left(1-\sqrt{3}-6\right)^2+\left(5\sqrt{3}+2-3\right)^2}=\sqrt{\left(-5-\sqrt{3}\right)^2+\left(-1+5\sqrt{3}\right)^2}$.

On a de plus :

$\left(-5-\sqrt{3}\right)^2=\left(5+\sqrt{3}\right)^2=5^2+2\times5\times\sqrt{3}+\left(\sqrt{3}\right)^2=25+10\sqrt{3}+3=28+10\sqrt{3}$.

De même :

$\left(-1+5\sqrt{3}\right)^2=(-1)^2-2\times5\sqrt{3}+\left(5\sqrt{3}\right)^2=1-10\sqrt{3}+75=76-10\sqrt{3}$.

Donc :

$BC=\sqrt{28+10\sqrt{3}+76-10\sqrt{3}}=\sqrt{104}$;

$AC=\sqrt{\left(1-\sqrt{3}-(-4)\right)^2+\left(5\sqrt{3}+2-1\right)^2}$

$=\sqrt{\left(5-\sqrt{3}\right)^2+\left(5\sqrt{3}+1\right)^2}$.

On a de même :

$\left(5-\sqrt{3}\right)^2=28-10\sqrt{3}$ et $\left(5\sqrt{3}+1\right)^2=76+10\sqrt{3}$.

Donc $AC=\sqrt{28-10\sqrt{3}+76+10\sqrt{3}}=\sqrt{104}$.

Puisque $AB=BC=CA=\sqrt{104}$, le triangle ABC est équilatéral.

c. H(1 ; 2).

d. Toutes les hauteurs d'un triangle équilatéral étant égales, on calcule CH.

$$CH=\sqrt{\left(1-\left(1-\sqrt{3}\right)\right)^2+\left(2-\left(5\sqrt{3}+2\right)\right)^2}=\sqrt{\left(\sqrt{3}\right)^2+\left(5\sqrt{3}\right)^2}$$
$$=\sqrt{78}$$

47 **1. a.** On calcule les coordonnées des vecteurs $\overrightarrow{AB}$ et $\overrightarrow{CD}$ selon les formules $x_B - x_A$ et $y_B - y_A$. On trouve (1 ; 3) pour les deux. Il en résulte que les vecteurs $\overrightarrow{AB}$ et $\overrightarrow{CD}$ sont égaux et, par conséquent, le quadrilatère ABDC est un parallélogramme.

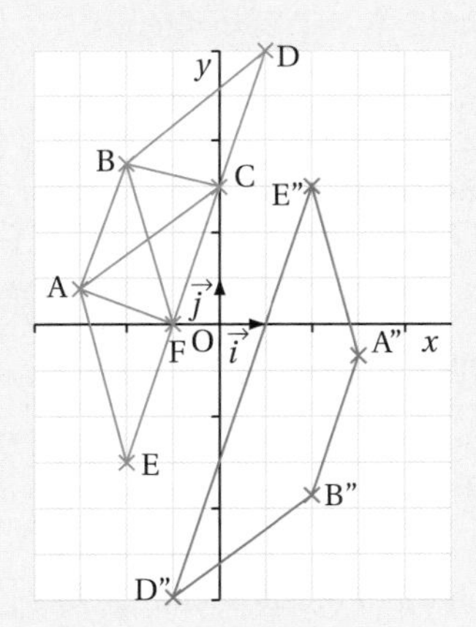

b. On note x et y les coordonnées du point F. Pour que le quadrilatère ABFE soit un parallélogramme, il faut et il suffit que $\overrightarrow{EF}=\overrightarrow{AB}$, autrement dit que :

$\begin{cases} x+2=1 \\ y+3=3 \end{cases}$ ce qui conduit à $x=-1$ et $y=0$.

2. a. L'abscisse du milieu du segment [BF] vaut $\dfrac{x_B+x_F}{2}$ et son ordonnée $\dfrac{y_B+y_F}{2}$.

Ce milieu a donc pour coordonnées $\left(-\dfrac{3}{2}\,;\,\dfrac{11}{6}\right)$. De la même façon, on trouve que les coordonnées du milieu du segment [AC] sont $\left(-\dfrac{3}{2}\,;\,\dfrac{11}{6}\right)$ également.

b. Le quadrilatère ABCF est un parallélogramme puisque ses diagonales $[BF]$ et $[AC]$ ont le même milieu. De plus, on a :

$AC = \sqrt{(x_C - x_A)^2 + (y_C - y_A)^2}$, c'est-à-dire $AC = \frac{\sqrt{130}}{3}$.

En utilisant la même formule, on trouve également $BF = \frac{\sqrt{130}}{3}$.

Cela prouve que les diagonales du parallélogramme ABCF sont de même longueur. ABCF est donc un rectangle.

3. a. On sait que $\overrightarrow{AB} = \overrightarrow{FC} = \overrightarrow{EF}$. Donc les points E, F, C sont alignés. On sait aussi que $\overrightarrow{AB} = \overrightarrow{CD} = \overrightarrow{FC}$. Donc les points F, C, D sont alignés.
Il en résulte que les points E, F, C, D sont alignés.

b. Puisque $\overrightarrow{ED} = 3\overrightarrow{FC}$, on trouve $\overrightarrow{CF} = -\frac{1}{3}\overrightarrow{ED}$. Ainsi $x = -\frac{1}{3}$.

4. a. Il suffit de construire les points A″, B″, D″ et E″ symétriques des points A, B, D et E par rapport à O : O est le milieu de $[AA'']$, $[BB'']$, $[DD'']$ et $[EE'']$.
b. Les coordonnées $(x' ; y')$ du symétrique d'un point de coordonnées $(x ; y)$ par rapport à O sont définies par $\begin{cases} x' = -x \\ y' = -y \end{cases}$.
Par conséquent, les coordonnées des points A″, B″, D″ et E″ sont respectivement $\left(3 ; -\frac{2}{3}\right)$, $\left(2 ; -\frac{11}{3}\right)$, $(-1 ; -6)$, $(2 ; 3)$.

5. Seule la nature du quadrilatère ABCF change lorsque les vecteurs $\vec{i}$ et $\vec{j}$ ne sont pas orthogonaux : ABCF n'est plus un rectangle mais un parallélogramme. La propriété d'orthogonalité de deux vecteurs définis par leurs coordonnées dépend en effet de la nature du repère dans lequel on se place, les autres propriétés telles que parallélisme, milieu et colinéarité étant indépendantes de la nature du repère.
De même, le calcul des longueurs effectué en **2. b.** ne vaut que si le repère n'est pas orthonormé.

48 Les conditions du problème sont équivalentes aux égalités vectorielles : $\overrightarrow{OA}=\vec{i}+2\vec{j}$, $\overrightarrow{OB}=3\vec{i}+4\vec{j}$, $\overrightarrow{OC}=5\vec{i}-\vec{j}$.

1. **a.** Comme $\overrightarrow{AB}=\overrightarrow{OB}-\overrightarrow{OA}$, on a $\overrightarrow{AB}=2\vec{i}+2\vec{j}$; et, puisque $\overrightarrow{AC}=\overrightarrow{OC}-\overrightarrow{OA}$, on a $\overrightarrow{AC}=4\vec{i}-3\vec{j}$.

b. Les coordonnées de $\overrightarrow{AB}$ étant $(2;2)$, elles ne sont pas proportionnelles à celles de $\overrightarrow{AC}(4;-3)$.

Donc les vecteurs $\overrightarrow{AB}$ et $\overrightarrow{AC}$ ne sont pas colinéaires.

2. **a.** Il s'agit de résoudre le système $\begin{cases}2\vec{i}+2\vec{j}=\overrightarrow{AB}\\4\vec{i}-3\vec{j}=\overrightarrow{AC}\end{cases}$.

Ce système est équivalent à $\begin{cases}\vec{i}+\vec{j}=\frac{1}{2}\overrightarrow{AB}\\\vec{i}-\frac{3}{4}\vec{j}=\frac{1}{4}\overrightarrow{AC}\end{cases}$.

On soustrait membre à membre :

$$\vec{j}+\frac{3}{4}\vec{j}=\frac{1}{2}\overrightarrow{AB}-\frac{1}{4}\overrightarrow{AC}\Rightarrow\frac{7}{4}\vec{j}=\frac{1}{2}\overrightarrow{AB}-\frac{1}{4}\overrightarrow{AC}$$

$$\Rightarrow\vec{j}=\frac{4}{7}\left(\frac{1}{2}\overrightarrow{AB}-\frac{1}{4}\overrightarrow{AC}\right)$$

$$\Rightarrow\vec{j}=\frac{2}{7}\overrightarrow{AB}-\frac{1}{7}\overrightarrow{AC}$$

Puisque $\vec{i}=\frac{1}{2}\overrightarrow{AB}-\vec{j}$, on obtient $\vec{i}=\frac{3}{14}\overrightarrow{AB}+\frac{1}{7}\overrightarrow{AC}$.

b. On sait que :

$$\overrightarrow{AO}=-\vec{i}-2\vec{j}\text{ et }x\overrightarrow{AB}+y\overrightarrow{AC}=x\left(2\vec{i}+2\vec{j}\right)+y\left(4\vec{i}-3\vec{j}\right)$$

$$=(2x+4y)\vec{i}+(2x-3y)\vec{j}.$$

Donc $\overrightarrow{AO}=x\overrightarrow{AB}+y\overrightarrow{AC}\Leftrightarrow\begin{cases}2x+4y=-1\\2x-3y=-2\end{cases}$

Par soustraction membre à membre, on obtient $7y=1$.

Donc $y=\frac{1}{7}$ et comme $2x=-2+3y$, on trouve :

$2x=-\frac{11}{7}$, c'est-à-dire $x=-\frac{11}{14}$.

Dans le repère $\left(A;\overrightarrow{AB},\overrightarrow{AC}\right)$, le point O a donc pour coordonnées $\left(-\frac{11}{14};\frac{1}{7}\right)$.

3. Par définition, $\overrightarrow{AM} = x'\overrightarrow{AB} + y'\overrightarrow{AC}$.

D'autre part $\overrightarrow{AM} = \overrightarrow{AO} + \overrightarrow{OM} = -\vec{i} - 2\vec{j} + x\vec{i} + y\vec{j} = (x-1)\vec{i} + (y-2)\vec{j}$.

Donc $\overrightarrow{AM} = (x-1)\left(\frac{3}{14}\overrightarrow{AB} + \frac{1}{7}\overrightarrow{AC}\right) + (y-2)\left(\frac{2}{7}\overrightarrow{AB} - \frac{1}{7}\overrightarrow{AC}\right)$

$$= \frac{1}{14}(3x+4y-11)\overrightarrow{AB} + \frac{1}{7}(x-y+1)\overrightarrow{AC}$$

Il en résulte : $\begin{cases} x' = \frac{1}{14}(3x+4y-11) \\ y' = \frac{1}{7}(x-y+1) \end{cases}$.

49 L'algorithme propose de calculer les coordonnées du vecteur $\overrightarrow{AB}$ et de les afficher sachant que l'utilisateur a saisi les coordonnées des points A et B. La variable x contient l'abscisse de $\overrightarrow{AB}$ et la variable y contient l'ordonnée de $\overrightarrow{AB}$.

www.annabac.com 

CHAPITRE

11 Droites dans le plan

Au collège, les droites sont étudiées d'un point de vue purement géométrique, en faisant appel à des instruments comme la règle ou l'équerre. En Seconde, on étudie les droites algébriquement, en faisant appel à leurs équations. Cela permet de mieux les examiner et de démontrer certaines de leurs propriétés.

Dans ce chapitre, on se place dans un repère du plan (O ; I, J) ou $(O\,;\,\vec{i},\,\vec{j})$.

1 Introduction

A Représentation graphique d'une fonction affine

On sait qu'une fonction affine (de la forme $x \mapsto ax+b$) a pour représentation graphique une droite. C'est l'ensemble de tous les points du plan dont les coordonnées sont $(x\,;\,ax+b)$, c'est-à-dire dont l'abscisse est x et l'ordonnée $ax+b$.

Exemple

On considère la fonction $f : x \mapsto 2x+3$. Les points suivants appartiennent à la droite représentant f :

Points	$(0\,;\,3)$	$(-1\,;\,1)$	$(-1,5\,;\,0)$	$(10\,;\,23)$
Justification	$2\times0+3=3$	$2\times(-1)+3=1$	$2\times(-1,5)+3=0$	$2\times10+3=23$

B Un raccourci commode : l'équation d'une droite

Au lieu de dire « la représentation graphique de la fonction $x \mapsto ax+b$ », on dira : « la droite d'équation $y=ax+b$ » ou « la droite dont l'équation est $y=ax+b$ ».

Ainsi la droite d'équation $y=2x+3$ est constituée de tous les points de coordonnées $(x\,;\,2x+3)$.

2 Propriétés des équations de droite

A Les deux types d'équations de droite

Théorème

- Toute droite du plan non parallèle à l'axe des ordonnées a pour équation $y = ax + b$, où a et b sont deux constantes données.
- Toute droite parallèle à l'axe des ordonnées a pour équation $x = k$ où k est une constante donnée.

Remarques

- La droite d'équation $y = ax + b$ contient le point de coordonnées $(0 ; b)$. C'est pourquoi b se nomme l'ordonnée à l'origine de la droite.
- L'équation d'une droite parallèle à l'axe des ordonnées, $x = k$ où k est une constante, n'est pas de la forme $y = ax + b$.

Exemple : On a tracé ci-contre la droite d'équation $y = 2x + 3$ (à gauche) et la droite d'équation $x = 2$ (à droite).

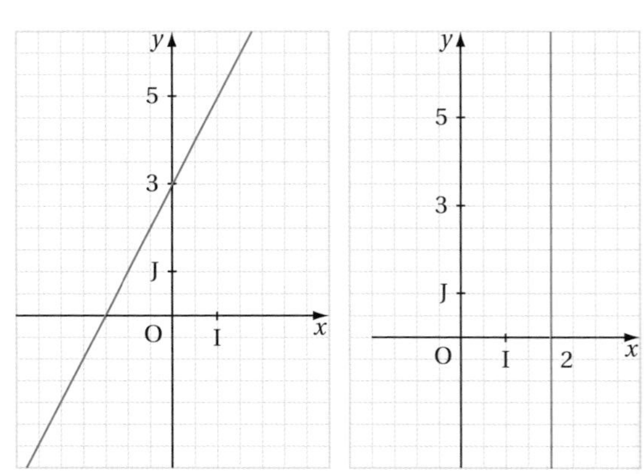

B Droites particulières

- Les droites parallèles à l'axe des abscisses ont pour équation $y = b$.
- Les droites passant par l'origine du repère ont pour équation $y = ax$. Elles représentent des fonctions linéaires (de la forme $x \mapsto ax$).

Exemples : On a tracé ci-contre la droite d'équation $y = -1$ (à gauche) et la droite d'équation $y = 0{,}5x$ (à droite).

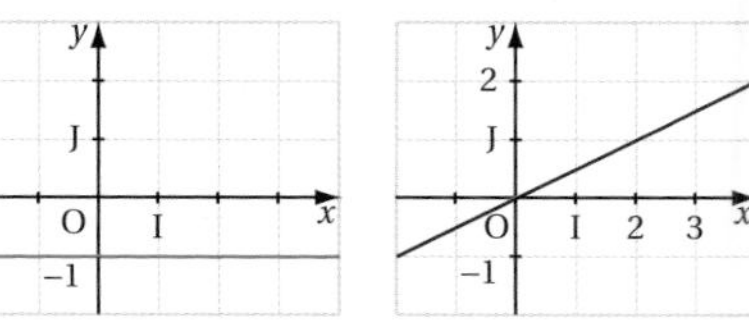

3 Coefficient directeur (ou pente)

A Généralités

Définition

Le coefficient directeur de la droite d'équation $y = ax + b$ est le nombre a.

Théorème

Soit A et B deux points de coordonnées respectives $(x_A ; y_A)$ et $(x_B ; y_B)$. Dans le cas où la droite (AB) n'est pas parallèle à l'axe des ordonnées, son coefficient directeur est égal à $\dfrac{y_B - y_A}{x_B - x_A}$.

Le coefficient directeur d'une droite s'appelle aussi la pente de cette droite.

Preuve - On sait que $y_A = ax_A + b$ et $y_B = ax_B + b$. Donc :

$$\frac{y_B - y_A}{x_B - x_A} = \frac{ax_B + b - (ax_A + b)}{x_B - x_A} = \frac{ax_B - ax_A}{x_B - x_A} = \frac{a(x_B - x_A)}{x_B - x_A} = a.$$

C'est ce qu'il fallait démontrer.

Remarque - Une droite qui a pour équation $x = k$, où k est une constante, n'a pas de coefficient directeur.

B Suivre la pente

Une droite admet une pente à la condition exclusive qu'elle ne soit pas parallèle à l'axe des ordonnées.

Si elle est parallèle à l'axe des abscisses alors cette pente est nulle.

On voit facilement le signe d'une pente :

- si la droite « monte » (figure de gauche), alors la pente est positive ; la droite représente une fonction affine croissante.
- si la droite « descend » (figure de droite), alors la pente est négative ; la droite représente une fonction affine décroissante.

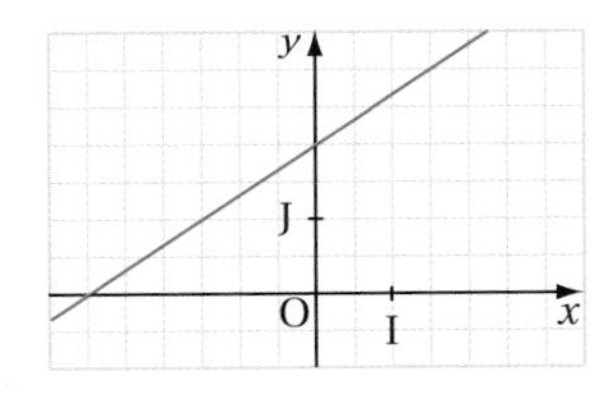

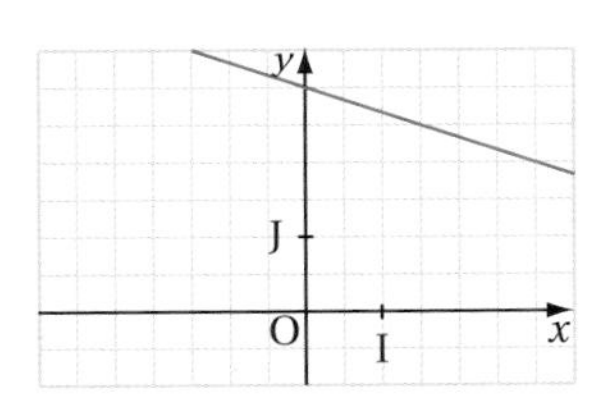

C Lecture de pente

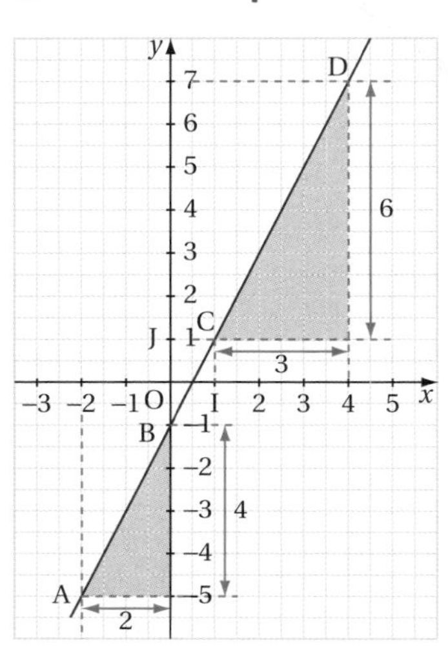

- On peut trouver graphiquement la pente d'une droite sans en avoir l'équation.

Il suffit de calculer le rapport :

$$\frac{\text{déplacement vertical}}{\text{déplacement horizontal}}.$$

Sur la figure, on trouve $\frac{6}{3}=\frac{4}{2}=2$ en considérant $\frac{y_D-y_C}{x_D-x_C}$ qui est égal à $\frac{y_B-y_A}{x_B-x_A}$.

- Dans le cas d'une droite qui « descend », on calcule la pente de la même manière. Attention, dans ce cas, la pente est négative !

4 Positions relatives de deux droites

Dans le plan, deux droites peuvent être soit parallèles soit sécantes.

A Caractérisation des droites parallèles

Théorème

Deux droites d'équations $y=ax+b$ et $y=a'x+b'$ sont parallèles si et seulement si $a=a'$.

- Autrement dit, deux droites sont parallèles si et seulement si elles ont le même coefficient directeur (si celui-ci existe, bien entendu).

> Des droites parallèles à l'axe des ordonnées sont parallèles.

B Droites sécantes

Théorème

Deux droites d'équations $y=ax+b$ et $y=a'x+b'$ sont sécantes si et seulement si $a\neq a'$.

- Autrement dit, deux droites (non parallèles à l'axe des ordonnées) sont sécantes si et seulement si elles ont des coefficients directeurs différents (si ceux-ci existent, bien entendu).

Deux droites parallèles à l'axe des ordonnées ne sont pas sécantes.

- Ce théorème découle du théorème précédent.

C Condition d'alignement de trois points

- **Théorème**

Trois points distincts A, B, C sont alignés si et seulement si les droites (AB) et (AC) ont le même coefficient directeur ou s'ils ont la même abscisse.

- *Preuve*

Si les points A, B, C sont alignés, alors les droites (AB) et (AC) sont confondues, donc elles ont le même coefficient directeur ou les points ont la même abscisse.

Réciproquement, on suppose que les droites (AB) et (AC) ont le même coefficient directeur. Alors ces deux droites sont parallèles d'après le théorème du paragraphe **4A**.

Comme elles ont le point A en commun, elles sont confondues. Ce qui prouve que les points A, B et C sont alignés.

DROITES PARALLÈLES AVEC UN POINT COMMUN

Si les deux droites sont parallèles à l'axe des ordonnées, alors elles sont confondues car elles ont le point A en commun. Donc les points sont alignés.

Point d'intersection de deux droites

ÉNONCÉ

1 Démontrer que les droites d et d' d'équations respectives : $y = 3x - 1$ et $y = -2x + 4$ sont sécantes.

2 Calculer les coordonnées de leur point d'intersection M.

3 Tracer les deux droites dans un repère.

MÉTHODE

1 Il suffit de considérer les coefficients directeurs des deux droites.

2 Il suffit d'exprimer que les cordonnées de M satisfont les deux équations, puis de résoudre.

3 Il suffit de choisir deux points pour chacune des droites.

CORRIGÉ

1 La droite d a pour coefficient directeur 3 et la droite d' a pour coefficient directeur -2. Ces deux coefficients sont distincts. Donc les deux droites sont sécantes.

2 Les coordonnées de M vérifient à la fois les deux équations. Donc on a simultanément $y = 3x - 1$ et $y = -2x + 4$. On en déduit que $3x - 1 = -2x + 4$ et donc $5x = 5$, c'est-à-dire $x = 1$.

L'abscisse du point M est donc égale à 1. Pour trouver son ordonnée, on choisit l'une des deux équations. On trouve $y = 3 \times 1 - 1 = 2$ avec l'équation de d et $y = -2 \times 1 + 4 = 2$ avec celle de d'. Le point M a donc pour coordonnées $(1 ; 2)$.

3 Pour tracer d, on a choisi les points A $(0 ; -1)$ et M $(1 ; 2)$.

Pour tracer d', on a choisi les points B$(0 ; 4)$ et M $(1 ; 2)$.

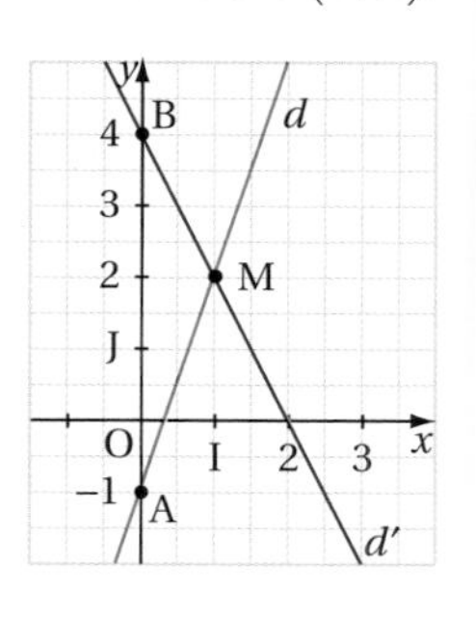

Algorithmique

ÉNONCÉ

1 Traduire en quelques phrases les instructions de l'algorithme suivant.

```
1   VARIABLES
2      xa EST_DU_TYPE NOMBRE
3      ya EST_DU_TYPE NOMBRE
4      xb EST_DU_TYPE NOMBRE
5      yb EST_DU_TYPE NOMBRE
6      p EST_DU_TYPE NOMBRE
7   DEBUT_ALGORITHME
8      LIRE xa
9      LIRE ya
10     LIRE xb
11     LIRE yb
12     SI (xa -xb!=0) ALORS
13        DEBUT_SI
14        p PREND_LA_VALEUR (yb -ya)/(xb -xa)
15        AFFICHER "La pente de la droite est "
16        AFFICHER p
17        FIN_SI
18        SINON
19           DEBUT_SINON
20           AFFICHER "La pente n'existe pas car la droite est parallèle à
             l'axe des ordonnées"
21           FIN_SINON
22  FIN_ALGORITHME
```

Le symbole « != » signifie « différent de ».

2 Qu'affiche le programme si on lui donne les valeurs suivantes?

	xa	*ya*	*xb*	*yb*
a.	0	−1	2	3
b.	−4	1	−4	0
c.	1	−3	0	2

MÉTHODE

1 Penser à la pente d'une droite.

2 Il suffit d'effectuer les calculs demandés, lorsque c'est possible.

CORRIGÉ

1 Le programme demande la saisie de quatre nombres *xa, ya, xb, yb*. Puis il examine si la différence $xb - xa$ est différente de 0. Si oui, alors il calcule le quotient $\frac{yb - ya}{xb - xa}$, le nomme p, puis affiche le message : « La pente de la droite est p ».

Ces nombres sont les coordonnées de deux points, que l'on peut nommer A et B.

Sinon, il affiche « La pente n'existe pas car la droite est parallèle à l'axe des ordonnées ». En effet, si $xa = xb$ alors la droite (AB) est parallèle à l'axe des ordonnées.

2

	Affichage
a.	La pente de la droite est 2
b.	La pente n'existe pas car la droite est parallèle à l'axe des ordonnées
c.	La pente de la droite est -5

SE TESTER QUIZ

1 La droite d'équation $y = x + 9$ a pour coefficient directeur le nombre 9.

☐ **a.** Vrai ☐ **b.** Faux

2 Les droites d_1 et d_2 d'équations respectives $y = 5x + 3$ et $y = 3x + 5$ sont sécantes.

☐ **a.** Vrai ☐ **b.** Faux

3 Les droites d'équations $y = 1$ et $y = -5$ sont parallèles.

☐ **a.** Vrai ☐ **b.** Faux

4 Il existe des droites qui n'ont pas de coefficient directeur.

☐ **a.** Vrai ☐ **b.** Faux

5 Deux droites ayant la même pente sont parallèles.

☐ **a.** Vrai ☐ **b.** Faux

S'ENTRAÎNER

Tracer des droites

6 Représenter graphiquement les droites dont les équations sont données.

a. $y = -\frac{5}{3}x$ **b.** $y = 7x + \frac{2}{3}$ **c.** $y = 5{,}2x$ **d.** $y = \frac{1}{7}x + 2$

7 Tracer les droites D, D', Δ, Δ' d'équations respectives $y = \frac{1}{2}x - 3$, $y = -\frac{1}{2}x + 5$, $y = 4$, $x = -1$.

Équations de droites

8 **a.** On donne les points A(23 ; 90) et B(−16 ; −67). Les points A et B appartiennent-ils à la droite d'équation $y = 4x - 3$?

b. On donne les points C(43 ; 100) et D(−42 ; −98). Les points C et D appartiennent-ils à la droite d'équation $y = \frac{7}{3}x$?

9 On donne les points A(36 ; −125) et B(22 ; −76). La droite (AB) passe-t-elle par l'origine ?

Une droite passant par l'origine a une équation de la forme $y = ax$.

10 Associer à chaque équation une des droites ci-contre :

a. $y = -2x - 1$

b. $y = 2x - 1$

c. $y = -2x + 1$

d. $y = 2x + 1$

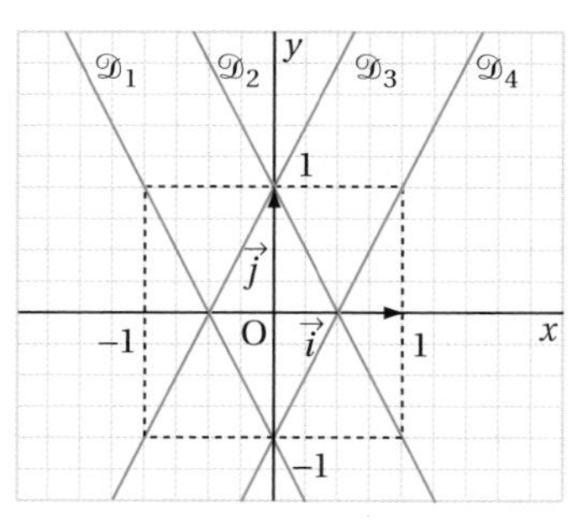

11 On donne les droites dont les équations sont :

a. $y = \frac{-1}{4}x$ b. $y = 3x + \frac{3}{5}$

c. $y = -x + 2$ d. $y = 3x + 5$

e. $y = x + 2$ f. $y = -2$

Associer chaque droite à sa représentation graphique.

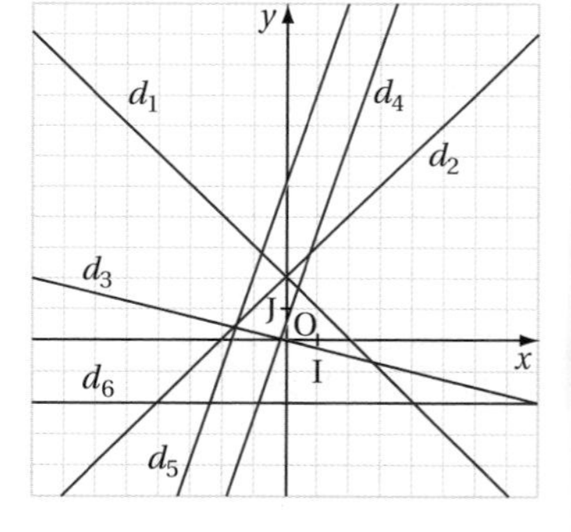

12 Les points O, A(3 ; 2) et B(5 ; 3) sont-ils alignés ?

13 Déterminer la droite (AB) sachant qu'elle passe par O, que A a pour abscisse 3, B a pour abscisse 4 et $y_A + y_B = 5$.

14 On considère les droites d'équations respectives :

a. $y = x + 2$ b. $y = 2$ c. $y = 2x$

Parmi les quatre droites tracées ci-contre, trois d'entre elles représentent les droites données. Lesquelles ?

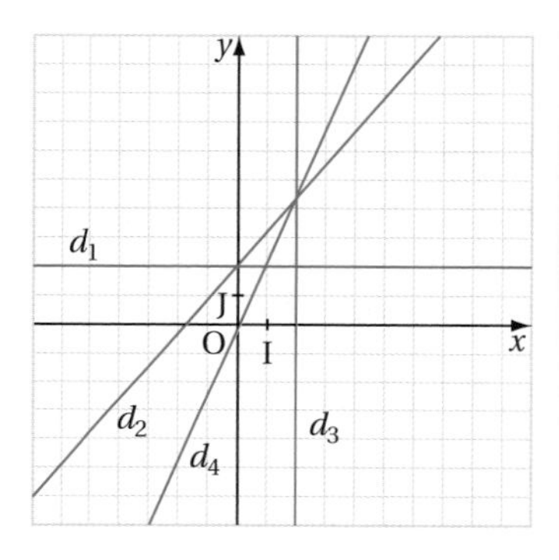

Coefficient directeur

15 Par simple lecture graphique, déterminer les coefficients directeurs des droites représentées :

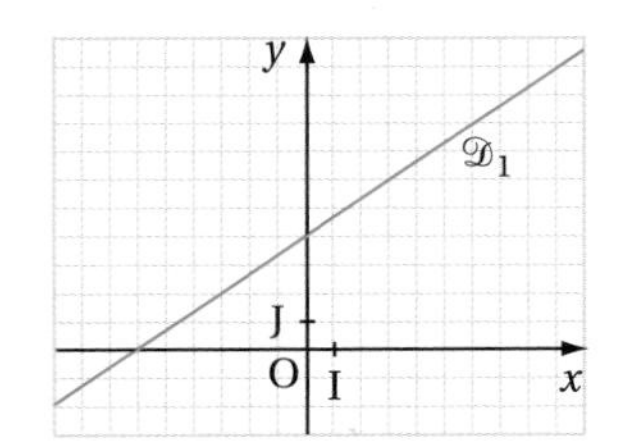

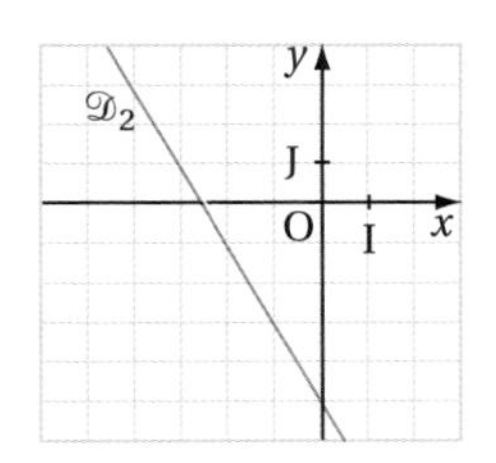

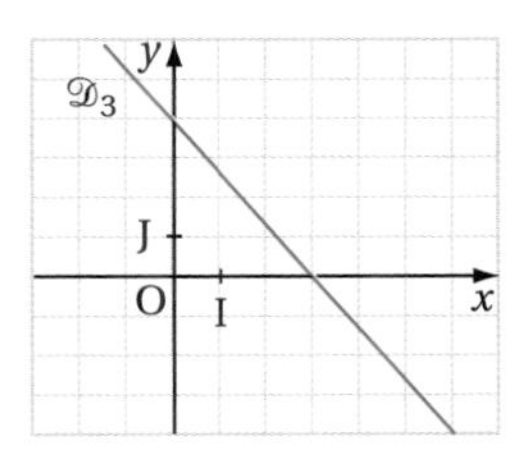

16 Donner le coefficient directeur et un point de chacune des droites :

D_1 d'équation $y=-x+3$; D_2 d'équation $y=3$;

D_3 d'équation $y=4-\dfrac{3}{7}x$.

17 Par simple lecture graphique, trouver le coefficient directeur des neuf droites de la figure ci-contre.

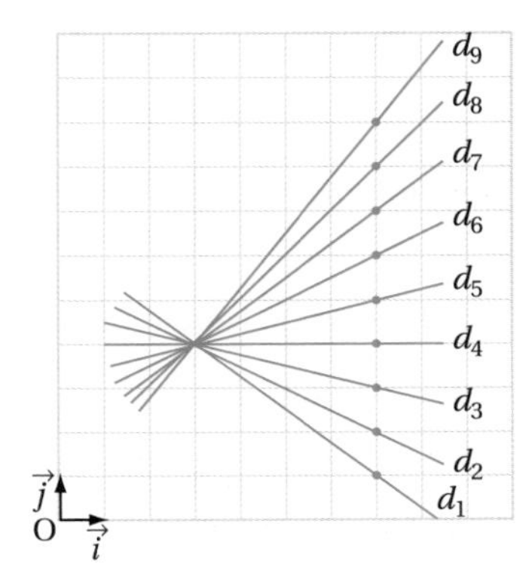

18 Indiquer les droites qui ont un coefficient directeur positif. Puis ranger les coefficients directeurs par ordre croissant.

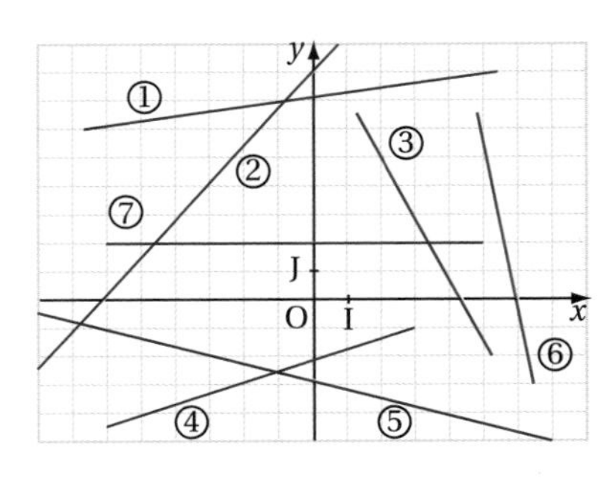

19 Calculer le coefficient directeur de la droite (EF) avec E $(-3 ; 0)$ et F$(6 ; 0)$.

Peut-on répondre à la même consigne pour la droite passant par les points H$(0 ; -7)$ et K$(0 ; 2)$? Pourquoi ?

20 Calculer le coefficient directeur de la droite D passant par les points A$(5 ; -2)$ et B$(-3 ; 1)$.

21 Déterminer l'équation de la droite D passant par $A\left(1 ; \frac{1}{3}\right)$ et de coefficient directeur $\frac{1}{5}$.

22 Déterminer l'équation de la droite Δ passant par O et de coefficient directeur $\sqrt{2}$.

23 Tracer les droites Δ_1, Δ_2, Δ_3 et Δ_4 sachant que :

- Δ_1 passe par A $(-3 ; 1)$ et son coefficient directeur est $-\frac{1}{2}$;
- Δ_2 passe par B $(2 ; 5)$ et son coefficient directeur est 2 ;
- Δ_3 passe par C $(-1 ; 1)$ et son coefficient directeur est -2 ;
- Δ_4 passe par D $(2 ; -3)$ et son coefficient directeur est $\frac{1}{2}$.

Droites parallèles

24 Déterminer l'équation de la droite d passant par O et parallèle à la droite d'équation $y = 5x - 3$.

Penser au coefficient directeur.

25 Déterminer l'équation de la droite D passant par A$(-1 ; -2)$ et parallèle à la droite d'équation $y = -\frac{x}{5} + \frac{99}{7}$.

26 Déterminer l'équation de la droite passant par le point $L\left(-\frac{1}{2} ; -\frac{5}{2}\right)$ et parallèle à la droite d'équation $y = \frac{7}{3}x - \frac{4}{3}$.

27 Parmi les droites $\mathscr{D}_1, \mathscr{D}_2, \mathscr{D}_3, \mathscr{D}_4, \mathscr{D}_5, \mathscr{D}_6, \mathscr{D}_7$ et $\mathscr{D}_8$, indiquer celles qui sont parallèles.

$\mathscr{D}_1 : y = \frac{x}{4} - 1$ $\mathscr{D}_2 : y = -x$ $\mathscr{D}_3 : y = \frac{1+x}{4}$ $\mathscr{D}_4 : y = 1$

$\mathscr{D}_5 : x = -2$ $\mathscr{D}_6 : y = \frac{3-2x}{2}$ $\mathscr{D}_7 : x = 3$ $\mathscr{D}_8 : y = -1$

28 **a.** Tracer la droite Δ_1 d'équation $y = \frac{1}{2}x + 3$. On appelle B le point de la droite Δ_1 de coordonnées $(0 ; 3)$.

b. Démontrer que le point $C\left(5\ ;\ \dfrac{11}{2}\right)$ appartient à la droite Δ_1.

c. On appelle Δ_2 la droite passant par l'origine O et par le point $A\left(3\ ;\ \dfrac{3}{2}\right)$. Montrer que la droite Δ_2 est parallèle à la droite Δ_1.

Droites sécantes

29 Déterminer les coordonnées du point d'intersection des droites D et D' d'équations respectives : $y = 5x - 3$ et $y = -3x + 5$.

30 Soit D la droite parallèle à (OI) passant par le point A(–3 ; 4), et soit D' la droite d'équation $y = -\dfrac{x}{2} + 1$.

Déterminer les coordonnées du point commun à D et D'.

31 Soit Δ la droite passant par les points A(6 ; –4) et B(6 ; 8), et Δ' la droite passant par les points C(–2 ; –2) et D(4 ; –2).

Déterminer les coordonnées du point commun à Δ et Δ'.

32 Soit D la droite passant par le points A(–1 ; 7) et parallèle à (OI). Soit D' la droite d'équation $y = -5x + 2$.

Déterminer les coordonnées du point commun aux droites D et D'.

33 Soit D la droite passant par les points A(5 ; –4) et B(–1 ; 2). Soit D' la droite d'équation $y = 4x + 6$.

Déterminer les coordonnées du point commun aux droites D et D'.

Mélanges

34 On considère la figure ci-contre .

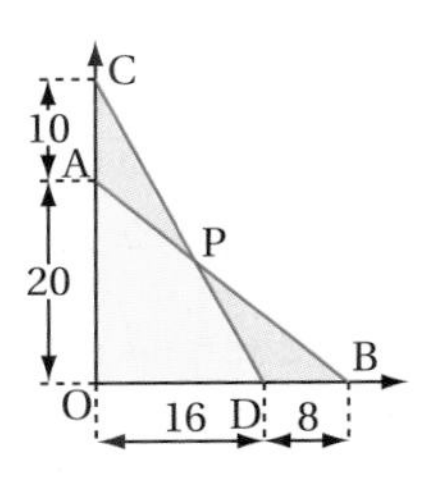

a. Déterminer les équations des droites (AB) et (CD) et calculer les coordonnées de P.

b. Démontrer que les triangles APC et BPD ont la même aire.

c. Déterminer l'aire commune aux deux triangles AOB et COD.

Cherchez d'abord le coefficient directeur de chaque droite.

35 Les points A(2 ; 4), B(–3 ; 1) et C(4 ; –8) forment un triangle.

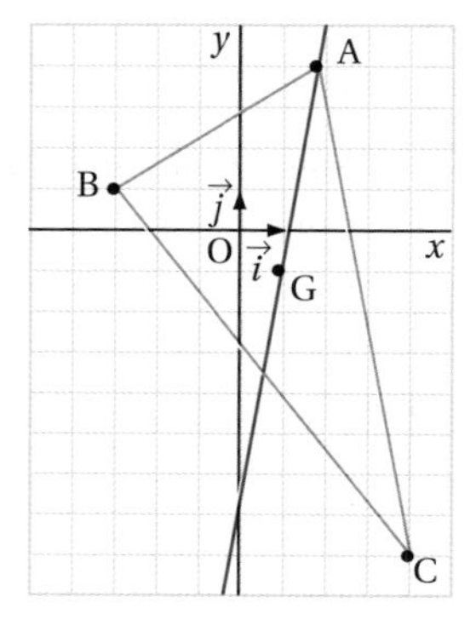

a. Déterminer l'équation de la droite passant par A et par le point G(1 ; –1).

b. Démontrer que la droite (AG) coupe [BC] en son milieu.

c. Démontrer que la droite (CG) est une médiane du triangle ABC.

d. Soit K le milieu de [AC]. Démontrer que les points B, G et K sont alignés.

> G est le centre de gravité du triangle.

PROBLÈME

36 On donne les points A(–2 ; 8), B(6 ; 4) et C(–2 ; 0).

a. Écrire l'équation de la droite (AB).

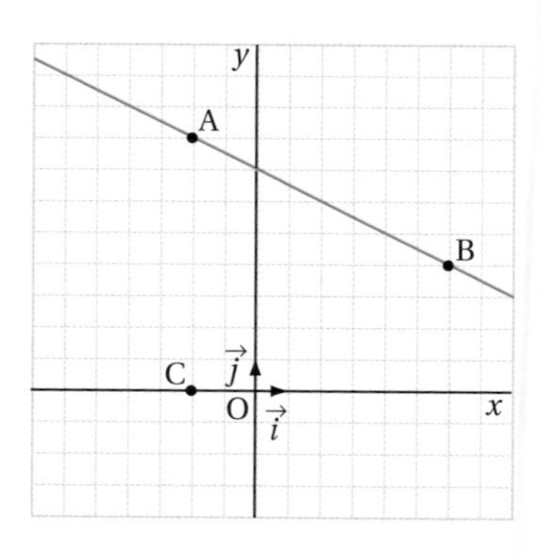

b. Écrire l'équation de la droite Δ de coefficient directeur $\frac{3}{2}$ et passant par C.

c. Calculer les coordonnées du point E commun à Δ et (AB).

d. Δ coupe l'axe des ordonnées en N. Calculer les coordonnées de N. Que peut-on dire de N pour le segment [EC] ?

e. La parallèle *D* à la droite (BC) passant par N coupe la droite (AB) en P. Calculer les coordonnées du point P.

f. Soit K le point tel que AKBN soit un parallélogramme. Calculer les coordonnées de K. Montrer que K appartient à Δ.

> Penser à une égalité vectorielle.

SE TESTER

1 **Réponse b.** Faux. Le coefficient directeur est égal à 1. Le nombre 9 est l'ordonnée à l'origine.

2 **Réponse a.** Vrai. En effet, leurs coefficients directeurs sont respectivement 5 (pour d_1) et 3 (pour d_2). Ils sont différents.

3 **Réponse a.** Vrai. Elles sont toutes les deux parallèles à l'axe des abscisses.

4 **Réponse a.** Vrai. Les droites parallèles à l'axe des ordonnées n'ont pas de coefficient directeur.

5 **Réponse a.** Vrai.

S'ENTRAÎNER

6 a. Points choisis : O (0 ; 0) et A(–3 ; 5).

b. Points choisis : $A\left(0\ ;\frac{2}{3}\right)$ et $B\left(-3\ ;-\frac{61}{3}\right)$.

c. Points choisis : O(0 ; 0) et A(1 ; 5,2).

d. Points choisis : A(0 ; 2) et B (7 ; 3).

Pour chaque repère, on a choisi des unités adaptées aux droites.

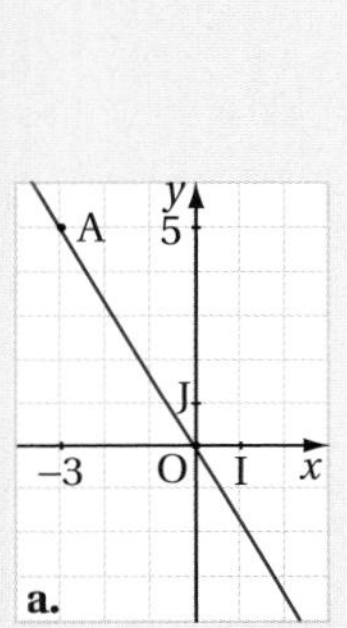

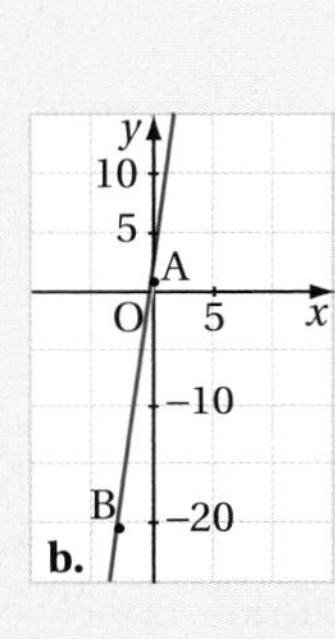

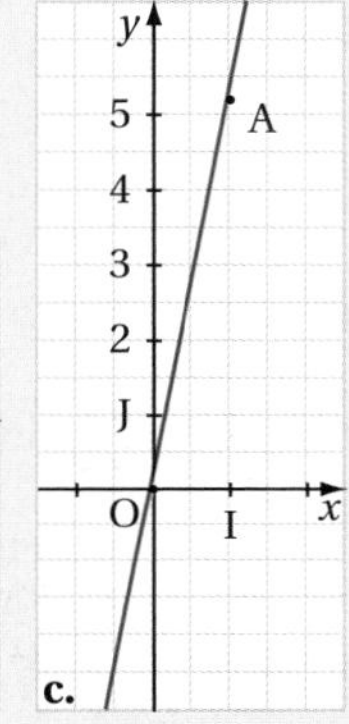

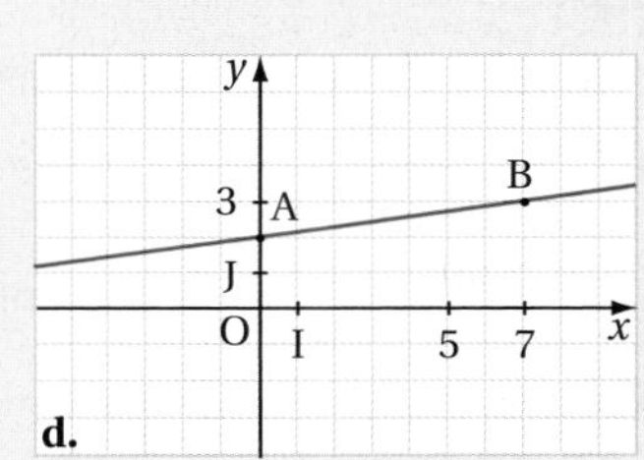

7 Pour la droite D, les points choisis sont $(2\,;-2)$ et $(0\,;-3)$.

Pour la droite D', les points choisis sont $(2\,;4)$ et $(0\,;5)$.

La droite Δ est parallèle à l'axe des abscisses et passe par le point de coordonnées $(0\,;4)$. La droite Δ' est parallèle à l'axe des ordonnées et passe par le point $(-1\,;0)$.

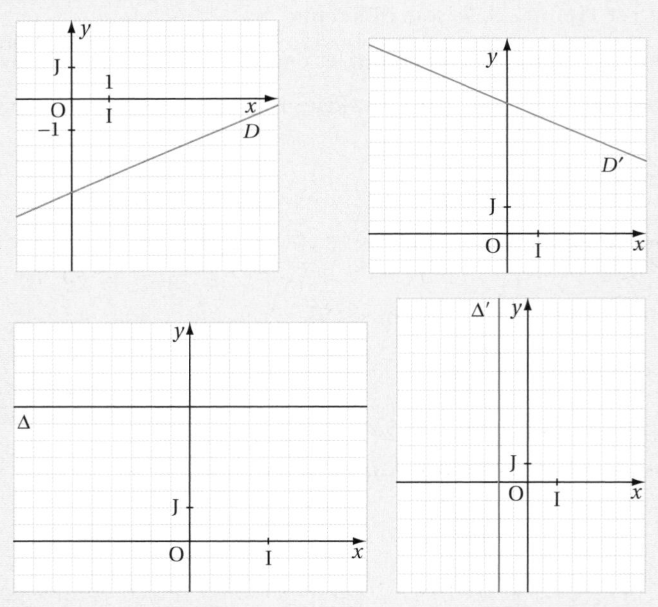

8 **a.** $4\times 23-3=89$, le point A n'est donc pas sur la droite.

$4\times(-16)-3=-67$, le point B est donc sur la droite.

b. $\frac{7}{3}\times 43\neq 100$. Le point C n'appartient donc pas à la droite.

$\frac{7}{3}\times(-42)=-98$. Le point D appartient donc à la droite.

9 S'il existe une droite contenant A et B et passant par l'origine alors son équation est de la forme $y=ax$. On aurait donc $-\frac{125}{36}=a=-\frac{76}{22}$.

Or $-\frac{125}{36}\approx -3{,}472$ et $-\frac{76}{22}\approx -3{,}454$.

Donc la droite (AB) ne passe pas par l'origine.

10

Équation	a.	b.	c.	d.
Droite	$\mathscr{D}_1$	$\mathscr{D}_4$	$\mathscr{D}_2$	$\mathscr{D}_3$

En effet, les droites $\mathscr{D}_1$ et $\mathscr{D}_2$ ont des pentes négatives et les droites $\mathscr{D}_3$ et $\mathscr{D}_4$ ont des pentes positives. On conclut en examinant l'ordonnée à l'origine : positive pour $\mathscr{D}_2$ et $\mathscr{D}_3$, négative pour $\mathscr{D}_1$ et $\mathscr{D}_4$.

11 On classe les droites à l'aide de leur coefficient directeur et de points qui leur appartiennent.

Équation	a.	b.	c.	d.	e.	f.
Droite	d_3	d_4	d_1	d_5	d_2	d_6

Par exemple, l'équation de d_3 est **a.** car d_3 passe par l'origine et c'est la seule. L'équation de d_1 est **c.** car son coefficient directeur est -1 et elle passe par le point de coordonnées $(0\,;2)$, etc.

12 Si les trois points étaient alignés, alors la droite qui les porte aurait pour équation $y = ax$. On devrait donc avoir $2 = 3a$ et $3 = 5a$, soit $a = \frac{2}{3} = \frac{3}{5}$, ce qui est absurde. Les trois points ne sont donc pas alignés.

13 On sait que l'équation de la droite (AB) est de la forme $y = ax$.
D'autre part : $y_A = 3a$ et $y_B = 4a$.
Donc $3a + 4a = 5$ ce qui implique $a = \frac{5}{7}$. L'équation cherchée est $y = \frac{5}{7}x$.

14 On repère les droites à l'aide de leur coefficient directeur et de points qui leur appartiennent. Par ailleurs, la droite d'équation $y = 2$ est parallèle à l'axe des abscisses.

Équation	a.	b.	c.
Droite	d_2	d_1	d_4

L'équation de la droite d_3 n'est pas de la forme $y = ax + b$.

15 Droite $\mathscr{D}_1$: $\frac{6-0}{3-(-6)} = \frac{2}{3}$; points choisis : $(3\,;6)$ et $(-6\,;0)$.

Droite $\mathscr{D}_2$: $\frac{3-(-5)}{-4-0} = -2$; points choisis : $(-4\,;3)$ et $(0\,;-5)$.

Droite $\mathscr{D}_3$: $\frac{4-0}{0-3} = -\frac{4}{3}$; points choisis : $(0\,;4)$ et $(3\,;0)$.

16 Pour trouver les coordonnées d'un point de la droite, on choisit un nombre x comme on veut et on le remplace dans l'équation. On trouve alors le nombre y correspondant. Pour D_2, tout point de coordonnées $(x\ ;\ 3)$ convient.

Droite	D_1	D_2	D_3
Coefficient directeur	-1	0	$-\frac{3}{7}$
Point	$(0\ ;\ 3)$	$(1\ ;\ 3)$	$(0\ ;\ 4)$

17 Par lecture graphique, en s'aidant des points déjà placés, on trouve :

Droite	d_1	d_2	d_3	d_4	d_5	d_6	d_7	d_8	d_9
Coefficient directeur	$-\frac{3}{4}$	$-\frac{2}{4}$	$-\frac{1}{4}$	0	$\frac{1}{4}$	$\frac{2}{4}$	$\frac{3}{4}$	1	$\frac{5}{4}$

18 Lorsque la droite « monte », le coefficient directeur est positif. Plus la droite est raide et plus le coefficient directeur est grand.

Lorsque la droite « descend », le coefficient directeur est négatif. Plus la droite est raide et plus le coefficient directeur est petit.

N'oubliez pas que -100 est plus petit que -1.

Le classement des droites 3, 5 et 6 fournit $a_6 < a_3 < a_5$.

Le classement concernant les droites 1, 2, 4 et 7 est le suivant : $a_7 < a_1 < a_4 < a_2$ ($a_7 = 0$ et désigne le coefficient directeur de la droite 7).

Bilan : $a_6 < a_3 < a_5 < a_7 < a_1 < a_4 < a_2$.

19 Le coefficient directeur de (EF) est : $\dfrac{y_F - y_E}{x_F - x_E} = 0$.

La droite (EF) est en effet parallèle à l'axe des abscisses. La droite (HK) étant parallèle à l'axe des ordonnées, son coefficient directeur n'existe pas.

20 Le coefficient directeur de la droite D est : $\dfrac{y_B - y_A}{x_B - x_A} = \dfrac{1-(-2)}{-3-5} = -\dfrac{3}{8}$.

21 L'équation de la droite D est de la forme $y=\frac{1}{5}x+b$. Puisque A appartient à la droite : $\frac{1}{3}=\frac{1}{5}\times 1+b$. Donc $b=\frac{1}{3}-\frac{1}{5}=\frac{2}{15}$.

L'équation cherchée est : $y=\frac{1}{5}x+\frac{2}{15}$.

22 La droite passant par l'origine, l'équation de Δ est de la forme $y=ax$. Comme son coefficient directeur est égal à $\sqrt{2}$, l'équation cherchée est $y=x\sqrt{2}$.

23 Pour tracer les droites, il suffit de placer le point donné et de les construire graphiquement avec le coefficient directeur.

On peut aussi trouver leurs équations qui sont de la forme $y=ax+b$, a étant précisément le coefficient directeur.

$\Delta_1 : y=-\frac{1}{2}x-\frac{1}{2}$; $\Delta_2 : y=2x+1$; $\Delta_3 : y=-2x-1$; $\Delta_4 : y=\frac{1}{2}x-4$.

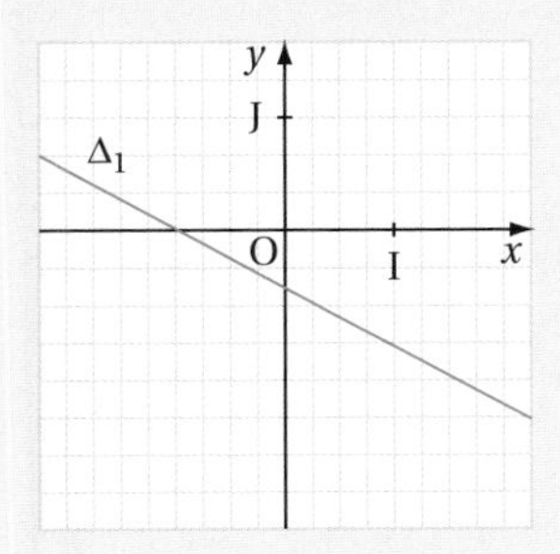

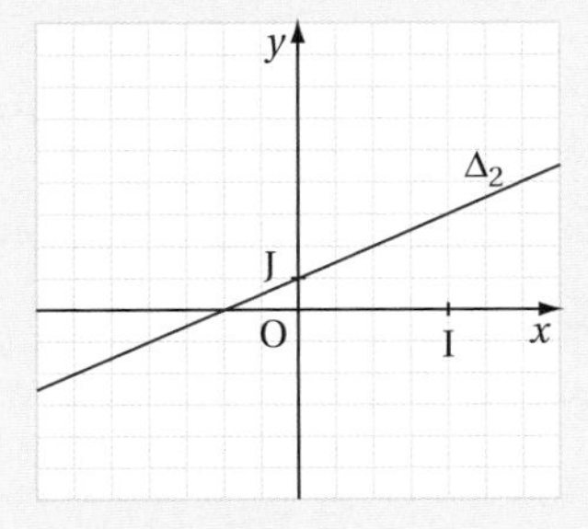

Attention aux unités.

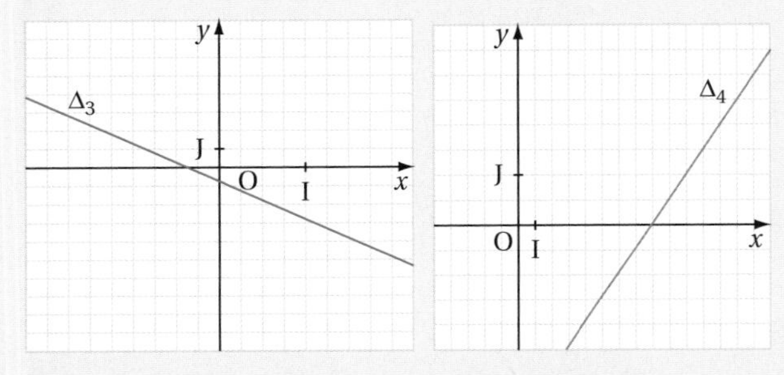

24 La droite d a pour coefficient directeur 5. Donc son équation est $y=5x$ car elle passe par l'origine.

Si une droite non verticale passe par l'origine, son équation est $y=ax$.

25 La droite D a pour coefficient directeur $-\frac{1}{5}$.

Donc son équation est de la forme $y=-\frac{1}{5}x+b$.

Puisqu'elle passe par le point A : $-2=\frac{-1}{5}\times(-1)+b$.

Donc $b=-\frac{11}{5}$. L'équation cherchée est $y=-\frac{1}{5}x-\frac{11}{5}$.

26 La droite a pour coefficient directeur $\frac{7}{3}$.

Donc son équation est de la forme $y=\frac{7}{3}x+b$.

Puisqu'elle passe par le point L : $-\frac{5}{2}=\frac{7}{3}\times\left(-\frac{1}{2}\right)+b$.

Donc $b=-\frac{5}{2}+\frac{7}{6}=-\frac{8}{6}=-\frac{4}{3}$. L équation cherchée est $y=\frac{7}{3}x-\frac{4}{3}$.

27 Deux droites parallèles ont le même coefficient directeur. Sachant que les équations de $\mathscr{D}_3$ et $\mathscr{D}_6$ sont respectivement $y=\frac{1}{4}x+\frac{1}{4}$ et $y=-x+\frac{3}{2}$, on a : $\mathscr{D}_1 // \mathscr{D}_3$; $\mathscr{D}_2 // \mathscr{D}_6$; $\mathscr{D}_4 // \mathscr{D}_8$; $\mathscr{D}_5 // \mathscr{D}_7$.

28 **a.** On choisit le point B et le point de coordonnées $(2\,;4)$.

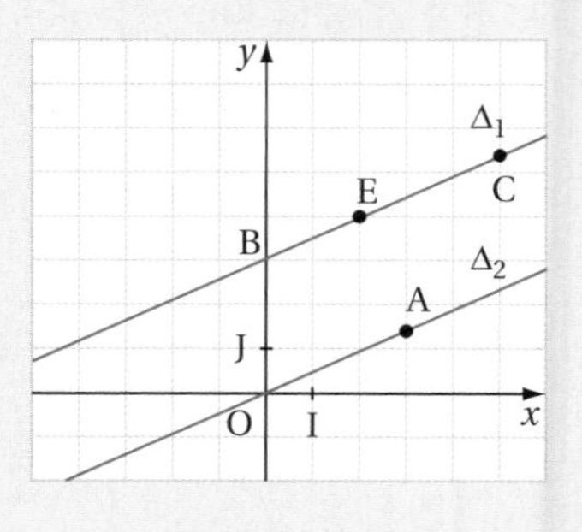

b. Puisque $\frac{1}{2}\times5+3=\frac{5}{2}+\frac{6}{2}=\frac{11}{2}$, le point C appartient à la droite Δ_1.

c. Le coefficient directeur de Δ_2 est : $\dfrac{\frac{3}{2}-0}{3-0}=\frac{1}{2}$.

Les droites Δ_1 et Δ_2 ayant le même coefficient directeur, elles sont parallèles.

29 On cherche x pour que $5x-3=-3x+5$. Alors $8x=8$, donc $x=1$. On en déduit que $y=2$. Le point d'intersection cherché a pour coordonnées $(1\,;2)$.

30 L'équation de D est $y=4$. Donc le point commun a pour ordonnée 4. Il appartient à D', donc $4=-\frac{x}{2}+1$, soit $\frac{x}{2}=-3$. D'où $x=-6$.
Le point d'intersection a pour coordonnées (– 6 ; 4).

31 L'équation de Δ est $x=6$ (les points A et B ont la même abscisse). L'équation de Δ' est $y=-2$ (les points C et D ont la même ordonnée). Le point d'intersection a donc pour coordonnées (6 ; – 2).

La droite Δ est verticale et la droite Δ' est horizontale.

32 L'équation de D est $y=7$. Donc le point commun aux droites D et D' a pour ordonnée 7. Il appartient à D', donc $7=-5x+2$, soit $5x=-5$. Donc $x=-1$. Le point d'intersection de D et D' a pour coordonnées (–1 ; 7).

33 Le coefficient directeur de D est : $\frac{2-(-4)}{-1-5}=-1$.

L'équation de D est de la forme $y=-x+b$. D passe par B donc $2=-(-1)+b$, soit $b=1$. L'équation de D est ainsi $y=-x+1$.
On cherche x tel que $-x+1=4x+6$.
Alors $5x=-5$ ce qui implique $x=-1$.
Les coordonnées du point commun à D et D' sont donc (–1 ; 2). Il s'agit du point B.

34 **a.** Le coefficient directeur de (AB) est : $\frac{0-20}{24-0}=-\frac{5}{6}$. Son ordonnée à l'origine est égale à 20. L'équation de (AB) est donc $y=-\frac{5}{6}x+20$.

En procédant de même pour (CD), on trouve son équation : $y=-\frac{15}{8}x+30$.

L'abscisse x de P est la solution de l'équation : $-\frac{5}{6}x+20=-\frac{15}{8}x+30$. Soit $\frac{15}{8}x-\frac{5}{6}x=10$. D'où $\frac{45-20}{24}x=10$.

Donc $x=\frac{10\times 24}{25}=\frac{48}{5}$.

L'ordonnée de P est donc égale à $-\frac{5}{6}\times\frac{48}{5}+20=12$.

b. Pour calculer l'aire de APC, on choisit comme base [AC]. La hauteur est alors l'abscisse de P. On trouve : $\frac{10\times 48}{2\times 5}=48$.

Aire d'un triangle : $\frac{\text{base}\times\text{hauteur}}{2}$.

Pour calculer l'aire de BPD, on choisit comme base [BD]. La hauteur est alors l'ordonnée de P. On trouve : $\frac{8\times 12}{2}=48$. Les deux triangles ont donc bien la même aire.

c. On cherche à calculer l'aire de OAPD. C'est l'aire de COD moins l'aire de APC.

$\text{Aire}_{\text{COD}}=\frac{16\times 30}{2}=240$. Donc $\text{Aire}_{\text{OAPD}}=240-48=192$.

35 **a.** Le coefficient directeur de la droite (AG) est :

$\frac{y_G-y_A}{x_G-x_A}=\frac{-1-4}{1-2}=5$. Son équation est donc de la forme $y=5x+b$.

La droite (AG) passe par le point G, donc $-1=5\times 1+b$. On trouve $b=-6$. L'équation de la droite (AG) est donc $y=5x-6$.

b. Soit M le milieu de [BC]. On a $x_M=\frac{-3+4}{2}=\frac{1}{2}$ et $y_M=\frac{-8+1}{2}=-\frac{7}{2}$.

De plus : $-\frac{7}{2}=5\times\frac{1}{2}-6$. Donc le point M appartient à la droite (AG). Cette droite coupe donc $[BC]$ en son milieu M.

c. Comme dans la question **a.**, on détermine l'équation de la droite (CG). Son coefficient directeur est : $\frac{-1-(-8)}{1-4}=-\frac{7}{3}$. Son équation est de la forme $y=-\frac{7}{3}x+b$. Puisque G appartient à cette droite :

$-1=-\frac{7}{3}\times 1+b$ ce qui donne $b=\frac{4}{3}$. L'équation de (CG) est donc $y=-\frac{7}{3}x+\frac{4}{3}$.

Le milieu N de [AB] a pour coordonnées :

$x_N=\frac{2+(-3)}{2}=-\frac{1}{2}$ et $y_N=\frac{4+1}{2}=\frac{5}{2}$.

Puisque $\frac{5}{2}=-\frac{7}{3}\times\left(-\frac{1}{2}\right)+\frac{4}{3}$, le point N appartient à (CG) ce qui prouve que (CG) est une médiane du triangle ABC.

d. La droite (BK) est une médiane du triangle ABC. Le point G, intersection des deux médianes (AG) et (CG), est le centre de gravité de ce triangle. Donc la droite (BK) passe par G ce qui prouve que les points B, G et K sont alignés.

PROBLÈME

36 **a.** Le coefficient directeur de la droite (AB) est :

$\frac{y_B - y_A}{x_B - x_A} = \frac{4-8}{6-(-2)} = -\frac{1}{2}$. Par lecture graphique, son ordonnée à l'origine est égale à 7. Son équation est donc $y = -\frac{1}{2}x + 7$.

b. L'équation cherchée est de la forme $y = \frac{3}{2}x + b$. Les coordonnées de C étant -2 et 0, on a $0 = \frac{3}{2} \times (-2) + b$ ce qui entraîne $b = 3$. L'équation de Δ est donc $y = \frac{3}{2}x + 3$.

c. L'abscisse x de E est la solution de l'équation : $-\frac{1}{2}x + 7 = \frac{3}{2}x + 3$. Soit : $4 = \frac{4}{2}x$. Donc $x = 2$.

Son ordonnée y vérifie $y = \frac{3}{2} \times 2 + 3 = 6$. E a donc pour coordonnées $(2\,;6)$.

d. L'ordonnée à l'origine de Δ étant égale à 3, les coordonnées de N sont $(0\,;3)$.

N est le milieu de [EC] car $x_N = 0 = \frac{x_E + x_C}{2}$ et $y_N = 3 = \frac{y_E + y_C}{2}$.

e. Le coefficient directeur de la droite (BC) est égal à : $\frac{y_C - y_B}{x_C - x_B} = \frac{0-4}{-2-6} = \frac{1}{2}$.

L'équation de la parallèle D à (BC) passant par N est donc de la forme $y = \frac{1}{2}x + b$. Elle passe par N donc son ordonnée à l'origine est égale à 3. Son équation est donc $y = \frac{1}{2}x + 3$.

L'abscisse de P est la solution de l'équation $-\frac{1}{2}x + 7 = \frac{1}{2}x + 3$ car P est l'intersection des droites (AB) et D. Donc $\frac{1}{2}x + \frac{1}{2}x = 7 - 3$ ce qui donne $x = 4$.

On trouve alors l'ordonnée de P : $y_P = \frac{1}{2} \times 4 + 3 = 5$. Les coordonnées de P sont donc (4 ; 5).

f. Pour que AKBN soit un parallélogramme, il faut et il suffit que $\overrightarrow{AK} = \overrightarrow{NB}$. On identifie les abscisses et les ordonnées des deux vecteurs. On trouve $x_K - (-2) = 6 - 0$ et $y_K - 8 = 4 - 3$. Les coordonnées de K sont donc (4 ; 9).

Puisque $\frac{3}{2} \times 4 + 3 = 9$, le point K appartient à la droite Δ.

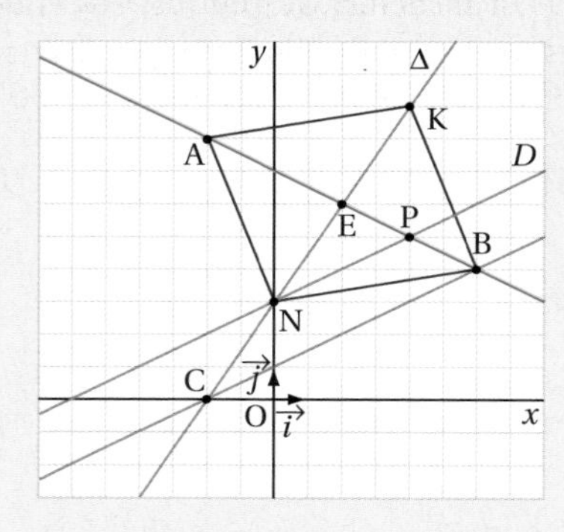

CHAPITRE

12 Droites dans l'espace

En Seconde, dans l'espace mathématique, on étudie essentiellement les positions relatives des droites et des plans et on calcule des volumes. Cette vision plus large que celle proposée par l'examen des propriétés des figures planes ouvre l'esprit à une nouvelle forme de raisonnement.

1 Détermination d'un plan

- Pour définir sans équivoque un plan, il suffit de choisir trois points non alignés, ou bien une droite et un point n'appartenant pas à cette droite, ou bien deux droites sécantes, ou bien deux droites parallèles.
- Autrement dit, il existe un et un seul plan contenant :

- **trois points** non alignés ;
- **une droite et un point** n'appartenant pas à cette droite ;
- **deux droites sécantes** ;
- **deux droites parallèles**.

Exemple

Les plans (EHG) et (HGF) sont égaux. Ce sont deux noms du plan EFGH qui est le « toit » du cube.

De même (FGC) = (GCB). Ce sont deux noms du plan CBFG qui est la « paroi de droite » du cube.

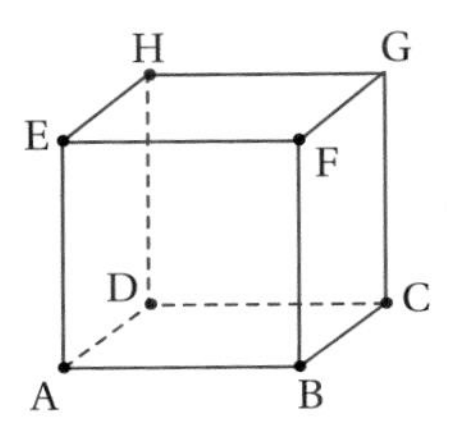

2 Positions relatives de deux droites de l'espace

Deux droites de l'espace peuvent être coplanaires (situées dans un même plan) ou non coplanaires.

■ Deux droites coplanaires peuvent être :

- **parallèles :** c'est le cas des droites (AB) et (DC) dans le plan ABCD ;
- **sécantes :** c'est le cas des droites (AD) et (AB) dans le plan ABCD, sécantes en A.

■ Deux droites non coplanaires ne sont ni parallèles ni sécantes : c'est le cas des droites (AA′) et (CD).

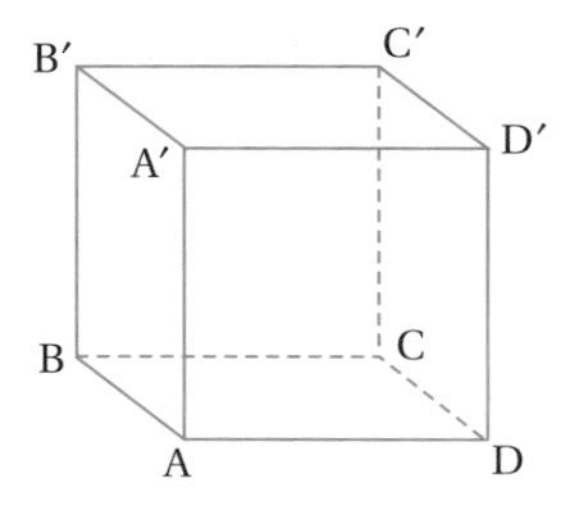

CONNAISSEZ LES POSITIONS !

- Dans le plan, on peut classer les positions relatives de deux droites de trois façons :

– soit elles n'ont aucun point en commun, auquel cas elles sont parallèles ;
– soit elles ont exactement un point en commun, auquel cas elles sont sécantes ;
– soit elles ont plus d'un point en commun, auquel cas elles sont confondues.

- Dans l'espace, il est possible que deux droites n'aient aucun point en commun et qu'elles ne soient pas parallèles. Le mode de classification change donc pour deux droites.

3 Positions relatives de deux plans

A Constats

■ Si deux plans n'ont aucun point en commun, on dit alors qu'ils sont parallèles ou que leur intersection est vide.

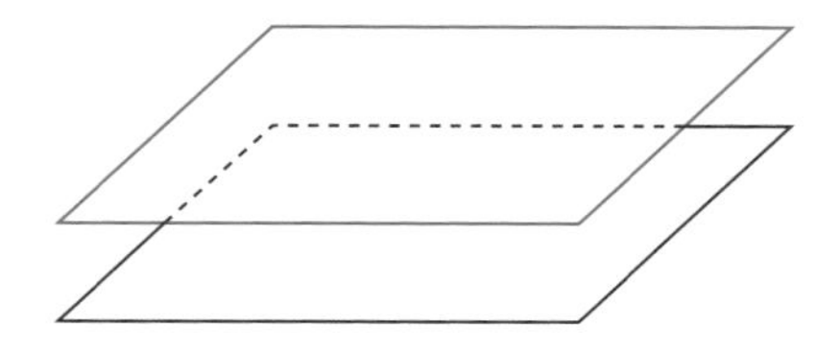

- Si deux plans ont une droite $\mathscr{D}$ en commun, on dit alors qu'ils sont sécants.

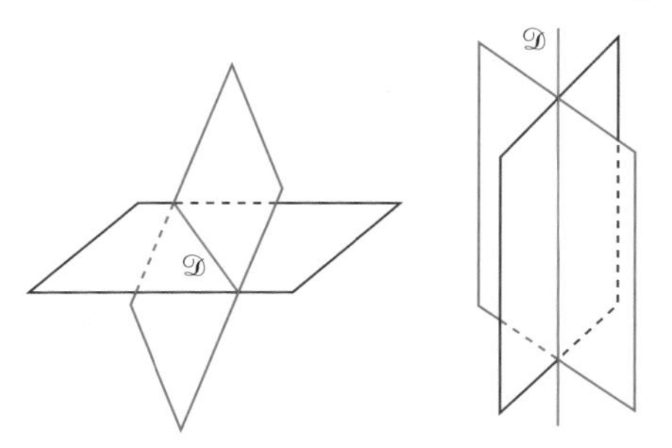

- Si deux plans ont tous leurs points en commun, c'est qu'ils sont confondus.

B Plans parallèles

Théorème 1

Soit $\mathscr{P}$ un plan et A un point de l'espace qui n'appartient pas à $\mathscr{P}$. Il existe un plan unique passant par A et parallèle à $\mathscr{P}$.

Ce théorème, intuitif, est admis, tout comme le suivant.

Théorème 2

Soit $\mathscr{P}$ et $\mathscr{P}'$ deux plans parallèles. Alors :

- toute droite qui perce l'un perce l'autre ;
- toute droite parallèle à l'un est parallèle à l'autre ;
- tout plan coupant l'un coupe l'autre et les droites d'intersection sont parallèles (figure ci-dessous).

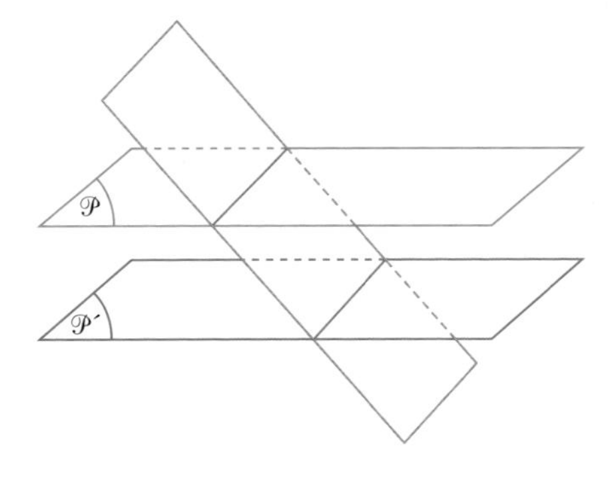

4 Positions relatives d'une droite et d'un plan

A Constats

On dispose d'une droite $\mathscr{D}$ et d'un plan $\mathscr{P}$. Alors, de trois choses l'une :

- soit la droite $\mathscr{D}$ est dans le plan $\mathscr{P}$, auquel cas la droite et le plan ont une infinité de points en commun ;
- soit la droite $\mathscr{D}$ perce le plan $\mathscr{P}$, auquel cas la droite et le plan ont un seul point en commun ;

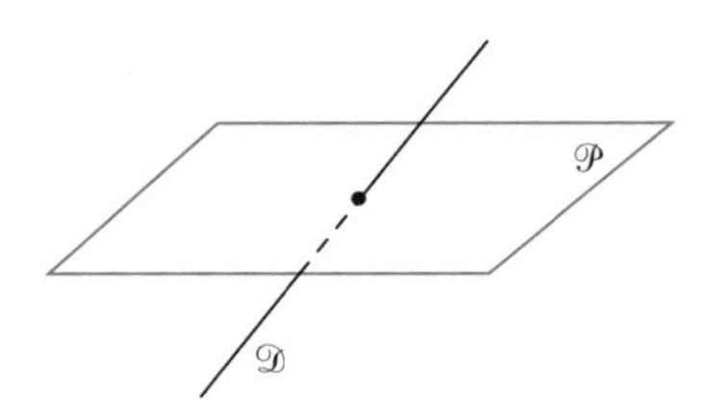

- soit la droite et le plan n'ont aucun point en commun.

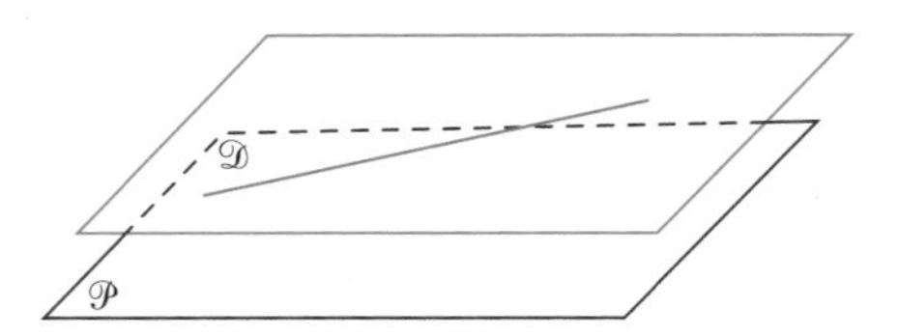

B Droites parallèles à un plan

Définition

Dire qu'une droite $\mathscr{D}$ est parallèle à un plan $\mathscr{P}$ signifie qu'il existe une droite de ce plan qui est parallèle à $\mathscr{D}$.

Selon la définition, une droite incluse dans un plan est parallèle à ce plan.

Théorème

Soit A un point de l'espace et $\mathscr{P}$ un plan ne contenant pas A. Il existe une infinité de droites parallèles à $\mathscr{P}$ et passant par A.

Ce théorème est admis.

Toutes les droites en question sont incluses dans le plan passant par A et parallèle à $\mathscr{P}$.

5 Théorème du « toit »

Si deux plans sécants $\mathcal{P}_1$ et $\mathcal{P}_2$ contiennent respectivement deux droites d_1 et d_2 parallèles, alors l'intersection de $\mathcal{P}_1$ et $\mathcal{P}_2$ est une droite d parallèle à d_1 et d_2.

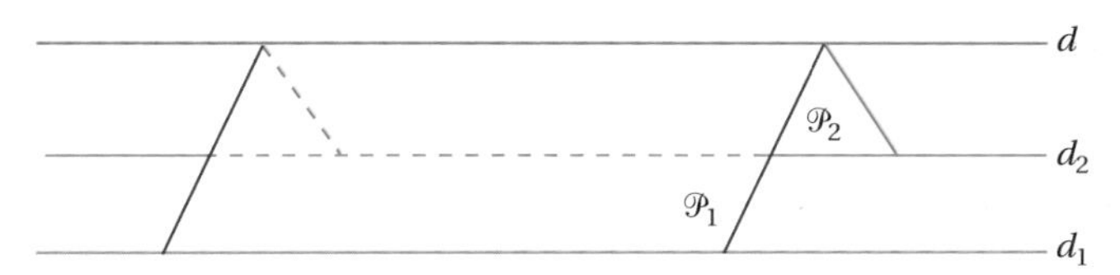

6 Volumes

A Solides à couvercle

■ Le volume des solides à couvercle se calcule en effectuant le produit de l'aire de la base par la hauteur. C'est le cas des cylindres de révolution et des prismes droits.

Cylindre

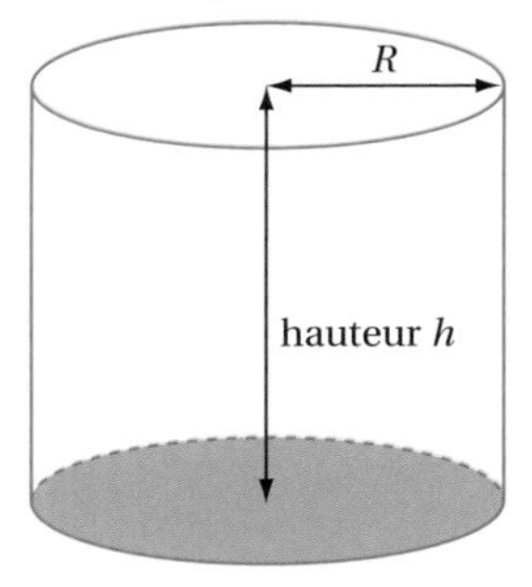

Aire de la base $= B = \pi R^2$

Volume $= Bh$

Prisme droit

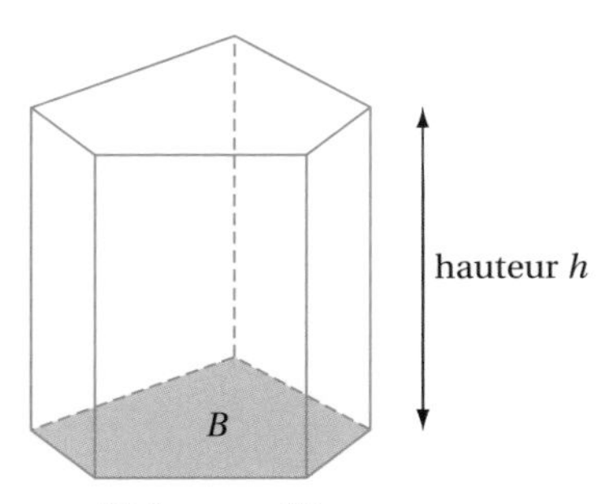

Volume $= Bh$

■ Dans le cas d'un parallélépipède rectangle de dimensions l et L, le volume V est :

$$V = L \times l \times h.$$

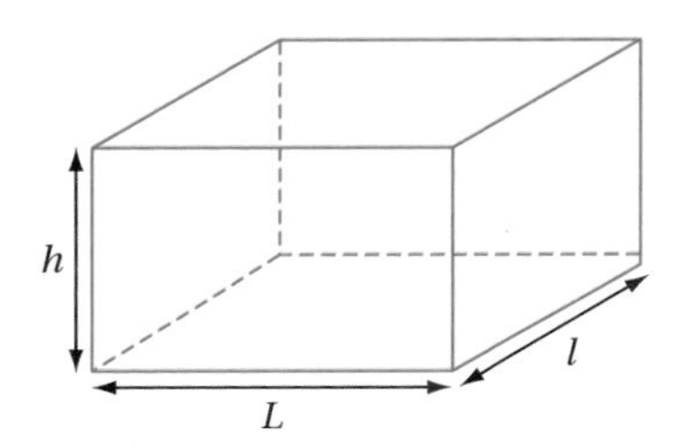

B Solides à sommet

- Le volume des solides à sommet se calcule en effectuant le *tiers* du produit de l'aire de base par la hauteur. C'est le cas des cônes de révolution et des pyramides.

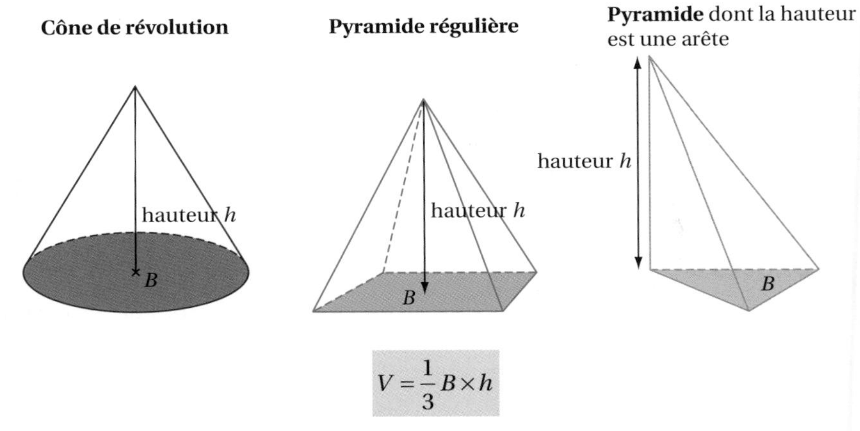

$$V = \frac{1}{3} B \times h$$

- Dans le cas d'un cône de révolution, la base est un disque de rayon r dont l'aire est égale à πr^2 ; donc son volume V est :

$$V = \frac{1}{3} \pi r^2 h$$

C Boule

Le volume V d'une boule de rayon r est :

$$V = \frac{4}{3} \pi r^3$$

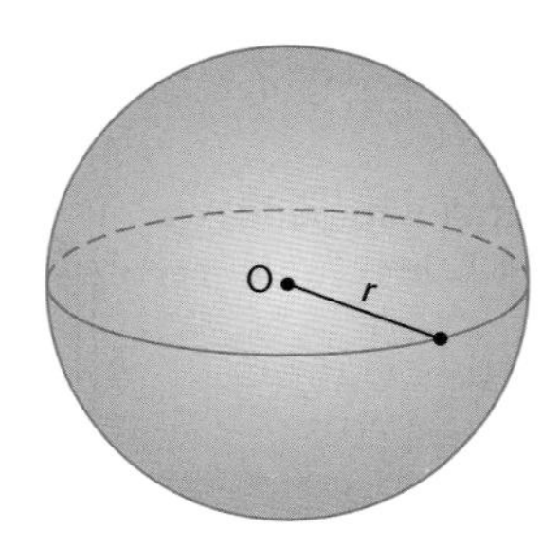

Algorithmique

ÉNONCÉ

1 Décrire succinctement l'action de l'algorithme ci-dessous.

```
1     VARIABLES
2           h EST_DU_TYPE NOMBRE
3           r EST_DU_TYPE NOMBRE
4           v EST_DU_TYPE NOMBRE
5     DEBUT_ALGORITHME
6           LIRE h
7           LIRE r
8           v PREND_LA_VALEUR Math.PI*r*r*h
9           AFFICHER "Volume du solide : "
10          AFFICHER v
11    FIN_ALGORITHME
```

Le nom Math.PI désigne une valeur approchée du nombre π.

2 Quel est le solide dont il est question ?

3 Quelles sont des valeurs approchées à 10^{-1} près de v qui seront affichées dans les cas suivants ?

Question	h	r
a.	10	5
b.	2	3,5
c.	8	7

MÉTHODE

2 Traduire en calcul algébrique usuel le contenu de la variable nommée v.

3 On pourra programmer sa calculatrice et utiliser la fonction TABLE.

CORRIGÉ

1 et **2** L'algorithme demande à l'utilisateur les valeurs de la hauteur h et du rayon r d'un cylindre. Il affiche alors la valeur contenue dans la variable v, qui vaut $\pi r^2 h$ et qui est donc son volume.

3

Question	h	r	v
a.	10	5	785,4
b.	2	3,5	77
c.	8	7	1231,5

Construire l'intersection d'une droite et d'un plan

ÉNONCÉ

On considère un tétraèdre SABC et un point J sur l'arête [SC]. Placer, en fonction de la position d'un point K sur l'arête [SB], l'intersection (si elle existe) de (JK) avec le plan (ABC).

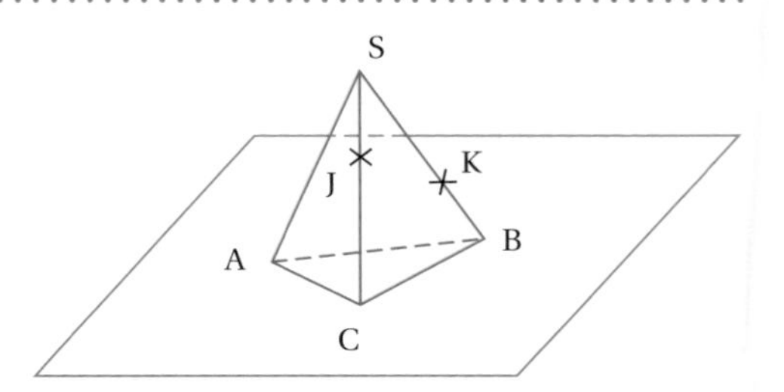

MÉTHODE

L'intersection existe si et seulement si (JK) n'est pas parallèle au plan (ABC), donc si et seulement si (JK) n'est pas parallèle à (BC).

CORRIGÉ

Si (JK)//(BC), l'intersection n'existe pas. Si (JK) et (BC) sont sécantes, leur point d'intersection M appartient au plan (ABC) et est l'intersection cherchée. Pour placer ce point M, il suffit de prolonger l'arête [BC] et de tracer la droite (JK). En effet, puisque M appartient à la fois à (SBC) et à (ABC), il appartient à leur intersection qui est (BC). Donc M est l'intersection de (JK) et (BC).

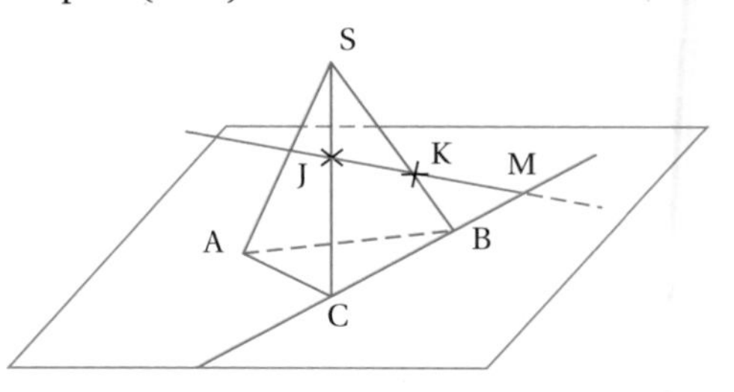

SE TESTER QUIZ

1 Dans l'espace, deux droites qui n'ont aucun point en commun sont nécessairement parallèles.

☐ **a.** Vrai ☐ **b.** Faux

2 L'intersection de deux plans peut ne contenir qu'un seul point.

☐ **a.** Vrai ☐ **b.** Faux

3 Si une droite est parallèle à un plan, alors elle est parallèle à toute droite de ce plan.

☐ **a.** Vrai ☐ **b.** Faux

4 Si deux plans sont parallèles, alors toute droite qui perce l'un perce l'autre.

☐ **a.** Vrai ☐ **b.** Faux

5 Si deux plans sont parallèles, alors tout plan coupant l'un coupe l'autre.

☐ **a.** Vrai ☐ **b.** Faux

S'ENTRAÎNER

Autour du cube

Dans les exercices 6 à 11, on considère la figure ci-dessous.

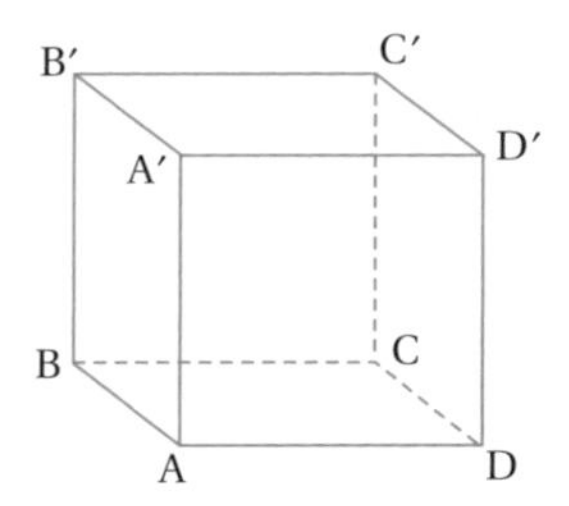

6 Citer les faces du cube représentant des plans sécants au plan (ABCD).

7 Citer les arêtes du cube parallèles à l'arête (AA').

8 Citer les arêtes du cube coupant l'arête (AA').

9 On considère l'arête (AA′) : existe-t-il des arêtes qui ne la coupent pas et qui soient en même temps non parallèles à elle ?

10 On note K le milieu de [AB] ; trouver l'intersection de (KC′D′) et (AA′D′D), c'est-à-dire l'ensemble des points communs à ces deux plans.

11 On note I le milieu de [AD] ; trouver l'intersection de (IB′D′) et (AA′B′B), c'est-à-dire l'ensemble des points communs à ces deux plans.

12 **a.** Parmi les dessins suivants, quels sont ceux qui représentent un patron de cube ?

b. Dans ce cas, colorier la face opposée à la face coloriée une fois le cube reconstitué.

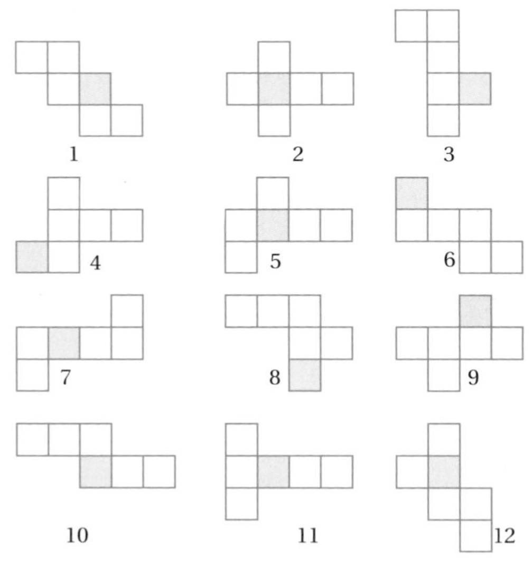

Dans les exercices 13 à 16, répondre par vrai ou par faux en s'aidant de la figure ci-contre où M appartient à [AA′] et P à [BB′].

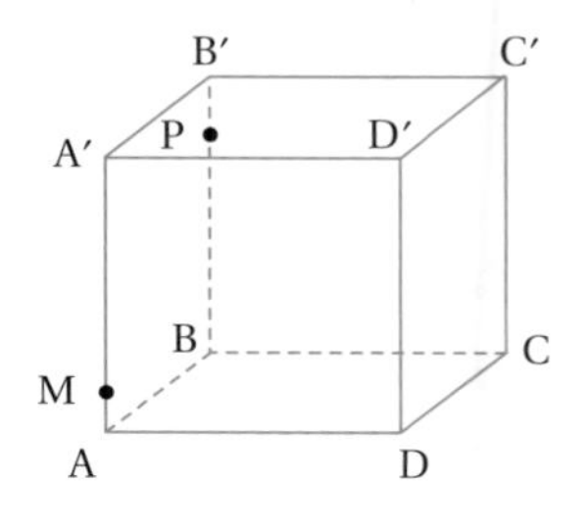

13 Le point A appartient au plan (BMA′).

14 Le point A appartient au plan (BMD).

15 Les droites (MP) et (BC) sont parallèles.

16 Les droites (AM) et (B′C′) sont sécantes.

Positions relatives de droites

Dans les exercices 17 à 21, on considère le cube représenté ci-dessous, I, J, K étant les milieux respectifs des segments [A′D′], [C′D′], [BD′].

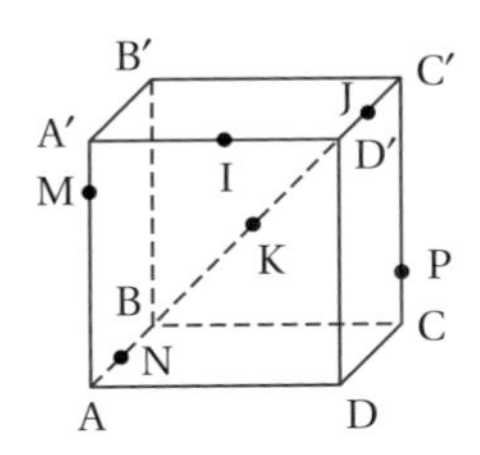

17 Quelle est la position relative des droites (AD) et (BC′) ?

18 Les droites (IJ) et (A′B′) sont-elles sécantes ?

19 Les droites (AA′) et (KI) sont-elles sécantes ?

20 Soit N un point de l'arête [AB]. Les droites (D′N) et (B′K) sont-elles sécantes ?

21 Soit M un point de l'arête]AA′[et soit P un point de l'arête]CC′[. Les droites (B′M) et (AP) sont-elles sécantes ?

Positions relatives de plans

22 On considère une pyramide à base carrée dont toutes les faces sont des triangles équilatéraux. Quel est l'angle que fait une face avec le plan horizontal ?

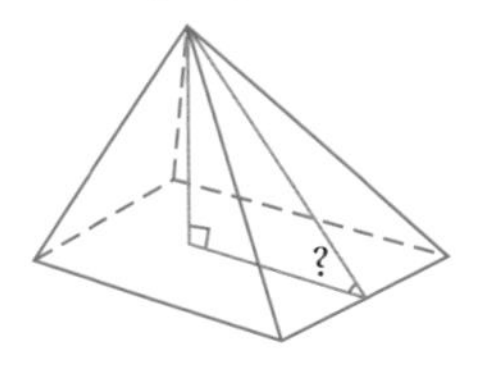

23 On considère le cube représenté ci-dessous, I étant le milieu de [CG].

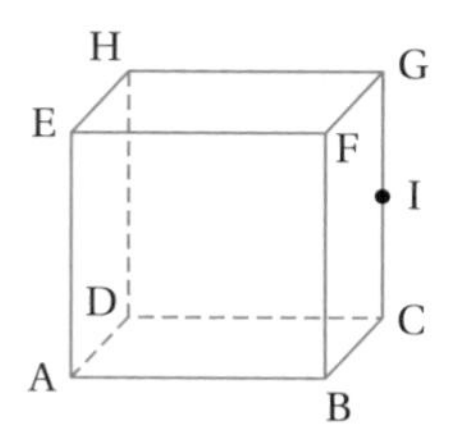

Remplir le tableau suivant (pour la dernière ligne donner un triangle différent de ceux qui figurent dans le tableau).

Le triangle	est-il rectangle ?	est-il isocèle ?	est-il équilatéral ?
GHE			
DHI			
CAG			
FAC			
	oui	non	non

24 On considère deux plans $\mathscr{P}$ et $\mathscr{P}'$ ayant en commun trois points non alignés. Que peut-on dire de ces deux plans ?

25 On considère un tétraèdre ABCD, des points I, J, K appartenant respectivement aux arêtes]AB[,]AC[,]AD[. Lorsque les plans (BCD) et (IJK) sont sécants, comment construire leur intersection ?

26 Soit $\mathscr{D}$ et $\mathscr{D}'$ deux droites d'un plan $\mathscr{P}$, sécantes en un point A. Soit M un point extérieur au plan $\mathscr{P}$. Déterminer l'intersection du plan $\mathscr{Q}$ contenant M et $\mathscr{D}$ et du plan $\mathscr{Q}'$ contenant M et $\mathscr{D}'$.

27 Reprendre l'exercice précédent en supposant que les droites $\mathscr{D}$ et $\mathscr{D}'$ sont parallèles.

28 Deux plans $\mathscr{P}$ et $\mathscr{P}'$ sont sécants. Soit A un point de $\mathscr{P}$ n'appartenant pas à $\mathscr{P}$, B et C deux points de $\mathscr{P}'$. Comment construire l'intersection de $\mathscr{P}$ et du plan (ABC) ?

Considérez deux cas.

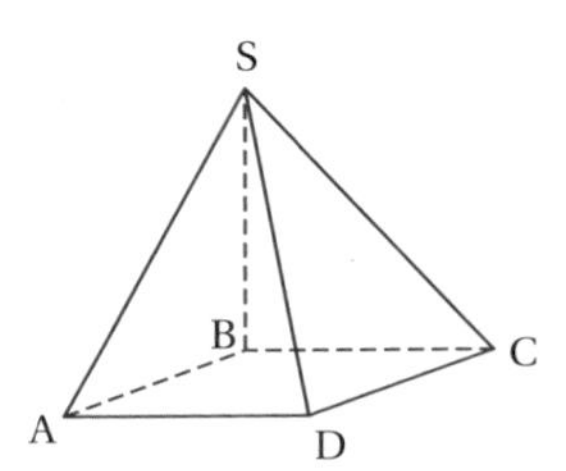

Dans les exercices 29 à 31, on considère une pyramide SABCD de sommet S et de base carrée ABCD. Dans chaque cas, déterminer l'intersection des plans.

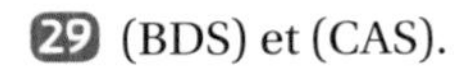

29 (BDS) et (CAS).

30 (ABS) et (CDS).

31 (BCS) et (DAS).

Positions relatives de droites et de plans

Dans les exercices 32 à 34, on considère deux droites de l'espace $\mathscr{D}$ et $\mathscr{D}'$ et deux plans $\mathscr{P}$ et $\mathscr{P}'$. Que penser des affirmations suivantes ?

32 Si $\mathscr{D}//\mathscr{P}$ et $\mathscr{D}'//\mathscr{P}$ alors $\mathscr{D}//\mathscr{D}'$.

33 Si $\mathscr{D}//\mathscr{P}$ et $\mathscr{D}//\mathscr{P}'$ alors $\mathscr{P}//\mathscr{P}'$.

34 Si $\mathscr{D}//\mathscr{P}$ et $\mathscr{P}//\mathscr{P}'$ alors $\mathscr{D}//\mathscr{P}'$.

35 Soit $\mathscr{D}$ une droite d'un plan $\mathscr{P}$. Soit A un point de $\mathscr{P}$ n'appartenant pas à $\mathscr{D}$ et B un point n'appartenant pas à $\mathscr{P}$. Démontrer que les droites (AB) et $\mathscr{D}$ ne sont pas coplanaires.

36 Soit ABCD un tétraèdre et I et J les centres de gravité des triangles ABC et ACD. Démontrer que la droite (IJ) est parallèle au plan (BCD).

Calculs de volumes

37 Une sphère et un cône de révolution ont le même volume ; le rayon de la sphère est de 6 cm, tout comme le rayon du cercle de base du cône de révolution. Quelle est la hauteur du cône ?

38 On fait tourner le rectangle de la figure ci-contre autour de la droite (AB). Calculer le volume du solide ainsi engendré en centimètre cube à 10^{-1} près.

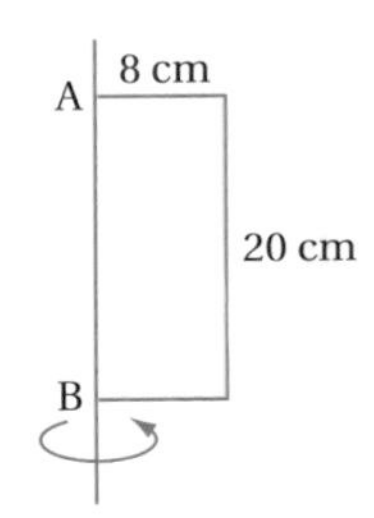

39 Reprendre l'exercice précédent avec le trapèze ci-dessous.

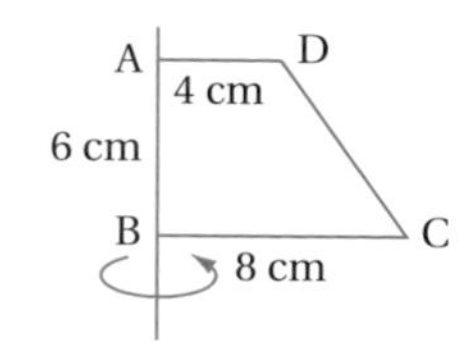

40 On considère un récipient cylindrique de 18 cm de rayon partiellement rempli d'eau. On immerge dans ce récipient une boule. La boule est alors recouverte tout entière et le niveau de l'eau s'est élevé de 3 cm au-dessus du niveau initial.

Donner une valeur approchée à 1 mm près du rayon de la boule.

PROBLÈMES

41 On considère une pyramide SABCD dont la base ABCD est un parallélogramme. Soit I, J, K les milieux des arêtes [SB], [SC], [AB].

a. Démontrer que les droites (IJ) et (AD) sont parallèles.

b. Déduire de la question précédente que la droite (IJ) perce le plan (SDK).

c. Déterminer l'intersection des plans (SDK) et (SBC).

d. Construire le point d'intersection de la droite (IJ) avec le plan (SDK).

42 On considère un cône de rayon 1 cm et de hauteur 3 cm. On le coupe par un plan parallèle au disque de base. On obtient un tronc de cône de hauteur h cm.

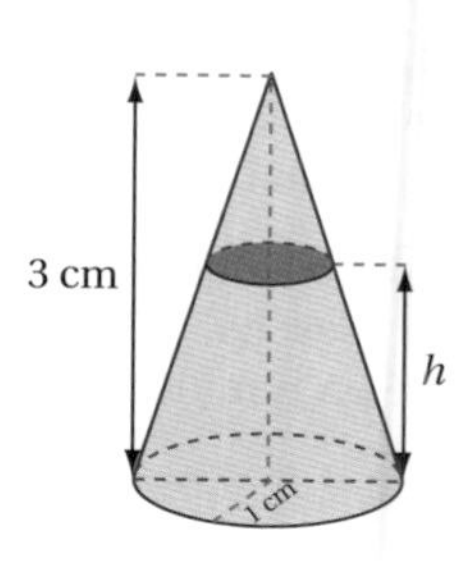

a. Exprimer la hauteur et le rayon du petit cône en fonction de h.

b. Développer $\left(1-\frac{h}{3}\right)^2(3-h)$.

c. En déduire que le volume du tronc de cône est égal à $\frac{\pi h}{27}(h^2-9h+27)$.

43 On a sectionné un cube ABCDEFGH de 3 cm d'arête par un plan. Les traces de la coupe sont [AF], [AC] et [CF].

1. **a.** Ce plan est-il parallèle à une arête ? À une face ?

b. Quelle est la nature de la section ?

2. On considère alors la pyramide CABF, de base le triangle ABF et de hauteur CB.

a. Calculer le volume de cette pyramide.

b. Dessiner un patron de cette pyramide ; on laissera les traits de construction.

44 ABCDEFGH est un cube dont l'arête mesure 12 cm. I est le milieu de [AF] et J celui de [DE].

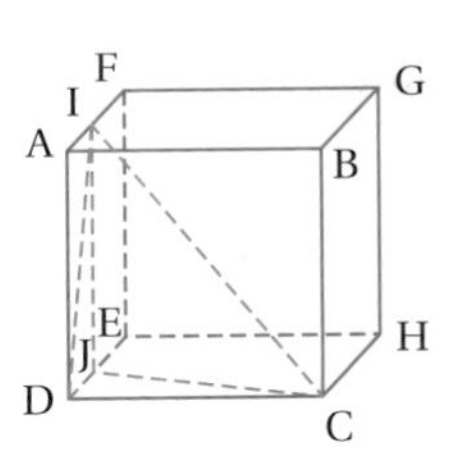

1. **a.** Calculer les dimensions des faces de la pyramide IDJC.

b. Faire un patron de cette pyramide.

2. Calculer le volume V de la pyramide IDJC.

3. Soit K le milieu de [IJ] ; on coupe la pyramide suivant le plan passant par K et parallèle à sa base. Calculer le volume du tronc de pyramide obtenu.

45 Soit x un nombre supérieur ou égal à 3. Un parallélépipède rectangle a pour dimensions, en centimètre : $x-1$, $x-2$ et 4.

a. Démontrer que son volume en cm^3 est égal à $4x^2-12x+8$.

b. Calculer ce volume si $x=5$.

c. Déterminer les longueurs des arêtes du parallélépipède pour que son volume soit égal à $8\ \text{cm}^3$.

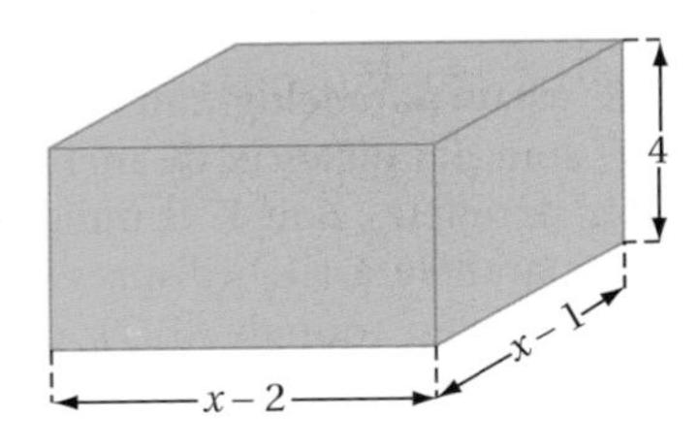

SE TESTER

1 **Réponse b.** Faux. Voir le cours.

2 **Réponse b.** Faux. L'intersection de deux plans, quand elle existe, est une droite.

3 **Réponse b.** Faux. La droite en question est parallèle à au moins une droite du plan mais pas à toutes.

4 **Réponse a.** Vrai. Faire un dessin.

5 **Réponse a.** Vrai. Voir le cours. On peut dire aussi que les droites d'intersection sont parallèles.

S'ENTRAÎNER

6 Les quatre faces latérales représentent des plans sécants au plan (ABCD).

7 Les trois autres arêtes « verticales » sont parallèles à l'arête (AA′). Il s'agit donc des droites (BB′), (CC′), (DD′).

8 Il y a quatre arêtes coupant (AA′) : ce sont (A′B′) et (D′A′) sur la face supérieure et (AB) et (AD) sur la face inférieure.

9 Oui, ce sont les arêtes (CD), (BC), (C′D′) et (B′C′). Lorsque l'on observe des droites dans l'espace, elles peuvent très bien n'être ni sécantes ni parallèles ; il suffit qu'elles ne soient pas contenues dans un même plan.

10 La droite (AB) est parallèle à la droite (C′D′) ; par conséquent, ces droites sont coplanaires. Si bien que le plan (KC′D′) peut s'écrire (ABC′D′). Il en résulte que l'intersection cherchée est égale à la droite (AD′).

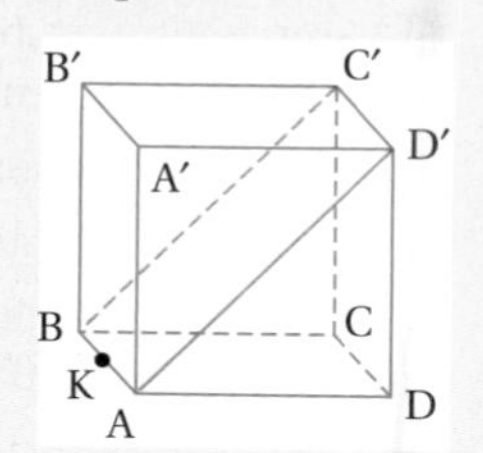

11 Le quadrilatère BDD′B′ est un parallélogramme car les segments [BB′] et [DD′] sont parallèles et de même longueur. (BD) et (B′D′) sont parallèles. Soit K le milieu de [AB] ; comme (BD) est parallèle à (IK) (d'après le théorème des milieux appliqué au triangle ABD), on en déduit que (IK) est parallèle à (B′D′) ce qui prouve que ces deux droites sont coplanaires ; le plan (IB′D′) est donc confondu avec le plan (KID′B′).

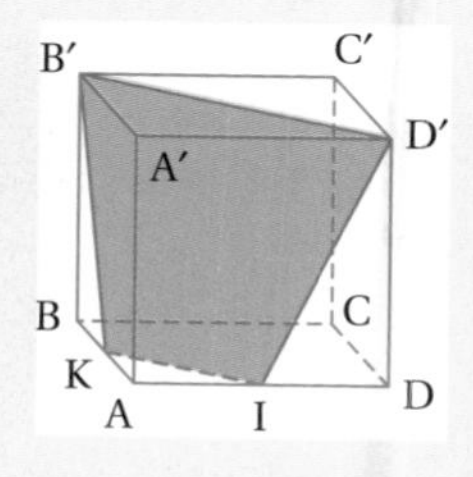

Il en résulte que la droite (B′K) appartient simultanément aux plans (IB′D′) et (AA′B′B) ; elle représente l'intersection cherchée.

12 a. et b. Un seul patron n'est pas celui d'un cube : le n° 8. Les 11 autres patrons sont ceux d'un cube donné. La face jaune est la face opposée à la bleue.

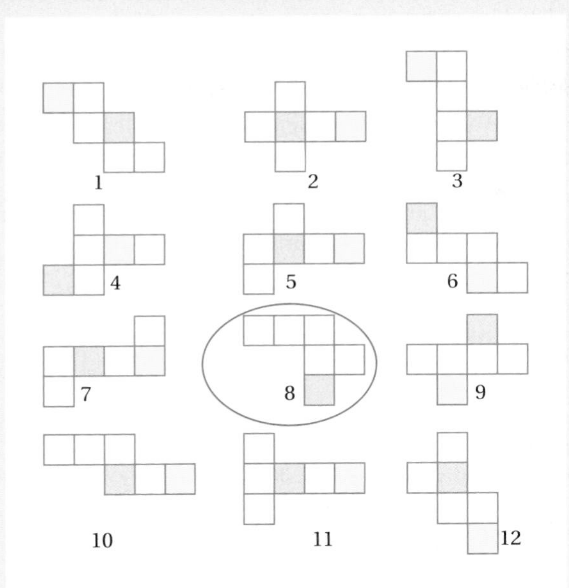

13 Vrai. La droite (MA′) est incluse dans le plan (BMA′) ; comme le point A appartient lui-même à cette droite, il appartient au plan.

14 Faux. Sinon la droite (AM) serait incluse dans le plan (BMD) ; cela serait en contradiction avec le fait que les droites (AM) et (BD) ne sont pas coplanaires.

15 Faux. Elles ne sont pas coplanaires.

16 Faux. Ces deux droites ne sont pas coplanaires. Elles ne peuvent donc être sécantes.

17 Les droites (AD) et (BC′) appartiennent à des faces parallèles : AA′D′D et BB′C′C. Ces droites n'étant pas parallèles entre elles, elles sont non coplanaires.

18 Il suffit de se placer dans le plan A′B′C′D′ et de prolonger dans ce plan les droites (IJ) et (A′B′). Elles sont concourantes puisque non parallèles.

19 Le point K n'appartient pas au plan (AA′I). Par conséquent, la droite (KI) perce ce plan en I qui n'est pas situé sur la droite (AA′). Les droites (AA′) et (KI) ne sont donc pas sécantes.

20 Le quadrilatère BB′D′D est un rectangle. Le milieu K de [BD′] appartient au plan (BB′D′D). Si les droites (D′N) et (B′K) étaient sécantes, elles formeraient un plan contenant D′, B′, K. Ce serait, par conséquent, le plan (BB′D′D) et le point N appartiendrait ainsi à ce plan, ce qui est absurde. Donc les droites (D′N) et (B′K) ne sont pas sécantes.

21 Si les droites (B′M) et (AP) étaient sécantes, elles formeraient un plan contenant les points B′, M, A ; ce plan n'est autre que le plan de la face AA′B′B. La droite (AP) percerait donc ce plan en A et couperait la droite (B′M) en A. Cela est absurde car le point A n'appartient pas à la droite (B′M). Donc les droites (B′M) et (AP) ne sont pas sécantes.

22 On appelle a le côté de chacune des arêtes.

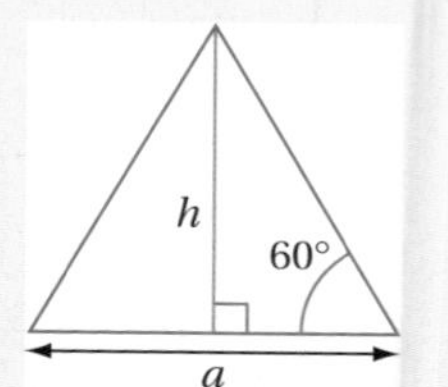

Le côté du triangle rectangle est égal à la moitié du côté, c'est-à-dire $\frac{a}{2}$.

Le côté h du triangle rectangle est égal à la hauteur du triangle de côté a.

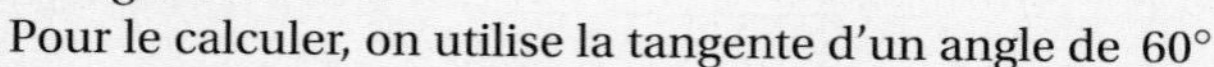

Pour le calculer, on utilise la tangente d'un angle de 60° d'un triangle rectangle. On trouve : $\tan 60° = \frac{h}{\frac{a}{2}} = \frac{2h}{a}$.

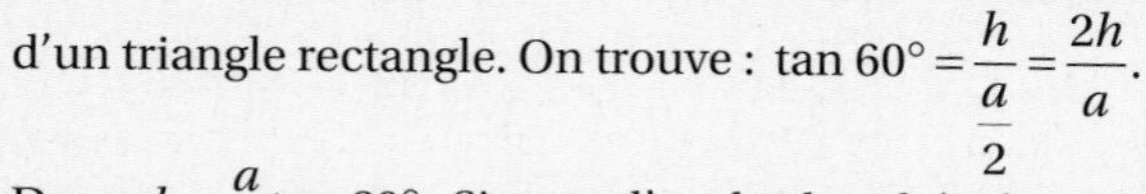

Donc $h = \frac{a}{2}\tan 60°$. Si x est l'angle cherché, alors :

$$\cos x = \frac{\frac{a}{2}}{h} = \frac{\frac{a}{2}}{\frac{a}{2}\tan 60°} = \frac{1}{\tan 60°}.$$

À l'aide de la touche inverse de cosinus, on trouve $x \approx 54{,}7°$.

23

Le triangle	est-il rectangle ?	est-il isocèle ?	est-il équilatéral ?
GHE	oui	oui	non
DHI	non	oui	non
CAG	oui	non	non
FAC	non	oui	oui
EAC	oui	non	non

24 Les plans $\mathcal{P}$ et $\mathcal{P}'$ sont confondus puisque par trois points non alignés, il ne passe qu'un et un seul plan.

25 Il suffit de tracer les droites (IJ) et (IK) qui percent le plan (BCD) en deux points qui déterminent l'intersection désirée. (IJ) le perce sur (BC) et (IK) sur (BD).

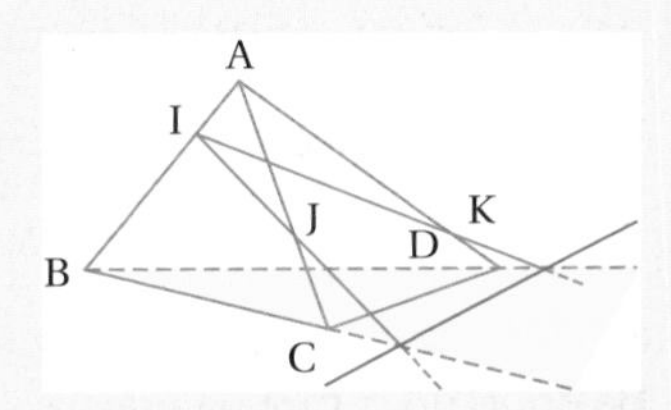

26 Les plans $\mathcal{Q}$ et $\mathcal{Q}'$ sont distincts et ont deux points en commun : M et A. Par conséquent, leur intersection est la droite (AM).

27 Les plans $\mathcal{Q}$ et $\mathcal{Q}'$ ont ici un point commun évident : M. La droite passant par M et parallèle à $\mathcal{D}$ et $\mathcal{D}'$ appartient à la fois aux deux plans qui sont distincts ; c'est l'intersection cherchée. On retrouve le théorème du toit.

28 Le point A appartient évidemment à $\mathcal{P}$ et à (ABC). On étudie alors deux cas :

- (BC) est parallèle à $\mathcal{P}$. On trace la parallèle à (BC) passant par A ; elle est contenue dans $\mathcal{P}$ et dans (ABC). C'est l'intersection cherchée.
- (BC) perce $\mathcal{P}$ en A′. L'intersection de $\mathcal{P}$ et (ABC) est alors (AA′).

29 Le point S est commun aux deux plans. De plus, le centre O du carré ABCD appartient aux deux diagonales (BD) et (AC). Il appartient donc aussi aux deux plans. Il en résulte que l'intersection cherchée est la droite (SO).

30 Les droites (AB) et (CD) sont parallèles. Soit (δ) la droite parallèle à (AB) passant par S. (δ) est également parallèle à (CD). Elle est donc contenue à la fois dans les plans (ABS) et (CDS) et constitue ainsi leur intersection.

31 Par un raisonnement en tout point analogue au précédent, on démontre que l'intersection cherchée est la parallèle à (AD) passant par S.

32 L'affirmation est fausse. Les droites (A′B′) et (B′C′) sont toutes les deux parallèles au plan ABCD, mais elles ne sont pas parallèles.

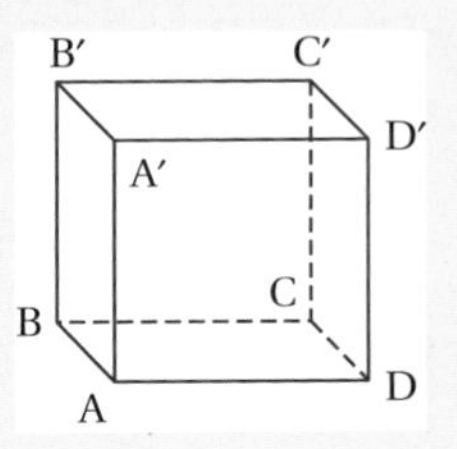

33 L'affirmation est fausse. La droite (AA′) est parallèle aux plans BB′C′C et CC′D′D, mais ces deux plans ne sont pas parallèles.

34 L'affirmation est vraie. Si $\mathcal{D}$ est parallèle à $\mathcal{P}$, alors il existe une droite de $\mathcal{P}$ parallèle à $\mathcal{D}$: $\mathcal{D}_1$. $\mathcal{D}_1$ est parallèle à $\mathcal{P}'$ puisqu'elle est incluse dans $\mathcal{P}$.
Soit $\mathcal{D}'$ une droite de $\mathcal{P}'$ parallèle à $\mathcal{D}_1$. $\mathcal{D}$ est alors parallèle à $\mathcal{D}'$ donc à $\mathcal{P}'$.

35 Si les droites (AB) et $\mathcal{D}$ étaient coplanaires, elles appartiendraient toutes les deux au plan défini par A et $\mathcal{D}$ c'est-à-dire $\mathcal{P}$. Or B n'appartient pas à $\mathcal{P}$; donc (AB) et $\mathcal{D}$ ne sont pas coplanaires.

36 Soit M le milieu du segment [AC]. On considère le triangle MBD. La position du centre de gravité d'un triangle donne :

$\mathrm{MI} = \frac{1}{3}\mathrm{MB}$ et $\mathrm{MJ} = \frac{1}{3}\mathrm{MD}$.

La réciproque du théorème de Thalès entraîne que les droites (IJ) et (BD) sont parallèles.
Comme (BD) est incluse dans le plan (BCD), il s'ensuit que (IJ) est parallèle à (BCD).

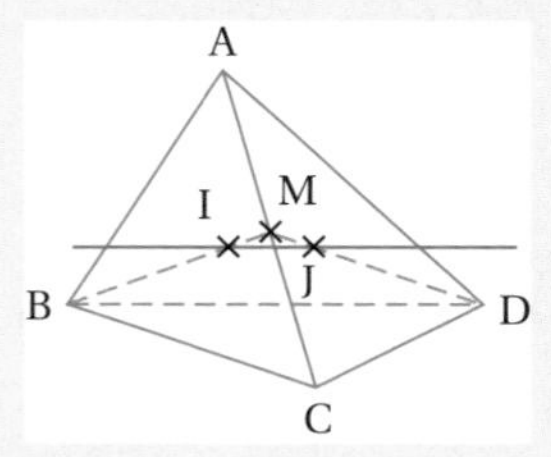

37 Les volumes de la sphère et du cône étant respectivement égaux à $\frac{4}{3}\pi 6^3$ et $\frac{1}{3}\pi 6^2 h$, on en déduit $h = 24\,\text{cm}$.

La hauteur trouvée est le quadruple du rayon commun ; ce n'est pas un hasard puisque, dans le cas où le rayon vaut r, on a :

$\frac{4}{3}\pi r^3 = \frac{1}{3}\pi r^2 h$, ce qui entraîne $h = 4r$.

38 Le solide engendré par la rotation de la plaque rectangulaire autour de la droite (AB) est un cylindre de révolution de hauteur 20 cm et de rayon 8 cm.

Son volume est par conséquent égal à $\pi r^2 h$, c'est-à-dire $4\,021{,}2\ \text{cm}^3$ environ.

39 Le solide engendré par la rotation de la plaque trapézoïdale autour de la droite (AB) est un cône dont on a coupé un petit morceau du haut. Si on reconstitute le cône, celui-ci aura pour rayon 8 cm et pour hauteur 6 cm plus AS, S étant le sommet. Dans le triangle ASD, on applique le théorème de Thalès :

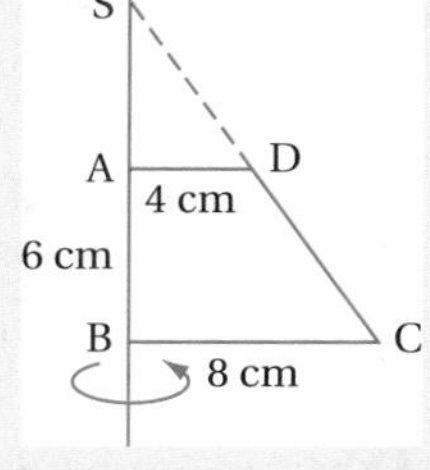

$\text{SA} = \dfrac{\text{AD}}{\text{BC}} \times \text{SB} = \dfrac{1}{2}(\text{SA} + 6)$, d'où $\text{SA} = 6$ cm.

Le volume V du solide engendré vaut donc :

$$V = \frac{1}{3}\pi \times 8^2 \times 12 - \frac{1}{3}\pi \times 4^2 \times 6 = \frac{1}{3}\pi \times 672.$$

D'où $V = 703{,}7 \text{ cm}^3$ environ.

40 Lorsque la boule est immergée, le volume non vide à l'intérieur du récipient est égal au volume initial de liquide augmenté du volume de la boule de rayon r. Si on appelle h la hauteur initiale de l'eau dans le récipient, on a :

$$\pi \times 18^2 \times h + \frac{4}{3}\pi r^3 = \pi \times 18^2 (h+3), \text{ donc } \frac{4}{3}\pi r^3 = \pi \times 18^2 \times 3.$$

En développant et simplifiant, on obtient : $r^3 = 729$. Il en résulte que $r = 9$ cm puisque $9^3 = 729$.

PROBLÈMES

41

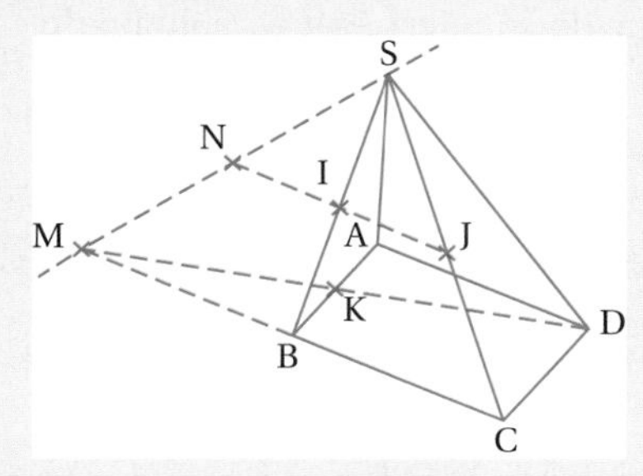

a. La droite (IJ) joint les milieux de deux côtés du triangle SBC. Elle est donc parallèle au troisième côté (BC). De plus, (BC) est parallèle à (AD), donc (IJ) est parallèle à (AD).

b. La droite (AD) perce le plan (SDK) en D. La droite (IJ), qui est parallèle à (AD), perce également le plan (SDK).

c. Les deux plans (SDK) et (SBC) ont un point en commun évident : S. En outre, les deux droites (BC) et (DK) sont incluses dans le plan (ABCD) ; elles sont sécantes en un point M. Comme elles sont incluses respectivement dans (SBC) et (SDK), M appartient à l'intersection de ces deux plans. En conclusion, l'intersection recherchée est la droite (SM).

d. Les trois points S, M, C sont coplanaires (ils appartiennent au plan (SBC)). La droite (IJ) est parallèle à la droite (CM) et coupe le côté $[SM]$ en son milieu N. Ce point N est le point où la droite (IJ) perce le plan (SDK), puisque (SM) est incluse dans (SDK).

42 **a.** La hauteur du petit cône est égale à $3-h$.

Soit r le rayon du petit cône.

D'après le théorème de Thalès dans le triangle SHB : $\dfrac{3-h}{3}=\dfrac{r}{1}$, donc $r=1-\dfrac{h}{3}$.

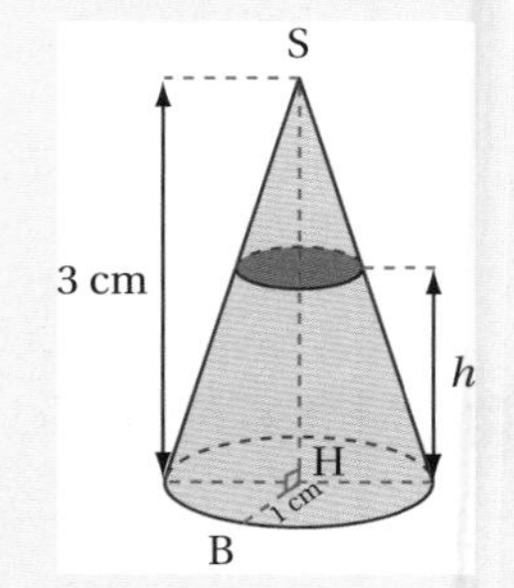

b. $$\left(1-\frac{h}{3}\right)^2(3-h)=\left(1-\frac{2h}{3}+\frac{h^2}{9}\right)(3-h)$$
$$=3-h-2h+\frac{2h^2}{3}+\frac{h^2}{3}-\frac{h^3}{9}$$
$$=-\frac{h^3}{9}+h^2-3h+3$$

c. Le volume du tronc de cône est égal au volume du grand cône moins le volume du petit cône. Le volume du grand cône est égal à $\dfrac{1}{3}\pi 1^2\times 3=\pi$.

Le volume du petit cône est égal à : $\dfrac{1}{3}\pi r^2(3-h)=\dfrac{1}{3}\pi\left(1-\dfrac{h}{3}\right)^2(3-h)$.

Compte tenu du résultat de la question précédente, le volume du tronc de cône est donc égal à :

$$\pi-\frac{1}{3}\pi\left(-\frac{h^3}{9}+h^2-3h+3\right)=\pi\left(1+\frac{1}{27}h^3-\frac{1}{3}h^2+h-1\right)=\pi\left(\frac{1}{27}h^3-\frac{1}{3}h^2+h\right).$$

Si on développe $\dfrac{\pi h}{27}\left(h^2-9h+27\right)$, on trouve le même résultat. Ce qu'il fallait démontrer.

43 1. **a.** Le plan de coupe n'est ni parallèle à une arête, ni parallèle à une face ; il est sécant à toutes les faces et à toutes les arêtes.

b. La section est un triangle équilatéral dont le côté est égal à la diagonale d'une face du cube.

2. **a.** La base de la pyramide est un triangle rectangle isocèle de côté 3 cm. Son aire est donc égale à 4,5 cm^2 La hauteur de la pyramide est égale à 3 cm. Son volume en cm^3 est donc égal à $\frac{1}{3} \times 4,5 \times 3 = 4,5$.

b.

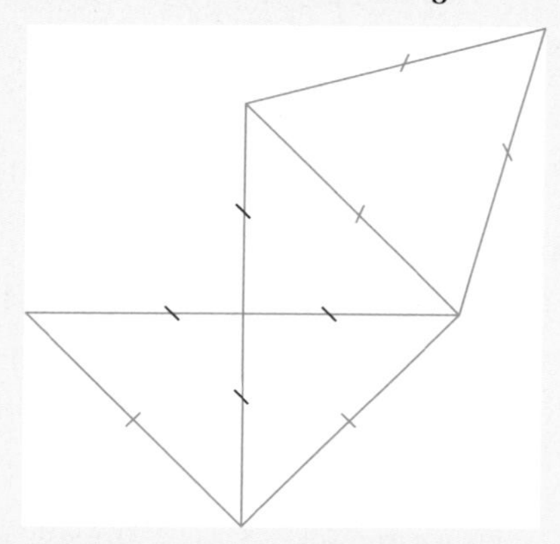

44 1. **a.** On trouve immédiatement $DC = IJ = 12\,cm$, $JD = 6\,cm$.

En appliquant le théorème de Pythagore dans le triangle rectangle IDJ, on trouve : $ID^2 = JD^2 + IJ^2 = 180$, donc $ID = 36\sqrt{5}\,cm$. Comme ID = JC, on trouve aussi $JC = 36\sqrt{5}\,cm$.

En appliquant le théorème de Pythagore dans le triangle rectangle IJC, on trouve : $IC^2 = JC^2 + IJ^2 = 180 + 144 = 324$, donc $IC = 18\,cm$.

b.

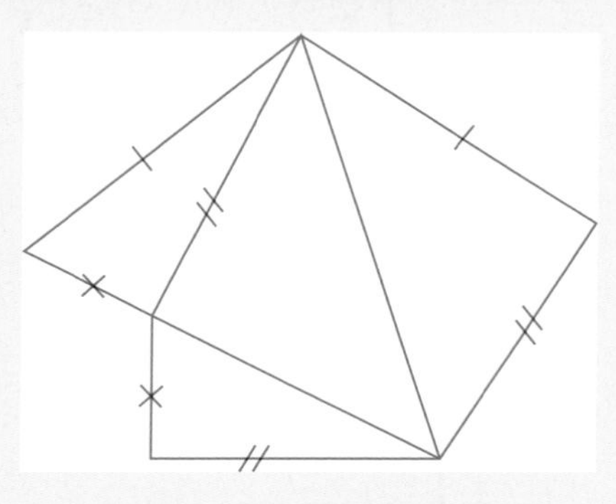

2. $V = \frac{1}{3} \times \text{Aire}_{\text{base}} \times \text{hauteur}$. Or, la base est le triangle rectangle JDC. Son aire est égale à $\frac{JD \times DC}{2}$, soit 36 cm^2. Sa hauteur est égale à IJ, soit 12 cm. Donc $V = \frac{1}{3} \times 36 \times 12 = 144 \ (\text{cm}^3)$.

3. Le volume de la petite pyramide résultant de la coupe est égal à $\left(\frac{1}{2}\right)^3 V$, soit $\frac{1}{8} V$.

Le volume du tronc de pyramide est donc égal à $144 - \frac{1}{8} \times 144 \text{ cm}^3 = 126 \text{ cm}^3$.

45 **a.** On note le volume $V(x)$:
$V(x) = (x-1) \times (x-2) \times 4 = 4(x^2 - 2x - x + 2) = 4x^2 - 12x + 8$.
b. $V(5) = 4 \times 5^2 - 12 \times 5 + 8 = 4 \times 25 - 60 + 8 = 48$.
Le volume vaut 48 cm^3 si $x = 5$.
c. Cela revient à résoudre l'équation $V(x) = 8$:
$V(x) = 8 \Leftrightarrow 4x^2 - 12x + 8 = 8$
$V(x) = 8 \Leftrightarrow 4x^2 - 12x = 0$
$V(x) = 8 \Leftrightarrow 4x(x-3) = 0$
$V(x) = 8 \Leftrightarrow 4x = 0 \text{ ou } x - 3 = 0$
$V(x) = 8 \Leftrightarrow x = 0 \text{ ou } x = 3$.
Comme par hypothèse $x \geqslant 3$, on en déduit que si $x = 3$, alors le volume du pavé est égal à 8 cm^3.

Index

Dépôt légal n° 99478-4/01 - Décembre 2015
Achevé d'imprimer en France par I.M.E. By Estimprim